NARRATORI ITALIANI

Della stessa autrice presso Bompiani

Un giorno verrà

GIULIA CAMINITO
L' ACQUA DEL LAGO NON È MAI DOLCE

ROMANZO
BOMPIANI

www.giunti.it
www.bompiani.it

© 2021 Giunti Editore S.p.A. / Bompiani
Via Bolognese 165, 50139 Firenze - Italia
Via G. B. Pirelli 30, 20124 Milano - Italia

Pubblicato in accordo con MalaTesta Lit. Ag. Milano

ISBN 978-88-301-0324-5

Prima edizione: gennaio 2021
Diciannovesima edizione: gennaio 2022

Tutte le vite iniziano con una donna e così anche la mia, una donna con i capelli rossi che entra in una stanza e ha addosso un completo di lino, l'ha tirato fuori dall'armadio per l'occasione, se l'è comprato al banco di Porta Portese, il banco buono dei vestiti di marca ribassati, non quelli da poche lire, ma quelli con sopra il cartello: PREZZI VARI.

La donna è mia madre e ha una valigetta di pelle nera stretta nella mano sinistra, si è fatta da sola la piega ai capelli, ha usato bigodini e lacca, ha gonfiato la frangetta con la spazzola, ha occhi verdi e gialli e tacchetti da cresima, lei entra e la stanza si fa piccola.

Alle scrivanie siedono impiegati, mia madre ha passato tre ore all'angolo del palazzo, la valigetta contro il petto, e quando lo racconta dice che le sue gambe erano burro e la saliva acida.

Si avvicina muovendo i fianchi e prima di lei arriva il profumo con cui ha coperto l'odore di lenticchie cucinate per il pranzo, dice: Sono venuta per vedere la dottoressa Ragni, ho un appuntamento.

Si è ripetuta quella frase allo specchio e in tram e in ascensore e all'angolo: Ho un appuntamento.

5

Con tono dolce, con tono allegro, con tono deciso, con un sussurro, come se fosse normale e adesso lo dice a una signorina senza fede e i capelli legati sulla nuca, che la osserva e vede il vestito di lino un po' spiegazzato e la pelle della valigetta mangiata sul manico.

La signorina guarda un'agenda che ha davanti: Come si chiama?

Antonia Colombo, dice mia madre.

La signorina controlla bene l'agenda con gli appuntamenti della dottoressa Ragni, scorre rapidamente col dito e cerca questa tale Colombo, ma non la vede.

Non c'è il suo nome qui, signora.

Mia madre fa una smorfia, che ha pensato e ripensato, si è domandata che faccia fare in quel preciso momento, ha dovuto studiare ogni attimo, immaginare quello che sarebbe accaduto nel dettaglio e la smorfia le viene bene, come di una donna impegnata, infastidita dall'incompetenza altrui, dai ritardi.

Mia madre dice: Guardi, ho preso appuntamento già da una settimana, sono un avvocato e la dottoressa Ragni mi aveva garantito che ci sarebbe stata oggi, siamo molto in ritardo con la consegna degli atti.

La smorfia di mia madre è storta e la sua insofferenza reale, come sono reali le scarpe strette e gli uomini alti e sudati sul tram.

Le due si scambiano altre battute e Antonia Colombo insiste, certa che quella è la cosa giusta da fare, prendere posto e non spostarsi più.

La signorina si convince, la donna dai capelli rossi sembra sicura di quel che dice e nell'ufficio nessuno ha alzato neanche gli occhi dalle carte di cui si sta occupando, perché non si è ancora accesa una discussione.

Così la signorina le apre la porta su cui campeggia la targa DOTTORESSA RAGNI e mia madre la varca, è la soglia del suo futuro.

Vede una terza donna vestita con un completo gonna e giacca a pallini verdi su fondo nero e aspetta che la porta si chiuda alle sue spalle.

Lei e la dottoressa si osservano, la seconda ha le mani in un cassetto che chiude prontamente, e alle spalle una libreria stracolma di volumi giuridici e mia madre sa che con sé non potrà mai tenere tutta quella carta, perché la carta occupa spazio e costa.

Ma lei chi è? domanda la dottoressa Ragni accavallando le gambe.

Antonia Colombo, risponde mia madre e aggiunge: Non ci conosciamo e io non ho un appuntamento.

Si alza un silenzio compatto che dura qualche secondo finché non è Antonia a parlare.

Lei non mi conosce ma sul tavolo ha la mia pratica per la richiesta dell'assegnazione, sono sicura che è lì, in quel mucchio, in mezzo ci sono anche io, che abito in via Monterotto 63, anzi non abito perché la mia residenza non è riconosciuta e stiamo in venti metri quadri, in un seminterrato, e le bollette non sono a mio nome e pago la multa per essere occupante e ho anticipato i soldi per poter stare lì e voglio essere messa in regola, sono passati cinque anni.

La dottoressa si tira su dalla sedia e mostra di non essere molto alta, si leva gli occhiali dal viso, sono tondi e tartarugati, e li butta sulla scrivania con stizza, urla a mia madre di uscire.

Io sono stata nei vostri uffici, tutti gli uffici, ho portato i documenti che avete chiesto, ho sposato l'uomo che viveva con me, gli ho fatto adottare mio figlio, sono rimasta incinta, ho formato un nucleo famigliare e ho tutti i requisiti, dice mia madre.

La dottoressa inizia a comporre numeri sul telefono e poi butta giù la cornetta, minaccia di chiamare la polizia e dice a mia madre che deve andarsene subito, come ha osato entrare lì con l'inganno, lo dice a voce più alta: Come ha osato?

Mia madre allora si siede per terra a gambe incrociate, il vestito di lino le sale sulle cosce bianche e piene di lentiggini, alza le mani sopra la testa e dice: Io sono qui, sono qui per la mia casa.

E sta ferma, ha le braccia rigide, le mani spalancate, la valigetta è a terra ed è vuota, non è un avvocato mia madre e non ha appuntamenti con chi conta, ha una casa che ha ripulito dai topi e dalle blatte e dalle siringhe e vuole una soluzione.

La dottoressa si sposta dalla scrivania e la supera, la urta di proposito con un ginocchio e apre la porta, chiede aiuto in ufficio, dice: C'è una matta seduta sul pavimento, portatela via.

Allora la signorina di prima e alcuni uomini e l'usciere e la portinaia accorrono e trovano questo tronco di donna, che è mia madre, con le mani alzate al soffitto e il vestito di lino ormai tutto arrotolato, ha un viso di marmo e tiene tra le labbra insulti e canti a squarciagola.

Non crede che loro sappiano cosa vuol dire arrivare al punto in cui non si può più sopportare, dopo uno due tre quattro cinque dieci assistenti sociali, dopo uno due tre quattro cinque dieci uffici postali, dopo uno due tre quattro cinque dieci avvocati d'ufficio, dopo uno due tre quattro cinque dieci impiegati dell'ATER, dopo uno due tre quattro cinque dieci moduli da compilare, dopo uno due tre quattro cinque dieci multe e bollette e richiami e minacce.

Loro la alzano e la spostano di peso, la sollevano per braccia e gambe e allora la camicetta si apre e mostra un reggiseno senza ferretto, seni gonfi, la gonna si strappa e spuntano le sue mutande, mia madre ha già fatto a brandelli il vestito buono e scalcia e grida, come fiera spietata.

E io è come se fossi lì, in piedi, a guardarla dall'angolo della stanza, la giudico e non la perdono.

1.
LA CASA È DOVE SI TROVA IL CUORE

Viviamo in un quartiere che a mia madre non piace chiamare periferia, poiché per essere periferia devi aver presente quale sia il tuo centro e noi quel centro non lo vediamo mai, io non ho mai visitato il Colosseo, la Cappella Sistina, il Vaticano, Villa Borghese, piazza del Popolo, noi le gite con la scuola non le facciamo e se esco è per andare con mia madre al mercato rionale.

Di quella casa, larga cinque e lunga quattro metri, io ho a cuore la spianata di cemento e le aiuole, dentro c'è solo erba, nessuno ha mai pensato di metterci i fiori e mia madre anche s'è rifiutata, ché piantare vuol dire rimanere.

L'interno è una cucina in un armadio, è una brandina da tirare fuori da sotto al letto di Mariano, è un termosifone elettrico da accendere poco e se fa proprio freddo, è un poster dei Beatles sopra al tavolo dove mangiamo e quattro sedie diverse, è sentire cigolare il letto dei miei se fanno quello, perché la stanza è una sola e non è che puoi andare fuori e non è che puoi chiuderti al bagno, perché anche dal bagno e da fuori si sente tutto.

La casa sono io bambina che conosco solo lo spiazzo di cemento e lo abito come una reggia insieme a mio fratello, è nostro e di nessun altro, scaviamo, saltiamo, cuciniamo ortiche e formiche e a terra tracciamo coi gessetti presi a scuola numeri e linee e triangoli e quadrati in cui ci sediamo e diciamo che sono cose nostre, viviamo lì, dentro i segni a terra che abbiamo disegnato.

C-A-S-A, diciamo e ci basta fare poche righe, le mura e il tetto, le finestre, la porta.

Quel luogo, la terra dei nostri giochi e delle nostre prime fantasie, esiste perché nostra madre l'ha voluto, prima era il dominio degli scarafaggi, di qualche topo e di molte siringhe gettate attraverso la rete dalla strada o lasciate da chi dorme sul portone del palazzo.

Nostra madre s'è messa stivali alti di gomma, presi in prestito da mio padre, per raccoglierle a una a una e bruciarle prima di buttarle via, se trovi una siringa, dice sempre mia madre, devi levarla di mezzo, perché se ci casca sopra un bambino poi la colpa è anche tua, che l'hai ignorata.

Ha preso il veleno, ha fatto portare a mio padre una pala dal cantiere e si è messa a cacciare, a uccidere, a estirpare.

Dopo mesi di lavori, il cortile su cui si affaccia la bocca sdentata della nostra casa seminterrato è bonificato e lei ci porta lì, per mano, dice: Giocate.

Per avere quella casa mia madre ha chiesto a sua nonna dei soldi per dare la buonuscita ai parenti di una vecchietta, che là c'era morta.

In un quartiere popolare di drogati d'eroina e anziani moribondi nessuno se lo sarebbe comprato quel buco sporco di muffa e mia madre i soldi per comprarselo comunque non li avrebbe mai avuti, e allora si era accomodata coi proprietari, e aveva iniziato la richiesta per venir messa in regola, trovare un altro posto, sistemare almeno momentaneamente il domicilio.

Aveva pensato che sarebbe bastato poco, che in qualche modo avrebbe fatto, che ci avrebbero cercato una nuova casa mentre noi stavamo lì ad aspettare.

Tanto aspettiamo, così tanto che mia madre alla fine cede e si mette a ripulire e sistemare il pavimento e dipingere il soffitto e a far uscire meglio l'acqua dalla vasca, perché la casa il comune di Roma non vuole darcela.

Tutto si regge sull'equilibrio di ciò che è pronto a crollare ma con l'ultima radice si aggrappa a un terreno friabile, finché mia madre non resta di nuovo incinta e mio padre, che non è il padre di Mariano, si fa male al lavoro: cade da una impalcatura e resta paralizzato.

Ai documenti del matrimonio e dell'adozione si aggiungono quelli dell'invalidità, alle richieste dei sussidi di disoccupazione si sommano quelli per famiglia numerosa e per mandare i miei fratelli all'asilo nido, noi viviamo chiedendo alla città, al sindaco, all'Italia di venir aiutati e ricoverati e salvaguardati e non dimenticati, la nostra vita è una preghiera perpetua.

Quando nascono i gemelli, io ho sei anni e Mariano ci detesta tutti, primo fra noi il padre che non è il suo e che da uomo burbero si è trasformato in accessorio ingombrante e faticoso, un forno che non funziona più, un aspirapolvere che non raccoglie nulla da terra, uno scaldabagno che dopo cinque minuti ti lascia al freddo, è un ferro vecchio e lui vuole buttarlo via.

Mio padre, noto per i grandi ceffoni e la smania di far sesso, sta ormai fisso sulla sua sedia a rotelle recuperata da mia madre tramite alcuni parenti all'ospedale, e si alza le gambe da solo a una a una e non mangia più a cena: Tanto mangiare a che serve.

In casa ci sono un uomo fermo, simile a una statua, al marmo, alle piastrelle, allo stipite della porta, ai muretti che delimitano il palazzo, e una donna affaccendata che raccoglie, che sposta, che lustra, che sistema, che incolla, che avvelena, che con la scopa butta fuori l'acqua quando la casa si allaga per colpa della troppa pioggia. L'uomo fermo è mio padre, l'altra, la infaticabile, è la donna dai capelli rossi, che si chiama Antonia Colombo.

Io non ho giocattoli e ho poche amiche, mi tocca di ogni cosa la sua mala copia: la bambola cucita con pezzi di stoffa avanzati, la cartella usata da un'altra bambina e con i suoi disegni sopra, le scarpe del mercato portate a casa senza scatola ma dentro una busta di plastica con la suola già consumata, al posto delle luci di Natale i mandarini, al posto delle Barbie le loro fotografie ritagliate dalle riviste.

Penso che siamo materiali di scarto, carte inutili in un gioco complicato, biglie scheggiate che non rotolano più: siamo rimasti immobili a terra, come mio padre, caduto da una impalcatura inadeguata, in un cantiere illegale, senza contratto e senza assicurazione e da laggiù, dal punto in cui siamo precipitati, vediamo gli altri mettersi al collo collane di gemme.

I gemelli sono minuscole creature chiassose che dormono in un enorme scatolone pieno di coperte appoggiato sul tavolo della cucina, e l'odore dei loro pannolini si mischia alla minestra.

Mariano e io non capiamo perché siamo ancora lì e non abbiamo mai provato a scappare, lo progettiamo di nascosto, io e quel bambino dai capelli scuri, il momento in cui fuggiremo, eppure non siamo mai pronti a scantonare, girare l'angolo della nostra vita.

* * *

Siamo persone che conoscono a malapena la geografia del Lazio, la loro regione, e le strade di Roma, la loro città, perché il perimetro dei nostri spostamenti è quello del quartiere, dato che fuori costa troppo per noi, e nessuno farebbe credito a mia madre o scambierebbe pane e prosciutto per una giornata del suo lavoro.

La teoria materna è: chi non ti conosce non ti aiuta, e noi rimaniamo allora dove si sa chi siamo, dove lei può intessere piccoli e grandi rapporti di protezione e di riconoscimento.

Mariano è il maggiore e ha vissuto ognuno di noi come una intromissione tra lui e Antonia, che per un periodo è stata ragazza madre, e loro due erano un unico corpo per sopravvivere.

Per quanto riguarda me, mio fratello mi tollera perché non sono una piagnona e perché lo ascolto in silenzio, lasciandolo sfogare fiabe e demoni su di me, storie nere e terribili, e avventure in cui la bambina di turno muore e il lupo vince sempre. Tra di noi ci sono quattro anni, che da piccoli appaiono tanti di più e me lo fanno sembrare adulto e quasi antico. È lui a intervenire quando mi danno fastidio, ho infatti una pessima opinione delle altre bambine e le guardo con disappunto, mi paiono avere qualcosa più di me, ma ancora non ho trovato il mio modo per dare loro battaglia.

Ce n'è una biondina, ai miei occhi austriaca, che mi chiama Becco da pipistrello perché dice che ho le labbra sporgenti, e io allora mi alzo in punta di piedi nel bagno a casa per controllare, non mi pare affatto di avere qualche deformità e so che i pipistrelli una volta erano stati topi e non anatre. Ma gli insulti dei bambini non devono avere senso per fare male: essere diverso, difettoso, ti danneggia e rimanere perfettamente allineato ti aiuta a mescolarti e a non farti notare, noi siamo già abbastanza rovinati di nostro, non possiamo permetterci becchi o orecchie vistose.

Quando lo dico a Mariano, lui viene davanti alla mia scuola, mi chiede di mostrargli chi è la bambina, le urla: Sta' zitta deficiente, e le dà un pugno.

Io provo un brivido di sana ammirazione per lui, che con un gesto ha messo a tacere la villania altrui, della sua irascibilità faccio subito tesoro da baule.

Il fatto non viene apprezzato dalle maestre né da mia madre, che tiene le mani legate a Mariano dietro la schiena per un paio di giorni, dicendogli che deve fare senza o chiedere aiuto a noi per ciò che senza non riesce a fare: se non le sa usare a dovere allora non le userà più.

Antonia trova soluzioni diverse ai problemi, lei ci dà raramente schiaffi o calci, lei preferisce sottrarci qualcosa.

Se urliamo dentro casa non fa la cena, se non l'aiutiamo coi gemelli preferendo i nostri giochi non ci consegna la merenda per la scuola o ci sequestra l'astuccio; lei è fatta per gli scioperi e per le dimostrazioni di resistenza.

Ha le sue idee costruite chissà come, forse da mia nonna, forse dalla vita, forse nate da lei e basta, non ha religione, ha perso partito, ha chiara solo la giustizia, una tenace fissazione per le cose giuste.

Io ho una grande fascinazione per i fiori, non quei pochissimi che spontaneamente nascono nel nostro cortile, margheritine primaverili molto fragili, ma per le rose nei giardini degli altri, i gelsomini, le ortensie, che passando per strada appresso a mia madre vedo spuntare e voglio raccogliere.

Una volta ci provo, perché voglio mettere a macerare i petali di quelle rose in una bottiglia di plastica insieme all'acqua, come fanno le mie compagne e poi mostrano a scuola i loro puzzolentissimi ma pregiati profumi casalinghi. Antonia mi vede staccare una rosa che spunta da una rete e cominciamo a litigare.

Quello che non è tuo non lo puoi prendere, mi sgrida lei.

Ma stava sulla strada, la strada è di tutti, rispondo io.

Allora sei ancora più ladra, quello che è di tutti non si tocca, ringhia mia madre.

Rompere oggetti o danneggiarli è un sacrilegio, a cui mia madre pone rimedio immediato studiando modi per ripararli o riutilizzarli diversamente, ma su ciò che è di tutti lei diventa intransigente: non si calpesta l'erba del parchetto, non si butta una carta fuori dal cestino, non si strappano rose nei giardini, non si rovinano i libri della biblioteca.

I libri sono la sua grande ossessione, perché in casa, soprattutto da quando mio padre è a letto o sulla sedia, e noi non abbiamo la televisione ma solo una radio, l'unico passatempo è la lettura, e visto che il posto e i soldi per i nostri libri non ci sono, noi usiamo i libri di tutti e devono essere per noi reliquie, vengono tenuti ben impilati, mia madre ha segnate tutte le date in cui dobbiamo riconsegnarli e ci tampina per finirli in tempo, controlla che non li abbiamo macchiati o sgualciti e se accade ci trascina in biblioteca a chiedere scusa alla bibliotecaria e agli altri bambini e poi li ripaga, anche se loro dicono che non c'è bisogno lei risponde: C'è bisogno, eccome.

Quando mi azzardo a farle notare che le cose di tutti è come se non fossero di nessuno lei mi risponde: Levati ora questa idea dalla testa o diventerai una donna cattiva.

* * *

Antonia non si veste più bene, va da loro con gli abiti che porta addosso anche a casa, sudata con un mollettone nei capelli, ha il viso tondo e le tempie strette, gli occhi hanno ciglia lunghe e il suo naso non spicca ma neanche si nasconde, non è magra, non ha peso in più, la sua è una carne in salute.

Lo dice sempre anche a noi, che l'importante è avere la faccia della salute, le gambe secche non vanno bene, i visi scavati mettono paura.

Antonia ha deciso che per ottenere quello che vuole deve insistere, è entrata sul loro palcoscenico come un faretto che si

15

stacca dal soffitto e cade sulla scena: non voluto e pericoloso. Doveva fare luce sugli altri e ora ha smanie da protagonista.

Lei è una donna disfunzionale, disperata e disamorata e ha con sé un pacco di documenti, ha individuato un impiegato che le sembra più cordiale degli altri e si è scritta il suo nome su un foglietto: Murri Franco.

Adesso ascoltami, Murri Franco, io sono Colombo Antonia e finché non mi aiuterete tornerò qui e chiederò di te, dichiara mia madre e gli passa una dopo l'altra le cartelle.

Murri Franco prova a essere gentile: Sa signora lei è venuta qui con l'inganno e la nostra dirigente non l'ha dimenticato, è difficile così che la pratica vada a buon fine.

Colombo Antonia non cede: Allora noi su quella scrivania metteremo la mia pratica cinquanta volte finché sarò diventata così ingombrante da non poter più essere ignorata. Io ho quattro bambini, adesso, e un marito invalido.

Così per un mese, per due, per tre, se cambia persona sa che deve ricominciare da capo, quindi lei se non vede Murri Franco alla sua scrivania dice che tornerà il giorno dopo o prende un nuovo appuntamento.

A noi, quando torna a casa, parla di Franco come se fosse il farmacista o il giornalaio, un uomo familiare, di un mondo noto e rassicurante, noi non sappiamo dargli volto o corpo, ci pare un intruso, non capiamo cosa faccia per nostra madre e iniziamo a esserne gelosi, soprattutto Mariano.

Tuo padre non dice mai niente che lei vede questo, mi rimprovera mio fratello un giorno, come se la colpa fosse mia, soprattutto per avere un padre che lui non ha o non vuole.

E che deve dire? rispondo io e osservo mio padre, è seduto, le ruote della sua sedia sono incagliate contro la gamba del tavolo e ha il *manifesto* aperto sulle ginocchia, è fermo sulla stessa pagina da mezz'ora almeno e credo abbia dimenticato cosa sta leggendo.

Qualcosa, risponde Mariano e gli lancia addosso gli occhi della disapprovazione, con cui sempre lo guarda.

Papà si è spento, è fulminato, io vado da lui e gli poggio una mano sul ginocchio, anche se non può sentirla e gli chiedo chi è questo Franco e se lui vuole dirgli qualcosa.

Papà non mi guarda ma dice: Fa' stare zitto tuo fratello.

Lui e Mariano si fronteggiano a distanza dalla sedia del primo al letto del secondo, perché sono sempre nella stessa stanza, non si può fuggire, non si può far finta di non aver ascoltato.

L'hanno arrestata, aggiunge mio padre, mentre Mariano si infila con rabbia le scarpe da ginnastica, vuole andare fuori a correre.

Chi? domando io abbassando gli occhi sul giornale.

Quella là, la dirigente, mi spiega mio padre, ma io non so cosa sia una dirigente e cosa diriga quindi cerco tra le parole stampate un indizio per capire e leggo un nome su cui lui sta tenendo premuto il dito: Vittoria Ragni.

Non so chi sia e continuo a rileggere quel nome, Vittoria Ragni, lo dico anche ad alta voce mentre mia madre rientra in casa, ha con sé un fusto di detergente per pavimenti, non torna mai a mani vuote, porta barattoli di vetro, bottiglie di plastica, pezzi di compensato, quello che non serve più agli altri a noi serve di sicuro.

Vittoria Ragni, cosa? chiede posando il fusto sul tavolo dove siamo noi. Mariano, dove vai? aggiunge ma Mariano non la degna di sguardo e va fuori, non è spettatore quindi della prima soddisfazione di nostra madre, non vede il suo viso che distende le rughe d'espressione sulla fronte, non può raccogliere il lampo dei suoi occhi, le labbra che si incurvano.

Antonia strappa dalle mani di mio padre il giornale e legge, poi rilegge, poi vedo che dal sorriso spuntano tremori, vedo mia madre piangere.

La osservo attonita, non l'ho vista piangere quasi mai, neanche in ospedale mentre partoriva i gemelli, neanche quando sua nonna è morta, quando mio padre è caduto.

È indagata per illeciti, la manderanno in prigione, dice tra le lacrime e non riesco a capire se sia felice o dispiaciuta.

Era una tua amica? chiedo con timidezza e lei scoppia a ridere, ha ancora gli occhi bagnati ma ride forte.

* * *

Antonia deve mostrare quello che ci manca, l'acqua calda che non arriva, le prese elettriche con i fili scoperti, lo spazio per muoverci che non abbiamo, la luce che entra poco e male, eppure mentre quelle persone sono lì lei continua a ripetere: Ce la caviamo, è tutto pulito.

La nuova dirigente è una donna che viene dall'assistenza sociale, e quando legge sul nostro fascicolo che ci sono quattro bambini in venti metri quadri prende un pennarello rosso e sul primo foglio annota: URGENTE.

Allora loro iniziano a occuparsi di noi e vengono a controllare dove viviamo, trovano mio padre seduto sul letto che neanche dice buongiorno e i gemelli aggrappati alla gonna di mia madre, in due rischiano di tirarla a terra, ai piedi dell'armadio c'è il sacco coi loro vestiti, dormono in uno scatolone, incollati l'uno all'altro, devono ancora provare a non essere in due.

Mariano sta fuori in cortile e lo sentiamo urlare, fa finta di essere in pericolo, dice aiuto aiuto con voce da adulto e mia madre risponde: Non preoccupatevi, vuole attirare l'attenzione, sta bene.

Gli intrusi sono due e fanno sembrare la nostra casa ancora più piccola, ormai a tutti noi appare come uno sgabuzzino o un retrobottega, lo stanzino dei detersivi e delle scope.

C'è la polizia, strilla Mariano da fuori e poi butta a terra un petardo.

Quei due prendono appunti, fanno a mia madre domande sullo stato dell'immobile, quando vanno via mio padre si corica a fatica su un fianco e inizia a russare, io mi metto a mangiare una carota cruda e mia madre guarda Mariano dalla soglia: Sei un farabutto, gli grida, erano del comune quelle persone, a cena ti do del pane secco.

Due settimane dopo la nuova dirigente telefona a mia madre, la lista per l'assegnazione come sappiamo è lunga e per molto tempo la nostra pratica è stata ferma, ma lei vuole che lasciamo quel posto, è troppo piccolo per noi, ci ha trovato una casa, che non può assegnarci d'ufficio ma che può darci in custodia e con un documento firmato da lei, fino a nuovo ordine, noi potremo viverci.

Quel pezzo di carta mia madre lo fotocopia decine di volte e lo porta a tutti gli uffici competenti, alla posta, alla banca, all'agenzia delle entrate, lo tiene nel portafoglio e appeso al muro, lo custodisce vicino alle nostre carte d'identità e alle scatoline con dentro i primi denti da latte caduti.

Io e Mariano diciamo addio al nostro quadrato di cemento con sgomento e angoscia.

La nostra nuova residenza è in un quartiere per chi ha i soldi, siamo a corso Trieste vicino agli uffici e alle banche, a piedi possiamo andare a Villa Torlonia e Villa Ada, in dieci minuti siamo alla discoteca Piper, il quartiere accanto al nostro è Parioli, il più ricco della città, in quel palazzo con due corti interne e sei piani il comune possiede solo quella casa, quella che ora è in nostra custodia.

Così coi nostri scatoloni, le cianfrusaglie, i vasetti dello yo-gurt usati come vasi per i cactus, i barattoli di vetro dei fagioli come porta spazzolini, le stampelle per i vestiti fatte con scotch e cartone, e le mutande ammucchiate sul fondo di grandi sacchi della spazzatura, noi prendiamo possesso di quella dimora.

Ci sono tre camere da letto, una cucina, un salottino, c'è un ingresso vero, con scale vere, una porta vera e una vasca vera, dei fornelli veri, delle tapparelle vere.

Io e Mariano posiamo due buste di plastica, con dentro i nostri giochi sbilenchi, al centro della nostra stanza, ci sembra troppo grande per noi, mette quasi terrore.

Da quando viviamo lì io dormo male, costringo mio fratello a tenere la luce accesa e mi sveglio a metà notte con incredibile puntualità per ritrovarmi afflitta da un incubo che non ricordo mai bene, so solo che di solito io cado e nessuno mi regge.

La notte non sento più il respiro forte di mio padre o i ge-melli piangere, vedo solo Mariano alzarsi e andare alla finestra, guardare la strada giù.

Gli inquilini di sopra cominciano a lamentarsi perché i gemelli non dormono mai, perché io e Mariano camminiamo troppo veloci, perché mia madre mette la radio a volume alto mentre fa i piatti, perché mio padre bestemmia ogni mattina, invece di dire che bella giornata lui fa scendere in terra tutti i santi.

Nel nuovo palazzo esiste il condominio, esiste chi lo ammi-nistra, esistono riunioni a cui noi non siamo ammessi perché la casa non è davvero nostra, noi non l'abbiamo comprata, niente ancora ci appartiene, a differenza loro.

Il cortile è pieno di rose – gialle, rosse e salmone – e di piante da frutto, ma noi non le possiamo toccare, nessuno può, viene un giardiniere ogni mercoledì e ci spruzza sopra qualcosa di puzzolente.

Il primo pomeriggio in cui io e Mariano ci mettiamo a giocare sotto alle finestre di casa, dall'alto ci piove addosso una secchiata d'acqua: una signora non gradisce che si faccia baccano così.

Mariano le urla: Stronza!

E lei dice che chiamerà i carabinieri.

Mia madre quella volta ci sgrida e dice a Mariano di non urlare più, quella è gente che era lì prima di noi e non possiamo fare come nella casa vecchia, ci dobbiamo adattare alla vita degli altri, essere rispettosi.

Fare la spesa nel quartiere per noi è difficile, costa tutto troppo, a scuola siamo arrivati in mezzo all'anno e secondo le maestre siamo così indietro da dover ripetere, mio fratello lo cacciano sempre fuori dalla classe e io ho dimezzato le mie parole, rispondo con frasi tronche, scrivo con una grafia tremolante e invidio moltissimo le *o* e le *m* di tutte le altre bambine.

L'unica amica di mia madre lì dentro è la portinaia, una signora di origine siciliana bassetta e non troppo loquace, ma rapida e precisa nelle pulizie, ascolta le lamentele di tutti, i loro fatti, le loro beghe e non racconta mai le sue, tiene in ordine la posta che arriva e ha una sua bacheca per le chiavi delle case e le cantine e di ogni serratura del palazzo, non hanno nome a distinguerle, solo lei sa quale apre che cosa, è il suo segreto.

La portinaia si chiama Nunzia e ha una figlia, Roberta, che come mio padre sta sulla sedia a rotelle, ma non è caduta, è nata così e non parla bene e spesso la sua testa ciondola e il suo sguardo diventa asciutto quasi lei non ci fosse.

Al ritorno da scuola io mi fermo sempre nel cortile e se nessuno mi vede butto la cartella a terra e vado alla fontana che c'è al centro, è bianca e sporca, ma nell'acqua girano in tondo sei pesci rossi. Molte ore le passo con la mano immersa a cercare di accarezzarli e loro sguisciano a scappano e poi si avvicinano e io mescolo e mescolo, con le mani a conca raccolgo i rametti che si posano sulla superficie.

Mi pare un gioco che non può dare fastidio a nessuno, rumori io e i pesci non ne facciamo e in più gli tengo compagnia, non butto fuori troppa acqua, non la bevo mai.

C'è un punto nel giardino condominiale in cui arriva il sole anche d'inverno, è un angolo da cui se si alzano gli occhi si vede un pezzetto di cielo, il triangolo giusto per dimenticarsi di essere in piena città, e Nunzia sistema lì sua figlia Roberta con la sedia, ché le piace la luce. La loro casa, vicina alla guardiola, è la più piccola del palazzo e per fortuna ha poche scale ma anche poca aria.

Roberta è una ragazza silenziosa, a volte gorgoglia, si lecca le labbra, dice parole allungate e domanda cose che solo sua madre capisce, ma che voglia stare lì al sole riesce a farlo intendere senza fatica.

Io vedo che molte persone del condominio passano e non la salutano, guardano anche me di traverso e tirano dritto, non hanno occhi per i pesci, allora io dico: Ciao.

Ad alta voce, a tutti, per vedere che fanno, se rispondono o meno, alcuni borbottano un buongiorno o buonasera, altri proprio niente, non si danno pena di rispondermi.

C'è una donna tedesca che severa ci scruta dalla sua finestra e se scende in cortile fa avanti e indietro, sorride alle altre signore, ma a noi no, mi guarda e poi mette le mani sui fianchi, si tira indietro, va dalla portinaia, si lamenta e torna, un giorno la vedo rossa in viso – lei esercito, io brigante – piombarmi addosso e levarmi le mani dall'acqua.

Basta, così la rovini, strilla acuta, ha occhi celesti e tempie larghe.

Tutto quel movimento spaventa i pesci che turbinano nel loro calderone, le code dritte, gli occhi disperati, Roberta si agita e batte i piedi, la tedesca mi stringe il polso e mi spinge verso l'ingresso della scala, quella che porta a casa mia.

Ora va', intima tutta accaldata, e io salgo su, faccio i gradini a due a due e cerco mia madre.

La trovo con un gemello in collo e l'altro a gambe nude sul tavolo, muove il sedere tanto che pare stia ballando.

Ma', le dico tutta sudata per la corsa sulle scale. La tedesca mi ha sgridata per la fontana, dice che la rovino.

Ti ho spiegato molte volte che non puoi giocare nel cortile, non è come alla casa vecchia, quella sta là per decorare, capito? Non per giocare, serve a rendere bello il palazzo, è come un fiocco.

Stavo zitta e guardavo i pesci, cosa ci fanno questi stupidi con un posto bello ma che nessuno può toccare? rispondo io.

E che ci fanno con le collane, con il pizzo e coi merletti? Niente, la gente non fa niente con niente, si fa bella e basta.

I giorni seguenti passo davanti alla fontana guardandola come un amante perduto, persino i pesci sono gioielli e le rose sono belletti e a nessuno importa di loro.

Mi rendo presto conto però che Roberta non sta più al suo posto, anche se sono giornate di sole, non è più scesa al giardino e anche mia madre se ne accorge e allora va a domandare perché.

Scopre che era stata la tedesca a chiederlo, aveva detto alla portinaia che sua figlia lì a sbavare non era un bello spettacolo, che già c'erano quelli là – io e la mia famiglia – nessuno se le sarebbe più comprate le case lì dentro, stavamo deprezzando l'immobile.

Allora mia madre la aspetta, porta giù i gemelli e me e Mariano e ci ordina di andare contro il muro, levarci le magliette e se la leva anche lei, si mette in reggiseno appoggiata al muro come una condannata alla fucilazione e quando la tedesca col marito arrivano, lei gli dice: Se non fate scendere la ragazza in giardino noi restiamo qui, tutti i giorni, io e i miei figli, senza vestiti, a protestare.

Lo urla e la gente si affaccia alle finestre che danno sull'interno e la tedesca rimane immobile, stoccafisso, attaccapanni, poi dice: Chiamo i carabinieri.

Li chiami, noi non ci muoviamo. Come si fa a negare a una bambina di stare al sole? Una bambina che non può camminare. Dirò questo ai carabinieri e se ci cacceranno torneremo, lei non sa quanto posso essere cocciuta se voglio, proprio non lo sa.

Interviene il marito della tedesca mentre loro strillano e noi ce ne stiamo mezzi nudi incollati alla parete, Mariano s'è messo in mutande, io ho la gonna alzata.

Siamo pronti per la rivoluzione.

Li vede questi cancelli? domanda il marito della tedesca, che è di sicuro più vecchio di lei di una decina di anni. Li abbiamo rimessi noi dopo la guerra, perché i fascisti li avevano rubati, questo palazzo ha una storia, lo fa notare con pacatezza e maggiore stizza e forse quella sua calma velenosa fa adirare mia madre ancora di più.

E chi sono i fascisti adesso, eh? A voi importa dei cancelli e non dei bambini, non li fate giocare, né un saluto né una carezza, non li fate neanche stare seduti in un angolo, che gente siete? Io mi sono quasi presa l'AIDS per far giocare i miei figli.

La donna dai capelli rossi si batte una mano sul petto e sul braccio fa il gesto di una siringa.

Loro non sanno cosa rispondere, stanno zitti.

Noi, al segnale convenuto, ci rivestiamo e seguiamo Antonia a casa in fila indiana, lei dichiara che torneremo.

E infatti torniamo, ogni pomeriggio dopo la scuola a fare gli scandalosi nel cortile, finché Roberta non riprende posto nel suo angolo di sole.

Bisogna insistere, fino a ottenere, se insisti e insisti, non c'è nulla che tenga, spiega mia madre a Mariano, notando Roberta col suo bavaglino di spugna che muove le mani in aria e gira i polsi, sembra felice.

Nostra madre pare l'eroina di un fumetto, Anna Magnani al cinema, lei che baccaglia, lei che non si arrende, lei che li fa stare tutti zitti.

Siamo lì, nel corridoio che porta alle stanze, io e Mariano a braghe corte e polpacci rigidi, a fissare negli occhi la nostra paura: non essere come Antonia, non bastare mai, non vincere nessuna battaglia.

2.
IL PRESEPE SOMMERSO

Una mattina entro in cucina e Antonia mi consegna un cappellino verde pisello con una visiera sbilenca e dice: Ti porto in un posto.

Dov'è Mariano? chiedo io, perché la sua tazza per la colazione non è sul tavolo.

Fuori, lui non viene, risponde asciutta mia madre. Vestiti ché è tardi.

E i gemelli e papà? domando ancora.

La portinaia gli dà un occhio, taglia corto lei. Hai le lentiggini sul naso, aggiunge scrutando la mia faccia come se la vedesse per la prima volta.

Io sono la piccola lei e lei è la grande me: stessi capelli rossi crespi, stessi occhi verde fango, stessa incapacità nell'abbinare i colori, identica maniera di non saper bere dai bicchieri stretti e lentiggini sul naso.

Ogni nostra caratteristica è per me mortale difetto. Le lentiggini sono peggio dei brufoli, gli occhi non sanno essere né veramente verdi né giustamente marroni, la pelle troppo chiara fa malattia e i capelli, quelli più di ogni cosa, portano iatture.

Mia madre e io prendiamo l'autobus e due metropolitane fino a Valle Aurelia, da lì un treno regionale su una linea rinnovata da poco e a me pare di affrontare un viaggio galattico, i miei pantaloncini di spugna rosa sono una tuta spaziale e il cappellino sbilenco il casco attraverso cui vedo le stelle.

I sedili hanno disegni a piccoli rombi e poggiatesta blu elettrico con un rigonfiamento da una parte così se vuoi poggiarci la tempia puoi farti un sonnellino.

Per buttare carte o sporcizie puoi usare un contenitore in metallo, fa un suono secco quando lo chiudi e a me ricorda la bocca di uno squalo meccanico, ci gioco alzando e abbassando, faccio tac tac finché una signora vicino a noi sbuffa e mia madre mi minaccia che mi leverà il cappellino e prenderò troppo sole.

L'aria condizionata sale dal basso e abbiamo i piedi freddi dentro alle scarpe di tela, le stazioni hanno vetri di plexiglass e armature verdi, se chiedo dove siamo per capire quanto ci stiamo allontanando da casa, Antonia dice: Sul treno, e chiude la conversazione.

Si è portata le parole crociate e le riempie senza chiedermi consiglio, sbircio, ha appena scritto in verticale la parola: CO-STELLAZIONE.

Quale?

Quale cosa?

Quale costellazione?

Non conosco le stelle.

Potrebbe essere il Grande carro.

Lei non risponde, è già passata alla parola seguente, il 27 orizzontale.

Non ricordo uno spostamento così se non per andare al mare da nonna a Ostia, cosa che comunque facciamo poco e di rado, perché mio padre poi resta solo, mia nonna non sopporta i gemelli e mia madre pensa che Mariano finirà infilzato da una siringa a forza di farsi a piedi tutti gli stabilimenti anche la sera.

Dove stiamo andando? chiedo ad Antonia mentre struscio le cosce sui sedili imbottiti e ruvidi.

A vedere una casa, risponde lei come se parlasse di un ombrellone o di una sdraio, di una cosa comune.

La casa di chi? domando.

La casa nostra, risponde Antonia e io ho l'impressione che mi prenda in giro, i suoi capelli rossi mentono e il treno ci lascerà nel deserto.

Noi non abbiamo case nostre, ma solo case che qualcuno per gentilezza ci fa abitare, e io dico gentilezza per non dire carità, ma forse carità è la parola giusta o magari no: magari è assistenza, o soccorso o necessità, magari è bugia.

Con gli occhi ben aperti leggo i nomi delle fermate ad alta voce e lei mi comunica che siamo a Roma nord, quella è la via Cassia e questa la stazione di Cesano dove si trova la caserma militare, io penso che stiamo attraversando un continente intero, conosceremo popoli e genti, invaderemo territori nemici.

Il cartello blu della stazione dopo dice Anguillara Sabazia e mia madre mi obbliga a scendere, io sento i piedi fare resistenza, ma sto zitta, il treno riparte e noi chiediamo informazioni.

Quanto ci vuole per arrivare al lago? domanda Antonia, e scopriamo che sono quattro chilometri, non esistono autobus, o ce la facciamo a piedi o chiediamo un passaggio.

Mia madre allora esce fuori della stazione, davanti a noi ci sono le pensiline per ripararsi se piove, un'edicola, un baracchino che fa caffè e cappuccini, l'incrocio di due stradine, ai lati si apre la campagna.

Più avanti si intravede una chiesa, io la trovo brutta e triste, si vede che è stata costruita di recente e ha la forma di un tendone da circo, le pareti traforate e una porta a vetri con le maniglie da ospedale, solo la croce in cima ne indica la funzione, alle spalle cova i campetti dell'oratorio e davanti un piazzale con una fontana già rotta.

Antonia si mette lì e aspetta che qualcuno si fermi e ci offra un passaggio, fa gesti rigidi, non sorride affatto, nessuno ci considera e lei stringe la mia mano come farebbe con un revolver.

Mia madre non ha quasi mai vestiti scollati o attillati, porta pantaloncini al ginocchio con le tasche sulle cosce, magliette girocollo da ragazzo con sopra numeri e loghi di ditte edili, mio padre dice che sembra un muratore.

Io e il muratore in questione abbiamo i capelli rossi e stiamo ferme nella posa di chi deve pregare e attendere che qualcuno risponda, sulla strada passano tre automobili in tutto, nessuna si ferma.

Dico ad Antonia: Torniamo indietro.

Lei si innervosisce e mi tira a sé: Non fare la stupida, questo posto è bellissimo, c'è il lago, risponde convinta.

* * *

A guardarlo da fuori il palazzo sembra una fabbrica di piccole dimensioni, potrebbe produrre scatolette di tonno o scarpe dai lacci spessi, avere uno scarico rifiuti sul retro e operai che timbrano il cartellino ogni mattina alle sette, ma in realtà è il complesso delle case popolari, intorno ci sono villette, due parchetti per portare guinzagli e sonagli, un piazzale rettangolare, chiaro come la sabbia delle Hawaii e duro di calcestruzzo.

Affaccia sulla strada principale del paese, vicino ci sono un negozio di materiali edili, un ottico che propone sconti se prendi due e paghi uno e una casa in costruzione.

Le finestre sono tutte alla stessa altezza, i terrazzini squadrati in cui al massimo entrano un tavolino e due sgabelli, il vaso dell'aloe e il portascope, il portone d'ingresso da cui si aprono le scale simmetriche, un palazzo compatto, né vecchio né nuovo, somigliante a una donna di mezza età che non veste di balze e perle ma non ama uscire in pubblico senza coprire le occhiaie.

Antonia mi conduce al secondo piano e una signora vestita con un abito fiorato, di quelli che si incrociano davanti con scolli a V ma si chiudono dietro come i grembiuli, ci stringe le mani e sorride, sorride davvero tanto, con l'entusiasmo sinistro che dovrebbe farti presagire una rapina.

Me la presenta e lei dice: Piacere Mirella.

Io dico solo il mio nome e non aggiungo piacere.

La casa è quasi grande come quella a corso Trieste, ci tiene a specificare, e ha un terrazzino abitabile, ottimo l'estate, ci si stendono comodamente i panni, la cucina è arredata e la macchina del gas è a norma, la signora dice, un posto tranquillo, procede a raccontarci, le case popolari di qui non sono come quelle a Roma, le famiglie lavorano, i ragazzi giocano al parco, il bagno, a suo dire, è ampio e c'è la vasca così mio padre potrà, con qualche accorgimento, lavarsi senza problemi, il divano può restare e anche gli armadi, le camere da letto sono tre, propone cordiale, ma una è palesemente uno sgabuzzino, io immagino che sarà quella dei gemelli, che come sottilette condivideranno la stessa angusta confezione.

Mia madre dice: Mi sembra perfetta.

Io chiedo: Perfetta per cosa?

Nessuno mi risponde.

Le due si scambiano convenevoli e strette di mano, confabulano parlando di cosa rimarrà, cosa verrà portato via, cosa bisognerà firmare, e io non capisco quale sia l'accordo tra loro, non comprendo con quali soldi noi compreremo questa nuova casa e perché, visto che una casa finalmente ce l'abbiamo e non

31

è in questo paese sperduto dove non ci sono gli autobus e le chiese sono brutte quanto i supermercati.

Entro in quella che dovrebbe essere la stanza mia e di Mariano, la guardo e noto le mattonelle grigio squalo, non sono lucide, non hanno motivi, non sembrano parquet, non sono cotto, sono solo ruvide, hanno l'aria del cemento armato, alle pareti c'è una orribile carta da parati a pallini colorati, pare la stanza dei bebè e dei pupi in fasce, dei più chiassosi, degli irritanti, ha un muro di cartongesso che fa sentire ogni rumore ed è caldissima, ci batte addosso il sole, lei è serra bollente e io una pianta di limoni.

Sapere di dormire con mio fratello è l'unica cosa che mi rassicura, sentirlo respirare assopito, vederlo spegnere la luce, il modo in cui butta i calzini nel cesto della biancheria, come parla la notte in pieno sonno dicendo: Adesso basta, cavallo, luna, addio, chiamami, perché?

La signora Mirella e mia madre si abbracciano e mia madre dice: questa casa è una salvezza.

* * *

La prima volta che vedo il lago non è il giorno del cappellino verde, ma il giorno del trasloco.

Mia madre ha iniziato con largo anticipo a organizzare il nostro spostamento, ha fatto liste, ha trovato scatoloni e nastro per pacchi e ha cominciato a imballare tutto incastrando gli oggetti in maniera impeccabile; l'ho vista chiudere scatole piene di piatti e bicchieri come fossero spugne e carta velina, ha portato a braccia attaccapanni e lampadari con cura filiale e ha sudato, maledetto, trascinato per ore stendini, sedie impagliate e mensole, da sola.

Io mi sono limitata a fare quello che lei mi ha affidato: sistemare i vestiti, dividerli in mucchi per ognuno di noi, separare le cose invernali da quelle estive e inscatolare, etichettare, ammucchiare in un angolo.

In quei giorni Mariano non ha fatto nulla, in protesta contro la decisione di mia madre, per lui incostituzionale e nazista.

Maicol e Roberto hanno cinque anni, la stessa faccia, si distinguono solo per un neo diverso, e con gli stessi occhi ci guardano azzuffarci, insultarci e migrare.

Quando arriviamo, ricomincia la marcia dei pacchi e dei mobili, c'è un amico di mia madre ad aiutare, si chiama Vincenzo e conosce mia madre dall'infanzia, noi lo chiamiamo per nome, mio padre lo chiama quello.

Il furgone è suo e sua è la forza con cui solleva la nostra scarsa mobilia e la fa approdare nella nuova casa, sempre sua è la capacità di far salire mio padre al piano giusto con l'ascensore e sua la proposta di andare almeno a vedere il lago prima di ripartire col furgone sgombro.

Io, lui e mia madre andiamo, lasciamo i gemelli a Mariano, che come alieno gira per la casa alla ricerca della Via Lattea e della scaletta con cui salire sulla navicella spaziale e sparire.

La piazza del molo è piena di macchine parcheggiate, c'è una balaustra di ferro lungo tutto il tratto della colata d'asfalto e io salgo sul pontile con Antonia, mentre Vincenzo prende un caffè al bar lì accanto.

Cosa c'è qui sotto? chiedo sporgendomi verso i piloni e guardo l'acqua che è scura, non fa intravedere nulla di particolare.

Il fango, risponde mia madre e aggiunge: Non guardare giù, guarda il panorama.

Mi alza la testa e mi indica le colline e gli altri paesi, il castello di Bracciano, il lungolago di Trevignano, il bosco, i monti Cimini molto in lontananza, dice di là c'è Viterbo, di là Manziana, dice che si può fare il bagno lungo la passeggiata e che gli alberi sono pioppi, dice che l'acqua non è mai troppo fredda, e io torno a guardare giù.

Ma qui sotto che c'è? domando di nuovo perché ho visto qualcosa brillare.

Niente, c'è l'acqua, taglia corto Antonia che continua a osservare le altre rive e le altre spiagge e gli altri paesi.

Mi piace la luce qui, sopra alle case, aggiunge alla fine.

Io ho gli occhi fissi su quel punto dove è balenato il fantasma: un coccio, un pesce, un pallone sgonfio.

Un ragazzetto biondo sta seduto sulla ringhiera coi piedi a penzoloni e indica anche lui quel punto, esattamente il punto del mio dubbio, e dice che là da sempre c'è il presepe sommerso, c'è Cristo bambino, ci sono il bue e l'asinello, alle feste li illuminano, è una tradizione del paese.

Io mi sporgo e guardo e riguardo ma non vedo più niente, l'acqua è limpida e non mostra la natività che sto cercando.

Allora dico: Non ci credo.

E lui dice: Vieni a vedere a Natale.

Io lo guardo con aria di sfida, ha dei buffi pantaloncini militari, sembra appena uscito da un bosco.

Mia madre taglia corto e mi porta via, dice che è una sciocchezza, in quel punto non appariranno una testa, un occhio, un piede, una veste e io resto in bilico nel decidere a chi dare ragione: a mia madre che non vede nulla, o al ragazzino che vede tutto.

* * *

Mio fratello ha quindici anni quando lasciamo Roma e con l'adolescenza è diventato sempre più evidente il suo naso, è lungo ma stretto sulle narici, ha la punta all'ingiù e una gobba sul dorso, potrebbe sembrare una montagna scoscesa o la costa frastagliata di un mare del Nord.

Il suo naso non ce l'ha nessuno di noi ed è l'unica cosa che gli è rimasta di suo padre, del quale non possiede neanche il cognome, ne ignora dati anagrafici o occupazione lavorativa, non saprebbe riconoscerlo nella folla né cercarlo sotto Natale per gli auguri di rito.

Quel naso, che mia madre chiama caratteristico e io chiamo finto, perché sembra non appartenere davvero al suo volto ma essere stato appoggiato lì per caso, non lo abbiamo né Antonia né Roberto né Maicol né io né tanto meno mio padre.

Anzi, negli anni, mio padre ha deciso che quel naso poteva essere la sua rivincita, la sua maniera per rendersi indigesto anche senza dover fare grandi movimenti, ha preso dai bambini la capacità di ferire con poca fatica.

Ogni momento è quello giusto per far notare a Mariano che ha qualcosa sulla faccia, qualcosa che se dice di sì affetta il pane e se dice di no sparecchia.

Arriva prima il naso e poi Mariano, dice mentre fuma sul terrazzino e butta la cenere nel vaso dell'aloe, sempre seduto sulla stessa sedia che spesso cigola e ha cuscini macchiati, la forma netta del suo sedere ben accomodata sul sedile.

C'è l'ascensore nella nuova casa ad Anguillara e lui potrebbe prenderlo e scendere e farsi portare al parchetto da mia madre o da me, stare all'ombra, al sole, stare di traverso, stare addormentato, stare in qualche modo nel mondo; ma non vuole.

Il suo tragitto è letto-sedia a rotelle, sedia a rotelle-sedia senza rotelle, sedia senza rotelle-divano, divano-vasca, vasca-water, water-letto e poi da capo.

Ogni tre giorni ci infligge il rito disperato del bagno e noi lo dobbiamo aiutare, infilare, spingere, spazzolare, mentre bestemmia e grida che ci mangerebbe tutti, nella vasca sta sempre stretto e una volta si taglia persino una mano dopo un cazzotto dato male al portasapone di coccio, il sangue scende sul bordo e sul pavimento, rimangono tracce tra le fughe delle mattonelle.

Sembra volerci far scontare la sua sopravvivenza, il fatto che dall'impalcatura sia caduto proprio lui e non sia morto sul colpo pare essere un danno provocato da noi, uno sgarro che abbiamo compiuto.

Antonia non tollera gli scherzi di mio padre, il modo in cui ride del figlio, alzando gli angoli della bocca per rivelare denti scuri di nicotina e tartaro.

A me non fai ridere, ripete sempre.

Mariano lo ignora buona parte delle volte, ma in quelle rimanenti scatena su di lui ogni tormento, lo insulta e lo prende a botte, gli va dietro alla sedia e lo colpisce a mano aperta sul collo, gli tira i capelli e poi si allontana, gli grida: Adesso alzati e vienimi a prendere.

Mio fratello non è molto alto, ma ha un corpo di nervi, si agita per un filo d'aria e colleziona ribellioni, da quelle piccole e casalinghe, a quelle grandi scolastiche.

A quindici anni è già marcio, annuncia mio padre.

Da quando non siamo più a Roma, Mariano va all'Istituto tecnico per geometri a Bracciano, un paese vicino al nostro, la mattina prende il pullman verso le otto e prima delle sette di sera non è mai a casa, certe volte ha gli occhi così rossi che mi vede sfuocata, il suo naso si è trasformato in arma tagliente.

A scuola per lui non c'è niente che vada bene: i voti dei professori sono una forma di controllo, i bagni vengono tenuti sporchi apposta per degradarli, a educazione fisica ti costringono a giocare a calcio, i libri di storia sono pieni di menzogne, la sala computer puzza di plastica sciolta e i bidelli rubano la carta igienica.

Per ognuna di queste ingiustizie, Mariano protesta.

Parla in classe senza alzare la mano, interrompe i professori discutendo di libri che loro non conoscono, fa sit-in davanti alla porta del preside, scrive cartelloni che attacca fuori dai bagni, rompe le macchinette che distribuiscono le merendine, perché sono tutte della Ferrero e costano troppo.

Ci fanno mangiare solo le cose che vedono in TV, le cose delle pubblicità, rivendica a cena guadagnandosi qualche occhiata morbida da mia madre, il mio silenzio e la derisione di mio padre.

Lo hai fatto diventare tu così, prima o poi qualcuno gli spara, dice Massimo ad Antonia.

* * *

E tu di chi sei figlia?

Antonia...

Antonia chi? La nipote del Patuzzo?

No, non so chi è.

E allora chi? Chi è che siete?

Mio fratello mi ha spiegato molte cose del paese, come il fatto che è necessario identificarsi prima di pretendere attenzione, si esiste quando gli altri hanno capito con certezza chi sei, quando rendi chiaro da che famiglia provieni, quali sono i tuoi terreni, quali le case le ville gli appartamenti, a che rione appartieni, se hai un negozio, se proponi sconti, se tieni chiusa l'attività il giovedì come è regola, se tuo fratello studia con il figlio di, che mestiere pratichi, se la Fiat rossa è tua, quella parcheggiata direttamente sul marciapiede o hai il cancello automatico, se abbassi la saracinesca quando per strada passa il carro funebre.

La gente qui ha la mania di dare soprannomi, a loro serve ribattezzarti, tutti quelli che contano vengono rinominati, può dipendere dal lavoro che fai, dal punto in cui vivi, dalla storia di tuo nonno, puoi essere il Pesciarolo, il Rana, la Zozza, e nessuno, mai, ti leverà di dosso il nome che il paese t'ha dato, sarà per sempre il vestito cucito a tua misura.

In molti casi le associazioni sono semplici da capire, se vendi il pane sei il Farina, se hai il naso lungo il Nasca, ma per altri non è chiaro il motivo, spesso infatti si tratta di soprannomi ereditati, di condizioni passeggere, di litigi accaduti venti o trent'anni prima, rimasti presenti solo negli appellativi più aspri, legnosi, da sapore di ferro in bocca.

Come fanno con te fanno con i posti, dice Mariano, piazza del Lavatoio dove un lavatoio non c'è più, la strada dietro ai Soldati dove non ci sono soldati, la via dei Barattoli, la Cannella, la curva del Pizzo, la Croce.

Se non sai come vengono indicati i luoghi porti la colpa dell'essere straniero, il figlio di nessuno, loro non sanno chi voterai alle elezioni, chi è il tuo medico di famiglia, che carro costruirai per Carnevale e se friggi lattarini alla Sagra del pesce, non sanno come chiederti favori quindi non vogliono fartene, alla posta non ti salutano, dal macellaio ignorano se dici che è il tuo turno, perché è sempre, in ogni caso, il turno loro.

Io devo iniziare le scuole medie e scopro da mia madre che in quegli anni Anguillara sta vivendo il suo boom di traslochi dalla Capitale; le case costano meno, la vita è più tranquilla, la ferrovia in un'ora ti porta a San Pietro e a Trastevere, il paese si sta allungando verso l'interno e riempiendo di villette a schiera, parcheggi blu, benzinai, supermercati, scuole pubbliche e palestre, quelli di Roma si stanno mescolando a chi è nato lì e questo impasto crea dissapori, inquietudini, apprensioni.

Chi siamo noi, loro proprio non riescono a capirlo e soprattutto è mistero il motivo che ci ha portati in paese.

Di volta in volta noi inventiamo ragioni valide o semplici fantasie, zie nobili, allergie allo smog, l'amore per le strade provinciali, a Roma non si riusciva più neanche a comprare i pomodori, ci piace l'odore delle spighe e delle mucche, amiamo le passeggiate e il trekking, un giorno faremo in bicicletta tutto il perimetro del lago.

La verità su mia madre e la signora Mirella io non la conosco, so soltanto che della nostra infanzia bisogna tacere i dettagli, di nostro padre diciamo che è invalido e non altro, sulla casa diciamo che ci abitiamo e non altro. Non è fingere e non è mentire, è omettere, mia madre ci insegna che raccontare le minuzie, le faccende, le piccolezze di famiglia in paese è molto peggio che affrontarlo nudi con le mani legate.

A Roma secondo mia madre la nostra era una vita da ostaggi, e lei aveva scelto per tutti la migliore delle soluzioni, in modo da non dover più avere a che fare con certa gente, quella che con i soldi non s'è comprata la limpidezza: l'appartamento romano era uno stagno di ranocchie e girini, larve, lombrichi, noi avevamo bisogno di una superficie acquatica su cui veleggiare. Così mi ha convinta, con l'immagine dei velieri, del vento in poppa.

Antonia di lavoro pulisce le case degli altri, ma sa fare molte cose in più, come per esempio riparare mobili rotti, far ripartire lavastoviglie lente, sa cambiare lampadine e spurgare termosifoni, sa cucire abiti semplici, rattoppare calzini, sa mettere insieme con poca spesa costumi e travestimenti, sa tagliare il legno per mensole e mobiletti del bagno, se serve tosa l'erba e se la cava con le rose, ha un invidiabile pollice verde quindi mantiene floridi balconi, terrazzi e giardini, prima di andare via innaffia il prato.

Antonia comanda in quelle case come fa nella nostra, impartisce ordine nei cassetti, sgrida bambini, decide detersivi e impone modi di stendere i panni, lucida gli argenti con prodotti fai da te, commenta ciabatte lasciate per casa, detesta giocattoli sparsi, dà a ogni verdura, formaggio, insaccato il proprio contenitore a cui attacca etichette bianche per indicare la data di scadenza, fa liste della spesa in cui non transige sulle merendine industriali e la Coca-Cola, pettina i capelli alle bambine facendo loro le trecce quando tornano da scuola, nessuno vuole farla arrabbiare.

Le case degli altri sono ville a più piani, a volte hanno le piscine, hanno i garage, hanno i cartelli ATTENTI AL CANE sopra al campanello e gatti a pelo lungo sui divani, e sono completamente in possesso di Antonia.

Non c'è molletta, tappo di sughero, salvietta, telecomando che non dipenda da lei, dai nascondigli che lei sceglie per loro, dal suo gusto e dalla sua tirannia.

I proprietari ripongono in mia madre una fiducia incrollabile, le fanno maneggiare soldi, le danno le chiavi delle automobili da portare al meccanico, le pagano le ferie e le vacanze a Natale e ad agosto, le regalano tutti gli indumenti che non indossano più e che lei porta a casa nostra per farli provare a me e a Mariano, persino a nostro padre, che riceve di continuo camicie di taglie più grandi o pantaloni a cui lei prontamente fa l'orlo, anche se lui li indossa per andare al massimo dal suo letto al tavolo della cucina.

Mia madre negli anni avrebbe potuto rubare gioielli, statuette di Capodimonte, coltelli d'argento, Swarovski a forma di elefantini, ma non l'ha fatto, perché quelle cose non sono sue e per ogni oggetto non suo Antonia mantiene il riserbo e il contegno che si dovrebbe ai defunti.

Se mio padre, anche solo per gioco, le chiede di portargli qualcosa che a noi manca, qualcosa di banale come la pasta che è finita, il sale che non c'è più, un rotolo di carta igienica, lei si offende con ardore, con voce gelata dichiara che non preparerà la cena e sbattendo la porta esce a comprare quello che serve, ricordando a tutti che quello che manca e quello che c'è dipendono solo da lei.

Ci vuole poco, davvero poco, prima che tutti in paese inizino a chiamarci i figli di Antonia, la Rossa.

3.
È CATTIVA LA GENTE CHE NON HA PROVATO IL DOLORE

Per crescere bisogna faticare, non si è fanciulli a lungo, non verrai difeso, accudito, abbeverato, ripulito, salvato per sempre, arriva il momento in cui tocca a te stare al mondo, e questo è il mio.

Mia madre decide che andare alla scuola media ad Anguillara o a Bracciano non mi gioverà, il paese è sicuro, ovvio, ma le scuole sono meglio a Roma e in Mariano non crede nessuno, l'unica figlia femmina deve saper studiare, eccellere, andare all'università, diventare medico, ingegnere, entrare nella finanza, pubblicare romanzi e soprattutto leggere, compulsivamente, senza possibilità di tregua.

In molti le hanno parlato bene di una scuola media alla Giustiniana, un quartiere trafficato di Roma Nord che si fa spezzare a metà dalla via Cassia e mischia i residence con i custodi e le telecamere ai prefabbricati e ai ristoranti cinesi.

Alla mia scuola si incontrano i ragazzi dei quartieri più popolari come Ottavia o Palmarola e quelli delle famiglie borghesi che arrivano dai comprensori coi cancelli automatici all'ingresso e trecento citofoni tra cui scegliere, ma non è mai il crocevia dei veri ricchi, che preferiscono mandare i figli alle scuole private.

Se la mia scuola ha mai avuto un nome, io non lo so, per me si è sempre chiamata come il quartiere che la ospita e come la stazione del treno a cui scendo ogni mattina dai vagoni che la prima volta mi avevano portata da Roma ad Anguillara, quei vagoni diventano il mio luogo di transito, di fuga, di frustrazione, i vagoni troppo pieni di troppi pendolari, le stazioni che iniziano a cadere a bocconi, gli abbonamenti pagati a caro prezzo, i ritardi che ti costringono a correre per non entrare alla seconda ora, i controllori da cui nascondersi nei bagni.

Il paese si divide in due fazioni: quelli che studiano intorno al lago e quelli, come me, che prendono i mezzi e vanno a Roma, e per quanto possa sembrare assurdo non siamo pochi, mia madre non è l'unica che considera quel treno molto comodo e quelle scuole più adeguate.

Ogni giorno mi sveglio alle sette del mattino e aspetto la navetta per la stazione, che finalmente il comune si è deciso a introdurre, e arrivata lì trovo altri zaini, altri nasi, altre occhiaie in partenza per la scuola, ognuno di noi scende a fermate diverse, ci mescoliamo tra liceali e ragazzini delle medie, tra militari che da Cesano vanno a Roma Termini e signori con la ventiquattrore che lavorano a San Pietro.

Le prime settimane resto muta, larva, bozzolo, in ossequioso raccoglimento ascolto i miei pensieri claudicanti ronzare, sento stranieri il treno, i finestrini e i poggiatesta, percepisco molesti l'odore di chiuso, il sudore mattutino, i profumi dei deodoranti che pizzicano, siedo da sola con in grembo il mio zaino che all'inizio usava Mariano e che mia madre ha rafforzato con del cartone sul fondo per donarmelo, ci ho scritto il mio nome sul taschino e lei mi ha maledetta, dice che poi servirà a Maicol o Roberto e non possiamo permetterci di macchiarlo, farci disegni sopra, trasformarlo in una cosa da femmine. Nero era e nero deve restare.

Ma le facce in stazione sono sempre le stesse, gli sguardi si iniziano a incrociare e noi ci riconosciamo anche a scuola, pure se siamo in classi diverse, noi, quelli di Anguillara, siamo branco di lupi e leoni, cominciamo a incontrarci a ricreazione, a parlottare sul treno, salutarci nei corridoi.

È così che conosco Agata e Carlotta.

La prima minuta e biondissima, ha un sorriso lunare e ciglia chiare, si lamenta sempre di non essere abbastanza carina, si carica di difetti che solo lei nota, ma attira l'attenzione di tutti i nostri coetanei e non solo con le sue code alte e la sua pelle abbronzata, il padre ha mucche, maiali e foraggio, stare al sole fa parte dei doveri di famiglia.

L'altra, con il corpo pronto per essere donna prima del tempo, colleziona fianchi morbidi, cosce sode e magliette scollate, ha un suo modo di ridere, emette un fischio, ha una sua capacità di sottomissione, un viso asimmetrico che piace poco, orecchie troppo grandi, mento largo, occhi minuscoli e scuri, vive se stessa con la sicurezza che manca a me e ad Agata, bambine preoccupate per le lentiggini e le ginocchia storte.

A me valutare se le mie amiche siano o meno principesse non interessa, il nostro incontro è quello del bisogno, siamo tre castelli arroccati, desideriamo un esercito che ci difenda, cerchiamo qualcuno che presidi la fortezza.

Siamo piccole abbastanza per non avere ancora l'ossessione del nostro corpo e di quello altrui, ma grandi a sufficienza da presagire che il nostro modo di guardarci diventerà negli anni una guerra silente, faremo parte di fazioni opposte e ci lanceremo frecce avvelenate alle spalle.

Hai una felpa nuova? domanda Carlotta.

No, è di mio fratello, perché? rispondo io.

È verde pennarello, non ha senso.

Questa c'era, a casa.

Sembri un cartone animato.

Il tre non è mai stato il mio numero preferito, mi fa subito sentire a disagio, abituata ai numeri alti, le famiglie dove si è minimo in cinque, le tavolate dove qualcuno urla, io so bene che nelle stanze da letto si piange e se sento solo silenzio mi spavento.

Siamo poche per trovare conforto e troppo numerose perché io mi senta accudita.

Io e mia madre, io e Mariano, io e mio padre, oppure noi, il gruppo, la famiglia chiassosa.

Noi tre amiche nasciamo come una cosa sgangherata e che mi mette sospetto.

In più non sono tagliata per le amicizie, non ne capisco le dinamiche, le incomprensioni, non so quando bisogna rispondere, quando rimanere in disparte, non posso invitarle a casa mia, non ho nessuno che riesca ad accompagnarmi da loro, mia madre dice che prima di uscire il pomeriggio dovrò aspettare almeno l'anno dopo, non sono seducente, non porto novità, non ho giochi, non ho trucchi, non ho vestiti da prestare, posso mettere in comune solo le felpe di mio fratello, i pannolini dei gemelli, la sedia a rotelle di mio padre.

Della mia vita in casa non parlo con loro, quando si lamentano della madre che ha sbagliato regalo prendendo una maglietta a righe o della bicicletta che volevano rosa e non viola, io annuisco, ma come biscia sta pancia a terra la mia invidia latente, non si fa vedere, la coltivo con cura, la tengo buona alle soglie dell'intestino, nutrendola quando riesco, coprendola con la speranza che avere due amiche sia più importante dell'essere quella da meno delle tre.

Allora mi complimento per nuovi top e collanine, mi entusiasmo quando mi scrivono dediche piene di affetto sui quaderni di scuola, mi scambio con loro mollette per capelli e giornaletti, anche se io i miei devo comprarli saltando la merenda.

A momenti alterni si creano e si distruggono squilibri che non so gestire, giornate in cui sono arrabbiate tra loro oppure con me, giornate in cui Agata sembra non considerarmi e altre in cui mi abbraccia stretta, mi leva il respiro e mi invita a metterle lo smalto in treno; giornate in cui Carlotta commenta la mia gonna dicendo che sembro uscita dal tendone del circo e altre in cui mi vuole pettinare i capelli e mi regala un suo cerchietto con gli strass.

Hanno compassione per le mie mancanze o ne godono perché donare le fa sentire in posizione di superiorità, non posso saperlo, credo un po' entrambe le cose, io so occupare il mio spazio, l'ho imparato tra le mura di casa, che quando non smargini, quando stai al posto che t'è stato assegnato – uno scatolone, un armadio, un sottoletto – non sei di disturbo, non alzi polvere e tutti ti tollerano, evitano di prenderti a calci.

Con loro spesso mi scuso senza sapere neanche i motivi che scatenano le loro rabbie, mi prostro di fronte a richieste incomprensibili, seguo regole non scritte, appoggio una e poi l'altra, dico di sì se alle spalle si insultano, non do mai ragione a nessuna delle due, mi tengo svizzera nei conflitti e sbandiero stoffa bianca se bisogna calmare le acque.

Sopporto perché stare con loro vuol dire non stare da sola né a scuola né ad Anguillara, in gita, in cortile, in stazione io ho il mio piccolo gruppo di appartenenza, noi entriamo insieme a scuola e ci scambiamo i diari per le dediche, noi parliamo dei ragazzi più grandi e ci raccontiamo imprese e conquiste che nella maggior parte dei casi non esistono, assistiamo alla tragedia d'essere piccole in un mondo gigante.

Tra noi siamo spietate, ci facciamo dispetti nascosti, ci rubiamo oggetti che poi non possiamo neanche sfoggiare perché l'altra, a cui li abbiamo rubati, se ne accorgerebbe, sappiamo di essere ladre e nemiche ma entriamo sul nostro palcoscenico sempre con lo stesso sorriso.

Quando dall'esterno arriva una minaccia ci compattiamo, tiriamo su gli scudi, ci difendiamo, mentiamo per le altre, fingiamo malori, guerreggiamo contro genitori opprimenti, insegnanti tiranni e malelingue.

La nostra è un'amicizia normale, dove si ride, dove si piange, dove si recita a chi vince e a chi perde, tirata come elastico, pronta a scoppiare, la nostra è un'amicizia innocente, che non porta con sé odore di alcuna tragedia.

* * *

La mia scuola ha la faccia gialla, rughe e croste, per raggiungerla bisogna fare una salita ripida.

Le aule non bastano per tutti gli alunni e nel cortile sono stati costruiti due container ottimi per la muffa d'estate e il gelo d'inverno, a rotazione le classi devono occuparli, la sfortuna infatti va condivisa.

Non c'è una palestra ma solo un piazzale d'asfalto nero, quindi per farci fare attività fisica hanno accorpato due ore a settimana e stipulato una convenzione con un centro sportivo non troppo distante, per metà anno faremo nuoto nella piscina coperta, per l'altra metà tennis sotto al pallone.

Per poter partecipare dobbiamo pagare soldi in più e comprarci ogni cosa che occorre, come una cuffia, un costume da bagno, gli occhialini, la racchetta.

I primi mesi li passo nell'edificio al secondo piano, il nostro programma al centro sportivo deve ancora iniziare e come attività giochiamo a palla avvelenata sull'asfalto, per riscaldamento ci fanno correre in cerchio.

Le mie amiche non sono in classe con me e con le altre ragazze che ci sono mantengo un severo riserbo, non confido in loro, alcune sono state bocciate e sono più grandi di me, per loro non sono che grumo d'infanzia, altre ci tengono a crescere con rapidità e non fanno che incitarsi a fumare e a infilarsi nei bagni coi maschi, quando io rispondo che non ne ho voglia vengo subito esclusa, guardata come si guarderebbe una rapa bollita, il contorno insapore della cena.

Creo alleanze giornaliere fragili, non intavolo conversazioni, appena suona la campanella a ogni cambio dell'ora mi fiondo fuori dall'aula e cerco le mie amiche, nel cortile siedo con loro a quello che noi abbiamo deciso essere il nostro muretto. Il mio banco, il mio astuccio, il bagno dove ci teniamo l'un l'altra la porta, il muretto, lo spazio che vogliamo marchiare della nostra umanità, rendere possesso ciò che è sconosciuto, spaventoso.

I discorsi delle mie amiche e quelli delle mie compagne non sono mai in realtà molto differenti, ma vedo abissi tra loro e onde altissime, nuoto seguendo la corrente che mi sono scelta.

I maschi della classe indossano tute acetate e non ce n'è mezzo che abbia il fascino pulito dei bambini appena cresciuti, ridono a battute illogiche, sgraziate e ridono a lungo, non si accontentano dei sorrisi, ma passano ore, giorni, mesi intorno allo stesso scherzo, maniacali, persecutori, ce n'è uno che sa muovere le orecchie e ne fa grande vanto, un altro così magro che gli si vedono le ossa delle clavicole dalla maglietta, uno dai capelli unti che non si leva mai il cappello con la visiera; i maschi interessanti sono lontani galassie, sempre più grandi, o nelle altre classi o in paese, soprattutto in paese, la gente della scuola vale zero, non la puoi classificare e ne perdi traccia presto.

La mia unica missione è quella di non prendere voti bassi, studiare sul treno e, i pomeriggi, far vedere a mia madre che faccio quello che è adatto a me, evitare che venga chiamata ai colloqui coi professori, perché poi dovrebbe spiegare perché va da sola e poi dovrebbe spiegare che lavoro fa e poi dovrebbe spiegare da dove veniamo e tutte queste spiegazioni io non le voglio dare.

L'insegnante di matematica ama affibbiarci soprannomi e a me ha affibbiato PH 4.5 perché secondo lei rispondo acida a quella che lei crede essere simpatia; la professoressa d'inglese è ossessiva e compulsiva, se sbagliamo un verbo o un plurale ce lo fa riscrivere cento volte sul quaderno, ho pagine piene di avverbi, di pronomi, di forme intransitive; quella di italiano odia i temi che compongo, vado sempre fuori traccia per lei, e ama mettermi quasi sufficiente, col quasi sottolineato in rosso, appena sente rumore perde la testa, chiude il registro e inizia a sbatterlo sulla cattedra brandendolo con entrambe le mani; ma la mia nemesi è la professoressa di educazione tecnica perché sono sciatta, non chiudo mai un cerchio, sbavo tutte le linee, il righello mi trema e ho la cartellina usata di Mariano con le sue A anarchiche scritte o raschiate sopra che mia madre non ha saputo lavare via.

Studio pazzamente per mantenere la sufficienza in educazione tecnica andando bene all'orale, imparo a memoria come si fanno i prefabbricati e gli impianti elettrici, le strutture resistenti e le costruzioni, cerco di conoscere a menadito le arti tessili e ceramiche, mostro a mio padre i miei disegni, lui ne ride e senza pazienza prova a indicarmi come andrebbero eseguiti a suo parere, ma né lui né mia madre hanno studiato o disegnato, hanno scritto o interpretato, e se l'hanno fatto la vita glielo ha reso dimenticabile.

Mariano inizia a sistemarmi lui i disegni quando mi vengono assegnati a casa, passa ore, che di certo vorrebbe trascorrere altrove, a girare il compasso e usare il Tratto Pen nero; ma la professoressa non riusciamo a ingannarla: mi fa ripetere in classe le stesse operazioni e io che sono mancina sbaffo tutti i fogli e non so tracciare una linea perpendicolare a un'altra.

Ma non sono le difficoltà che scatenano la barbarie, anzi, essere incapace in qualcosa mi protegge, chi eccelle nello studio è alleato dei professori, traditore, c'è altro che tutti come cannibali attendono di mordere ed è la mia carne che sta crescendo e si sforma, si allunga, si sfalda, cercano con dovizia ogni possibile indizio di bruttezza, ogni abito troppo stretto, ogni macchia sul viso.

Nessuno è indenne allo sberleffo e cosa lo muova rimane insondabile, nel mio caso basta un taglio di capelli per scatenare la guerriglia.

Andare dal parrucchiere non è mai stata una possibilità per noi, mia madre ha sempre tagliato a tutti i capelli, bambini e adulti, compresa se stessa e l'ultima volta ha deciso che è ora di tagliare per bene i miei che sono cresciuti troppo e sono rovinati sulle punte, quindi li accorcia fino al mento creando due ciuffi molto più corti davanti, quei ciuffi rendono ben visibili le mie orecchie, che ora appaiono incorniciate da un caschetto rosso e spugnoso.

I miei compagni se ne accorgono subito, appena rimetto piede in classe, che qualcosa non è andato per il verso giusto e ne fanno barzelletta, dicono che ho le orecchie grandi, che sembro un fungo, del muschio, mi chiamano Cappuccetto Rosso e Dumbo, disegnano sul mio banco pupazzetti con orecchie enormi mentre io sono a ricreazione, mimano aeroplani alle mie spalle per far capire che presto, con quei padiglioni auricolari esagerati, spiccherò il volo.

E, come era stato per la mia bocca da bambina, anche questa volta io esamino allo specchio le orecchie e le trovo le stesse di sempre, inizio a incolpare mia madre.

Mi hai tagliato i capelli come ai maschi, urlo rientrando in lacrime dalla scuola.

Non è vero, ti stanno tanto carini, si difende lei.

Sembro un bambino scemo, non ho le tette e neanche i capelli.

Hai entrambe le cose e sei proprio stupida se piangi per sciocchezze così, c'è ben altro al mondo che i tuoi capelli su cui disperarsi.

Tutto è sempre peggio, per te, di quello che subisco io.

Tu non sai cosa vuol dire subire, questo è il problema, dice lei, non butterò soldi per un parrucchiere che non serve, mettiti un cerchietto e delle mollette se proprio devi e poi torna a studiare, la scuola non serve per farsi belli, chiude Antonia e va a stirare sbuffando, ché oltre alle faccende nelle case degli altri le toccano anche quelle in casa sua.

Io corro nella mia stanza e cerco di entrare, la trovo chiusa a chiave e busso, busso ancora, Mariano è trincerato dentro con un'amica, che dice essere venuta a studiare.

Penso che li odio tutti e mi siedo contro la porta e aspetto finché l'amica non si è rivestita e lui non si decide ad aprire.

In realtà i miei compagni di classe si stufano abbastanza presto di me e delle mie orecchie, tranne uno.

* * *

Il suo nome è Alessandro ed è più alto di me, potrebbe appoggiarmi il mento sulla testa.

Porta gli occhiali da vista ma dalla montatura fina, gioca bene a calcio e palleggia sempre in cortile, ha i capelli ricci e neri, fittissimi, cambia scarpe da ginnastica una volta al mese, i genitori hanno una pasticceria che fa le paste per tutto il quartiere.

Decide che quella presa in giro non è durata quanto doveva e la continua, cavaliere solitario con la sua armatura di bronzo, contro di me che sono appiedata e senza lancia.

Il mio nome per lui è solo Orecchie, me lo ripete in classe, nei corridoi, a ricreazione, all'uscita, sul pullman per andare in gita, me lo scrive sul banco, sul quaderno, lo grida davanti a tutti, dice Orecchie vieni, Orecchie fai questo, Orecchie mettiti laggiù.

All'inizio io mi arrabbio e me ne lamento a casa e in classe, provo a farlo intendere alle professoresse, ma nessuno pare dare peso alla mia scomodità, ne sorridono, fanno spallucce, capita a tutti, capita pure a me.

Allora penso che sia meglio ignorarlo, quando sento Orecchie non mi giro, quando mi passa davanti non saluto, se so che è in un posto non ci vado, se siamo interrogati insieme non lo aiuto, faccio muro, difesa, vado ad arroccarmi, ed è così che lo scateno, dalla risata nasce il risentimento, dallo scherzo l'offesa.

Un giorno siamo in cortile e facciamo il solito riscaldamento girando in tondo e lui dice: Attenta, Orecchie, che sennò cadi.

Mi fa lo sgambetto e io precipito.

Mi ritrovo con la faccia a terra sull'asfalto e sbatto il mento che si apre, esce sangue sulla maglietta, ho i grani neri conficcati nel palmo delle mani, e le ginocchia che tremano per l'assalto che non avevo previsto, non ho saputo fermarlo in tempo.

Lui mi guarda senza soddisfazione, vede il sangue e ha un attimo di smarrimento, sente l'esagerazione del gesto e mi allunga la mano per farmi rialzare, io non la tocco e mi alzo da me, vado al bagno a sciacquare tutto e sto zitta.

Orecchie, scusami, non l'ho fatto apposta, prova a dirmi lui fuori dal bagno e io non rispondo.

Allora lui cerca di salvarsi dicendo il mio vero nome, ma io non rispondo neanche a quello, esco da lì e pure se ho male alle gambe torno a correre in circolo e poi siedo all'ombra a guardare gli altri, lui compreso, giocare a palla avvelenata.

Lo vedo vincere, festeggiare con la sua squadra.

La professoressa non ha notato nulla, non ha espresso rammarico, viene a insegnare educazione fisica in gonna di tweed e stivaletti, ha sempre le unghie fucsia e un basco in testa, è più il tempo in cui fuma che quello in cui corre.

La sera spiego a mia madre che sono caduta da sola, ci sono le radici dei pini che spuntano dall'asfalto.

Lei risponde: Andrò a dirgli di tagliarle.

Io le dico: Per favore, no.

L'episodio acquieta Alessandro, ma non per molto.

Presto ricomincia e convince anche gli altri a chiamarmi così, a far scomparire per sempre la vera me, crearmi nuova identità: Orecchie, la cosa che è brutta e smilza e non ha seno e non sa baciare e non sa disegnare un triangolo isoscele.

Alle feste della classe lui insiste che non venga invitata, si procura il mio numero di casa e telefona, dice solo Orecchie e attacca, oppure sta in silenzio se pensa che siano mia madre o mio fratello.

Fa chiamare anche da altre persone, sconosciuti, che pure di notte fanno squillare a casa il telefono per ore, ma io non cedo, non dico a mia madre qual è il motivo, perché vederla prendere voce al posto mio vorrebbe dire ammettere sconfitta.

Se dirò a lei o a Mariano cosa sta accadendo, loro di certo interverranno e il problema sarà risolto, mia madre farà bagarre e scenate, Mariano verrà a picchiarlo fuori dalla scuola, come in passato, loro hanno il potere di far scomparire le ingiustizie, ma questa volta appare tutto diverso ai miei occhi, mi sento cresciuta, voglio imparare a difendermi da me.

Andare ogni giorno a scuola diventa macigno, non c'è ora senza bisbiglio, senza risatina, senza canini che spuntano, mi sento vampirizzata, ho il sangue fuori dalle vene, ho sempre sonno e voglia di dormire.

Iniziano i mesi alla piscina coperta che peggiorano la situazione: mia madre mi cuce un costume troppo stretto sul sedere che devo sempre aggiustare, ho una cuffia rosa di quelle da signora coi fiori di gomma disegnati sopra da cui spuntano ciuffi di capelli rossi, gambe magrissime e piene di lentiggini, petto da sogliola, peli delle ascelle e delle gambe non rasati: è palese la mia resa, la fine della me bambina che non eccelleva ma neanche sprofondava.

I motivi per vessarmi si moltiplicano, creo da sola i miei esponenti, come le ciabattine verde acido troppo grandi o il modo in cui non so nuotare a delfino e rischio sempre di annegare.

Siedo al mio banco al rientro in classe come farei in cima a una torre.

Le altre ragazzine per Natale ricevono i primi cellulari che sono grossi come banane e tutti grigi, si fanno squilletti per comunicarsi pensieri, si scrivono messaggi sgrammaticati e tvb.

Da questa fotografia io sono tagliata fuori, come da quella di classe fatta in gita al Museo Etrusco di Villa Giulia, dove avevamo visto centinaia di cocci e coccetti e statuette e teche e noia. Quando me la consegnano, stampata su carta lucida e inamidata, maneggio le forbici e recido la mia testa, un quadratino esterno in alto a sinistra.

Zac e poi *zac* e la vedo cadere.

Rimane quel quadrato, con la faccia di Orecchie, che non sono io, è una che non conosco e di cui voglio al più presto perdere le tracce.

Prendo quel volto e lo metto nel posacenere di mio padre, dove so che lui spegne le sigarette senza neanche guardare, e così fa anche quella volta, dopo cena, la sua cenere buca la foto.

* * *

Quando vedo del sangue macchiarmi le cosce non ho moti di stizza o tremori, vado decisa da Antonia con la mutanda in mano e a sedere scoperto, le chiedo che fare.

Lei mi porta in bagno, tira fuori i suoi assorbenti, ne scarta uno e me lo sistema su un paio di mutande pulite, apre le alette, lo fa aderire, mi spiega che da oggi in poi dovrò compiere questo rito per molti anni.

Mi fa vedere dove tiene quelli che ora sono i nostri assorbenti, li divide in tre gruppi: i più scuri per i primi giorni, i violetti per quando sentirò meno dolore e i rosa per la fine, se perderò poco.

Se il sangue è troppo tu devi venirmelo a dire, se il sangue non arriva tu devi venirmelo a dire, se a scuola hai mal di pancia forte ti devi fermare, se ti cala la pressione, se ti gira la testa va' a metterti a letto.

Devi sempre lavarti, ripete, anche se ti impressioni, fa' sempre la doccia, usa sempre il bidet, lava subito mutande e lenzuola, altrimenti resta la macchia.

Ma la cosa più importante è che questa roba ti riguarda, tu te ne devi occupare, sta' attenta coi maschi, anche quando dicono di fidarti, anche quando sembrano capire, loro non capiscono, sappi che puoi fare figli d'ora in poi e non farli è affare tuo.

Non finire come me, a diciassette anni ho avuto Mariano da un tipo soprannominato Tony che ancora sta scontando in carcere una condanna per omicidio.

Mariano lo sa? chiedo io.

No, e non lo deve sapere. Ne abbiamo abbastanza di uomini che non servono.

Antonia butta le mie mutande sporche nella varechina e a me prende una fitta allo stomaco.

Da quella sera lei comincia a darsi pensiero: far dormire me e Mariano insieme le pare cosa maldestra, da sistemare.

Si arma e tira un filo da un lato all'altro della stanza, poi cuce insieme una serie di lenzuola e le appende tra il mio letto e il suo, così mi potrò spogliare lì dietro e aggirarmi senza essere guardata.

Cos'è questa buffonata? commenta mio fratello rientrando.

A tua sorella serve intimità, risponde lei.

Si alza così una trincea, tra la me bambina che può sentirlo parlare nel sonno e la me donna che deve smettere di farlo, i nostri giochi separati, i nostri vestiti diversi, i poster appesi sul mio lato, le bandiere politiche sul suo, i letti con lenzuola e federe spaiate, ombre cinesi, lo vedo apparire e scomparire dietro alla stoffa, sembra una marionetta.

Il mio corpo in effetti cambia e tutti se ne preoccupano tranne me, mio padre ha moti di gelosia e apprensione a me sconosciuti, chi mi parla, chi mi telefona, chi sono gli amici e i nemici.

Ha preso abitudine a sfogliare i miei quaderni e i diari se riesce a raggiungerli e ha angoscia che io stia nel mondo implume, senza padre che mi protegga.

Non è mai parso un suo timore, ma da quando perdo la mia muta come serpente, lui inizia a chiedere a Mariano insistentemente di tenermi d'occhio, continua a dire: guarda tua sorella, vedi tua sorella che fa, dov'è che va tua sorella.

Mariano risponde che non è un baby-sitter e cominciano a urlare.

Tutti discutono e si lanciano maledizioni all'ora dei pasti, ma la peggiore tra le litigate è quella per la racchetta.

I mesi della piscina a scuola sono finiti e stiamo per cominciare le lezioni di tennis e io non ho ancora la racchetta, perché non ne abbiamo trovata una usata e costa troppo comprarla.

Mia madre, che ha percepito il mio imbrunire degli ultimi tempi, insiste che la racchetta vada comprata e sta sottraendo denaro ad altri acquisti che riguardano le sigarette di mio padre e mio fratello, l'uso dell'elettricità, le bollette del telefono, i prodotti che lei sceglie per la casa, la tinta che deve farsi ai capelli.

Cosa ci farà con le lezioni di tennis, eh? Sono soldi sprecati, buttati nel cesso, si infervora mio padre a cena davanti alle carote bollite e lo stracchino.

Massimo, non sono le lezioni il punto, tutti i ragazzini le seguono, le serve, adesso, risponde mia madre posando il bicchiere dell'acqua con un colpo secco che lo fa debordare.

Ha ragione lui, che roba è? Non ha neanche tredici anni, ci giocherà per due volte, mio fratello rincara la dose prendendo la parte di Massimo, stranamente.

Ora che io sono donna, loro ricordano di essere uomini e creano un nuovo asse d'alleanze inattese.

Forse io non ho reso chiaro che non sto chiedendo a voi il permesso, vi sto comunicando che sto mettendo da parte i soldi per la racchetta e che ognuno di noi farà dei sacrifici per comprarla, lo guarda mia madre affilata.

Farai così con tutti? Avremo tutti le nostre racchette? La voglio pure io allora, si anima Mariano con un pezzo di pane in bocca.

Non provare a ricattarmi, tu non avrai niente, tua sorella sta attraversando un periodo difficile, io da madre lo so e tu da fratello lo dovresti capire, invece stai sempre a zonzo a fare i fatti tuoi, le tue riunioni, i tuoi giri, pensi che non abbiamo visto, che non capiamo?

Periodo difficile per cosa? Perché ha i brufoli e il culo piatto? Questo è difficile secondo te? Sei sempre stata solo una ipocrita.

Io sono quella che vi fa campare, senza di me non siete nulla, mia madre si alza e sbatte il piatto sulla tavola e lo rompe, le carote schizzano, la tovaglia a quadri si sporca, i gemelli piangono.

Io sono cera e candela, rimango spenta e in bilico sul candelabro.

Nel giro di una settimana però ho la mia racchetta da tennis e loro hanno smesso di parlarsi, come è d'abitudine, Antonia gli ha tolto qualcosa e sono le sue parole e attenzioni.

Le lezioni di tennis cominciano e io sento di doverle seguire con cura, ripongo la mia racchetta dentro alla custodia con precisione, è uno dei primi oggetti nuovi e miei che possiedo, ne sento la responsabilità.

Ogni volta che finisce una lezione e torno a casa racconto ad Antonia cosa ho imparato, il servizio e come molleggiare sulle gambe, le palle che ho raccolto, i giri di corsa sulla terra rossa.

Il tennis non mi piace, ma ho una venerazione per la mia racchetta, la guardo con tenerezza, mi è costata ascoltare Mariano essere ingiusto e mia madre condannarlo, devo saperla accudire.

Stare nel pallone e giocare a tennis mi riesce sicuramente meglio che nuotare in piscina, la mia tuta da ginnastica non è bella ma neutrale, non si fa notare per la sua bizzarria, non ha toppe o fiori disegnati, e la racchetta è la meno costosa tra tutte ma è lucida e pulita, metto sulle spalle la custodia con fierezza e la sfoggio in stazione, la mostro alle mie amiche: è nuova, ripeto, proprio nuova.

Loro hanno i cellulari e i buchi alle orecchie con le perline, ma io ho la racchetta e non mi importa.

Finché non arriva il giorno in cui me la rompono.

L'indifferenza verso Alessandro è cresciuta di pari passo con la sua codardia, il suo viso è rosso di ira ogni volta che non guardo nella sua direzione, si sente inefficace, sgrassa una superficie già pulita.

Allora si fa furbo e come zanzara punge dove sa che c'è pelle, si porta da casa delle cesoie, le infila nello zaino e, mentre sono a sciacquarmi il viso, lui taglia le corde della mia racchetta, le recide al modo delle vene.

Crea così un buco proprio al centro, che la rende inutilizzabile, nasconde le cesoie, posa la mia racchetta sulla panchina dove io l'ho lasciata, ignorato da insegnanti distratti e compagni complici, torna a giocare.

Io la ritrovo mutilata, vicino al mio borsone dove metto la maglietta pulita e le mutande per il cambio, le sue corde spezzate le hanno tolto vigore, è moscia, cadente, un oggetto ovale con un manico che non serve, è inerme.

Vedo Alessandro fare un sorriso caparbio e scintillante nella mia direzione e ho la certezza che è stato lui.

Le partite e gli allenamenti ricominciano ma io non posso più giocare, siedo sulla panchina, mi sento fulminata, priva di alimentazione, nella mia testa fanno a gara pensieri come i soldi che serviranno per ripararla, il tempo che ci metterò per confessarlo a mia madre, come verrò guardata da sciocca, perché non ho protetto la mia racchetta.

Mi tiro su alla fine delle due ore e mi avvicino ad Alessandro.

Possiamo parlare? chiedo.

Di cosa, Orecchie?

Della racchetta.

No.

Lo hai fatto tu? Gliela mostro rotta, sfondata, bucata e lui fa spallucce.

Intanto gli altri stanno uscendo dal pallone, l'insegnante ne approfitta per dirci di raccogliere i coni e le palle gialle visto che siamo gli ultimi.

Lo hai fatto tu? ripeto ignorandola.

Siamo rimasti soli.

Può essere, lui sorride.

È convinto di aver fatto una marachella, un gioco da niente, un pizzico in pancia, una spinta sull'altalena, una tirata di capelli.

Io penso a lui e a quell'orologio che ha al polso che costa tre delle mie racchette, i ricci col gel, il motorino già promesso per i suoi quattordici anni, penso alle magliette coi loghi, agli occhiali da vista firmati, penso a quanto sono buoni i pasticcini allo zabaione che prepara sua madre, penso alla glassa rosa confetto e poi alla tovaglia a quadri di casa mia, il piatto rotto, le carote, i detersivi in offerta, Mariano che ora mi odia, mi vede solo dietro a una tenda, la tedesca che mi vietava di stare coi pesci, i cancelli rubati dai fascisti, Antonia che fa il gesto di una siringa sul braccio, lo scatolone dove dovevano dormire i gemelli, mio padre in terapia intensiva senza le gambe, e inizio a colpire.

Alzo in aria la racchetta dal manico, la afferro con tutte e due le mani e gliela do sul ginocchio, una volta, due volte, tre volte, cinque volte, alla settima lui cade per terra e urla.

Il sangue esce dalla sua ferita, finisce sulla terra color mattone, lui prova a rialzarsi e non ci riesce, io butto la racchetta sporca di sangue e so che se avessi detto qualcosa all'insegnante lei me l'avrebbe fatta riparare e avrebbe chiamato i suoi genitori al colloquio e loro si sarebbero scusati, ma non è quello che so a contare adesso.

Lo lascio lì col ginocchio spezzato e vado alla sua borsa, la apro e prendo la sua racchetta, la metto nella mia custodia, non gli dico che quello è uno scambio equo, non pretendo le sue scuse o la sua redenzione.

Lui insulta e strilla e rantola e io esco dal pallone, cammino svelta sui gradoni che portano fuori dalla palestra e per strada e al benzinaio e al piazzale della stazione, ho la racchetta in spalla, mi siedo alla panchina e aspetto il treno, ore 13.23 direzione Viterbo Porta Romana, vedo Carlotta e lei mi chiede come va.

Rispondo: Il treno farà cinque minuti di ritardo.

E forse non sono le rose che strappi dai giardini comunali, i libri che non consegni per tempo in biblioteca, non sono le volte in cui mangi a bocca spalancata, non sono le corsie d'emergenza che usi per il sorpasso, i litigi coi bambini per le gommose alla frutta, non sono le bugie e le male intenzioni, ma è così in realtà che si diventa una donna cattiva.

4.
IL MONDO È UNA PISCINA TROPPO FREDDA

Quando ero bambina il quadrato di cemento che mia madre aveva reso salubre per me e Mariano era l'unica possibilità di gioco. La nostra scuola elementare non aveva giardini o campetti da calcio, la ricreazione si faceva nei corridoi perché nel cortile era caduto un pino, s'era messo di traverso, avevano delimitato l'area con i nastri bianchi e rossi, per segnalare che ai bambini era vietato avvicinarsi, ma nessuno lo aveva mai spostato. Se i nastri si rompevano qualcuno li annodava. Per cinque anni, dalla finestra della mia classe, avevo visto il tronco di quell'albero troppo carico di aghi e di pigne, dalle radici rese marce per colpa del cemento, dormire sdraiato nel cortile, come a dire che il suo sonno era segno dei nostri errori.

I giardinetti vicino alla nostra prima casa erano pieni di siringhe e anche di giorno donne e uomini sedevano sulle panchine con le braccia tese e gli aghi ancora infilati nelle vene, si erano dimenticati di toglierli e nessuno si prendeva la briga di farlo per loro.

Se Antonia ne vedeva uno, si avvicinava, diceva: Qualcuno gli levi la spada dal braccio, qualcuno, per favore e a me veniva da piangere di rabbia. Quella gente l'avrebbe aggredita, costretta al proprio fardello, mutilata, io ne avevo timore e nessuna compassione.

Mia madre aveva messo come regola che i giochi fossero casalinghi, che appartenessero a me e a Mariano e a nessun altro. Non c'erano altalene o scivoli, non c'erano spiazzi dove imbattersi negli altri in bicicletta.

Antonia aveva paura che a uscire fuori incontrassimo quei giochi che anche lei aveva visto nella sua infanzia, in quei luoghi che non erano dei bambini, ma della decadenza.

Una volta mi raccontò di quando lei era stata bambina e del quartiere in cui era nata, del giorno in cui vennero appesi i manifesti in cui si diceva che erano iniziati i lavori per la piscina pubblica dove ci sarebbero stati corsi di nuoto per gli abitanti del quartiere, prezzi modici per anziani e ragazzini. Il governo della città prometteva strutture, nuove linee degli autobus, cassonetti svuotati, controlli allo spaccio notturno.

La piscina venne cominciata, si scavò, arrivarono le ruspe e poi il cemento, arrivarono gli ingegneri e i piani di agibilità, arrivarono il sindaco e l'assessore, tutti arrivarono a vedere quello che nessuno avrebbe mai finito.

La piscina si fece, ma non venne inaugurata, venne colato il calcestruzzo, si isolarono con la resina le vasche, si misero i trampolini, non si vide mai l'acqua.

Con gli anni la piscina comunale divenne spettro di se stessa, farsa e scherno, doveva essere una rinascita del quartiere e si trasformò nella sua resa. La gente iniziò a riempirla di immondizia e mobili che non usava più, materassi, poltrone sfondate, mattonelle del bagno rotte, tubi di scarico, al posto del cloro l'insetticida, al posto dei salvagenti i topi e gli scarafaggi.

Eppure in quella distesa di ciò che nessuno voleva più, in quella puzza di incuria, di dimenticanza, i bambini andavano a giocare lo stesso. Perché non avevano dove altro vedersi, non c'erano parchetti, non c'erano piazze, ci si guardava bene dall'andare in chiesa. Mia madre e le sue amiche era lì che si davano appuntamento, si dicevano: Ci vediamo alla piscina.

E la piscina era il liquame delle promesse non mantenute, i ragazzi sedevano sul trampolino coi piedi a strapiombo sui cumuli delle malattie.

Si giocava a nascondino tra gli scheletri di quelli che sarebbero dovuti essere gli spogliatoi, si fumava nascosti dietro al grande telo su cui era ancora scritto: NUOVA APERTURA – PISCINA COMUNALE.

C'erano l'ora e il luogo, c'era tutto, ma nessuno aveva mai aperto. La vernice si era scrostata per la pioggia, le mattonelle erano saltate. La ditta dell'appalto aveva dichiarato fallimento, si era indagato per degli illeciti e le indagini si erano fermate, i documenti processuali erano impilati insieme ad altri documenti processuali, nella pila delle inefficienze, dei cadaveri.

Mia madre mi confessò che da quella volta aveva smesso di credere, quando dicevano che avrebbero ripulito il quartiere, che avrebbero aiutato chi stava buttato agli angoli delle strade, che avrebbero dato le case alle famiglie rimaste senza lavoro, che avrebbero fatto un nuovo parco giochi, una nuova linea del tram, un nuovo presidio della ASL, lei li aveva derisi.

Antonia aveva smesso d'aspettare che le cose venissero fatte, se l'era fatte da sé. I suoi figli non avrebbero giocato nelle pozze di quel miraggio perduto, se c'era da pulire lei avrebbe pulito, se c'era da vietare lei avrebbe vietato, se c'era da delimitare lei avrebbe delimitato.

Quando mia madre vede che stanno montando le giostre proprio nel piazzale davanti alla casa ad Anguillara, lo riconosce come un segno delle scelte giuste che ha fatto, perché forse ha rimosso quanto possono essere temibili i giochi dei ragazzi. Forse ha dimenticato che alle fiere e alle giostre per vincere un pesce rosso, un elefante di peluche, il premio più ambito, devi prendere bene la mira e sparare.

* * *

Le giostre in paese arrivano una volta l'anno, durante le vacanze di Pasqua, restano un paio di settimane, a un lato del piazzale vengono montate delle strane navicelle argentee che salgono e scendono, le navicelle hanno il muso rosso e assomigliano a razzi spaziali, le frequentano soprattutto i bambini, ci trascinano i genitori e puntano le dita in alto pensando che quel movimento meccanico e ripetitivo sia l'esperienza dell'ignoto e del volo.

Sempre presenti sono i cosiddetti calcinculo, seggiolini appesi con delle catene a un cerchio rotante che quando vengono messi in movimento iniziano a girare con maggiore velocità e ad andare più in alto, la vittoria dei calcinculo è spingere il seggiolino davanti al proprio abbastanza da permettergli di salire e raggiungere con le mani un premio che di solito è appeso a un'asta. Possono essere dei semplici giochi per bambini se fatti girare lentamente o delle gare di scelleratezza se presi con goliardia dagli adolescenti, che siamo noi, o almeno vorremmo esserlo, abbiamo ancora dodici anni, non siamo carne, non siamo pesce, ci fanno schifo i razzi spaziali ma non abbiamo i motorini o i soldi per le sigarette.

I nostri sentimenti si concentrano su tre attrazioni.

La prima è il tirapugni, una macchina a cui è appeso un sacco da boxe dalla forma ovale, più forte è il tuo pugno più prendi punti, i maschi passano ore, intere giornate a fare la gara a chi prende di più a pugni, alcuni ci arrivano con la rincorsa, altri tirano in alto i gomiti e aggrottano la fronte: chi non muove di un centimetro il sacco è un perdente, dagli altri verrà svergognato.

Noi femmine ci mettiamo a cerchio lì intorno e osserviamo come vincono o perdono, facciamo il tifo oppure ridiamo, scherniamo la loro virilità senza barba e senza sesso, li invitiamo a essere più uomini. Chi picchia più forte poi viene guardato con rispetto, sembra indossare la livrea, cammina a petto in fuori. A noi ragazze non è concesso provare, ma neanche vogliamo, una donna che fa a pugni e ferisce perde grazia, non si rende appetibile, chi di noi si avvicina al tirapugni lo fa sghignazzando, dà un colpo morbido e non fa salire neanche mezzo punto, i nostri colpi valgono come quelli dei lattanti.

La seconda è quella che preferisce Carlotta e sono gli autoscontri. Al centro del piazzale, che è proprio sotto il balcone di casa mia, viene montata una pista nera e coperta, dentro circolano macchine a due posti coi manubri di cuoio consumati, ognuna ha un numero disegnato sulla fiancata e l'unico divertimento è andarsi addosso tra guidatori, perché le macchine hanno dei paraurti spessi e di gomma che le circondano e attutiscono gli urti. Ma a noi non basta scontrarsi per il gusto di ridere, e infatti ci si prende di mira, i maschi si guardano da lontano e fanno giri larghi, cercano le macchinette a cui andare addosso con livore, ogni scontro è un crac e quando si toccano si insultano. Ma non è per questo che a Carlotta piacciono gli autoscontri, spasso di per sé infantile, che noi abbiamo colonizzato rendendolo inagibile per i più piccoli, ma perché il gestore della giostra ha inventato un nuovo sollazzo: il gioco dei baci.

Mentre si guida sulla pista a un certo punto il gestore suona una sirena e tutte le macchine si fermano, allora viene chiamato un numero, chi è seduto su quella macchina deve alzarsi e dare un bacio a chi vuole, chi riceve il bacio vince un gettone con cui può fare la corsa dopo senza pagare. La faccenda dei baci da vincere elettrizza Carlotta che sceglie sempre Agata come compagna di macchina dato che lei ne riceve più di me, che anzi resto fantasma. Anche solo la possibilità che venga chiamato il mio numero, mi agita, mi fa sudare le dita, non saprei da chi andare, non saprei cosa fare, chi avvicinare. È chiaro che tra i maschi ci sono visi che apprezzo, ci sono persone da cui vorrei essere scelta, proprio io, davanti alle altre, soprattutto uno. Il suo nome è Andrea, è allungato e ha i capelli tagliati pari sulla fronte, rispetto agli altri parla senza dialetto, indossa spesso magliette colorate, ha gli occhi tondi, piace a molte di noi, perché sa destreggiarsi, se insultato risponde, se chiamato in causa non si tira indietro, ma non è aggressivo, non apre disputa per primo.

Mi provoca tremore immaginare che si alzi dalla sua macchina e venga da me quando il suo numero è chiamato, ma lui non lo fa mai, se per caso capita fa sempre alzare l'amico e lui resta seduto, io non capisco dove guarda, se guarda me, se non guarda, se pensa ad altro, e a chi pensa, su cosa ride quando sottovoce scambia con l'amico qualche ironia.

Carlotta ama alzarsi e scegliere chi baciare, lo fa con una naturalezza che detesto, su di lei non vince mai l'angoscia dell'aspettativa, sembra pronta a ogni ostacolo, a ogni crescita, seppur i maschi quando ricevono le sue occhiate non appaiono particolarmente felici, c'è qualcosa in lei, forse nel viso, nelle sopracciglia poco curate, nei fianchi che le si stanno allargando che non apprezzano.

La felicità con cui dona amore che nessuno vuole mi imbarazza, giro il viso quando è lei ad alzarsi e l'unica cosa che so fare per difendermi dai baci non dati e non ricevuti è guidare la macchina in circolo e scegliere con chi prendermela, accelerare e andare addosso, sempre più forte, tanto da provocare urti che spingono in avanti i corpi, colli che si piegano, schiene flesse. Mi soddisfa di più vedere gli occhi sperduti che fanno quando una femmina li colpisce, che quelli lusingati di quando s'alza per baciarli. Io ho la mia felpa sformata e il cappuccio tirato su che mi copre capelli, orecchie e mezza fronte e seduta lì sono come loro.

Perché sei arrabbiata? mi chiede Agata quando scendiamo e il giro è finito, ha guadagnato quattro gettoni, potrebbe passare lì il resto della serata, mentre io ho finito i soldi che m'ha dato Mariano quella mattina, non ho altro e starò ai bordi a guardare, tra gli sfortunati.

Non sono arrabbiata, il gioco funziona così, si chiama macchine a scontro, non macchine a baci, le rispondo.

Uso un tono stretto, stridulo, di una voce che forse prima non m'è mai appartenuta, ma che da quando ho vinto la battaglia della racchetta con Alessandro sento essermi scesa nella carotide.

Da quel giorno il mio compagno di classe ha smesso di rivolgermi parola e a nessuno ha avuto il coraggio di dire che era stata una femmina a picchiarlo, le insegnanti hanno indagato, i genitori si sono indignati, hanno chiesto i danni, hanno detto che avrebbero denunciato la scuola, il figlio era dovuto andare al pronto soccorso, non avrebbe più potuto giocare a calcetto.

Vuoi sparare? dice Andrea, e io mi guardo intorno per capire con chi stia parlando, non rispondo.

Vuoi sparare? chiede ancora e tira fuori dei soldi dalla tasca dei jeans, sta parlando con me.

La terza attrazione che ci incanta è il tiro al bersaglio: su una parete sono disposte lattine vuote di Coca-Cola, Sprite, Fanta, tutte già ammaccate, ti viene data una pistola o un fucile a pallini, più ne butti giù più puoi vincere. Con tre lattine niente, con dieci un pupazzetto, una ranocchia, un topolino, una giraffa, con trenta una finta bottiglia di spumante piena di cioccolatini, se le butti giù tutte ti danno un enorme peluche, è un orso rosa, alto due metri, ha un fiocco rosso al collo e gli occhi neri delle meduse.

Non ci ho mai giocato, mi sembra sciocco e che sia un modo per rubare soldi, le lattine sicuramente per la maggior parte sono incollate ai sostegni di legno, quindi sì puoi buttarne giù fino a trenta ma non di più, ho visto gente provare e nessuno spostarne più di quelle necessarie per la manciata di cioccolatini, che poi sono andati a mangiarsi seduti sui muretti e sono tornati coi jeans sporchi di cioccolato e tabacco.

Io occhieggio Andrea e dico: Va bene, proviamo.

Lui paga il primo giro e inizia a sparare, impugna storta la pistola, prende la mira con troppa fretta, si vede che non sa cos'è un'arma, che al massimo siede sul tappeto del salone e invita gli amici a morire ai videogiochi. Io penso che le pistole vere non vanno tenute come se fossero carote, broccoli o melanzane, come se fossero inerti, ma sapendo cosa si vuole colpire.

Lo guardo prendere qualche lattina, altre le liscia soltanto, altre neanche le smuove, rimangono quasi tutte in piedi e gli amici si avvicinano, pure Carlotta e Agata lo incitano, perché se anche non ci siamo presentati, ormai ci conosciamo, se ci si rivolge parola, se ci si accosta, tutto basta in paese per fare branco.

Poi Andrea dice che è il mio turno, mette altri soldi sul banco e vedo nei suoi occhi un guizzo di sfida, quella che pareva una gentilezza immagino sia diventata un motivo di burla. Visto che alle macchinette gli ero andata addosso come fanno gli amori non corrisposti, con quella fame d'essere capiti, accolti, ora devo subire.

Io prendo in mano la pistola e la signora del baracchino che possiede il tiro a segno mi dice quanti colpi ho, se poi ne voglio altri devo pagare ancora ma devo anche ricominciare da capo. Un giro, un premio solo.

Annuisco, la gente s'è allontanata, a nessuno importa di vedere la ragazzina con i capelli tagliati male dalla madre che indossa i vestiti del fratello anarchico sparare e sbagliare, forse sì potrei farli ridere, ma persino le risate se le regalo io non valgono nulla.

Quando l'insegnante di italiano a scuola ha guardato Alessandro rientrare in classe con le stampelle aveva gli occhi pieni di lacrime, ha mormorato con una mano davanti alla bocca: Queste cose non dovrebbero accadere.

Impugno la finta pistola, la alzo lentamente e nel momento in cui chiudo un occhio e prendo la mira non sento brividi né accelerazioni del cuore, vorrei gridare: Guardatemi, adesso posso giocare anche io.

Poi comincio a sparare e le lattine a cadere, si sente il tintinnio della latta e dei pallini a salve, ne cadono cinque di seguito e io mi fermo, riposo la mano. Non so come ho fatto a buttarle giù, ho solo sentito il braccio teso, la mano premere il grilletto, gli occhi mettere a fuoco il bersaglio, come se avessi cantato la prima volta per scoprire d'aver voce d'usignolo.

Andrea è attento, prova a fare una battuta sulla fortuna, sul fatto che secondo lui c'è vento, ride.

Alzo ancora la pistola, miro alla sesta lattina e sparo, ne butto giù altre cinque e ricarico. La signora del tiro al bersaglio, dai capelli unti e il vestito rosa gardenia molto scollato, sorride tirata e commenta in un dialetto che non è il nostro e che non mi impegno a capire.

C'è chi ha l'equilibrio per star su un piede solo al modo dei fenicotteri, chi quando balla ha ritmo e sente il tempo della batteria, chi per addizionare e sottrarre non ha bisogno di foglio o calcolatrice e poi ci sono io che so sparare e ho le gambe ruvide e la felpa larga e la testa vuota di un futuro che non conosco.

Già solo il fatto che ci sia in palio un premio, che si possa vincere, fa differenza per me, forse per gli altri no, ma per me che vorrei accumulare cose, che vorrei mucchi di scarpe, mucchi di rossetti, mucchi di elastici per capelli, quell'enorme animale rosa con le orecchie e il naso tondo ha il sapore del merito e del guadagno.

Alzo la pistola, vedo nitide le lattine, una, due, tre, vado avanti; da bambina non sono mai salita sulla giostra dei cavalli e avrei voluto vestire da principessa, mettere in testa corona, stringere scettro, ma le giostre si pagano, ma le corone si pagano, ma le scarpette di cristallo si pagano.

Manca un solo colpo, penso siano ormai in tanti alle mie spalle, ho attirato una ingiusta e morbosa attenzione. Dicono: È una bambina, non ha neanche i muscoli nelle braccia, non ha neanche i soldi per cambiarsi le mutande.

Farò come quelli che arrivano vicini al traguardo e poi cadono, sarò la perdente del fotofinish, il cavallo che corre e s'azzoppa alla curva conclusiva, il fantino sgroppato, il calciatore che sbaglia il rigore, la medaglia di legno. Si perde per poco, si perde per emozione, per distrazione, per umanità.

Sparo l'ultimo colpo, la lattina di Coca-Cola oscilla e scopro che non c'era trucco: sono cadute tutte. Poso la pistola sul bancone.

Le mie amiche gridano, pensano d'essere finalmente le compagne di un'eroina, non quella bruttina da lasciare da sola sull'autoscontro, non quella che a scuola chiamano Orecchie, non quella con le magliette prese al mercatino dell'usato che hanno i colori fluo dei pennarelli.

Ma io non riesco a essere felice, c'è una me ancora ferma, ghiacciata, che sta sparando.

Alzo gli occhi sulla donna delle lattine che mi guarda.

Voglio il premio, le dico io e allargo le braccia. Sono pronta a contenere il mondo, l'universo tutto.

Lei si volta e con fatica fa uscire dal baracchino l'orso alto due metri, sta scomparendo dietro di lui, non sa come darmelo, io non so come riceverlo, mi supera quasi del doppio, è una persona, un colosso. Lei lo posa a terra davanti a me e dice: Complimenti.

Lo dice senza gioia, ma confusa da quello che ha visto, si chiede se io abbia barato e come, chi abbia sparato per me. Sono in dubbio anche io, se guardarmi alle spalle e controllare.

Ma alla fine alzo lo sguardo sull'ammasso di peli che ho davanti, forse dovrei abbracciarlo, dargli un nome, forse dovrei lasciarlo lì, dire che di lui non m'importa.

Grazie per i soldi, dico invece ad Andrea, che non ha parametri per decidere se essere sorpreso o sgomento.

La chiamano fortuna del principiante, prova a rispondere e fissa l'orso, crede che gli cadrà addosso, vorrebbe ridere perché ho vinto un premio assurdo che non desidera, ma per qualche motivo a nessuno viene da ridere.

Io non so che altro dire e vedo Mariano scendere nel piazzale a cercarmi, sono già le nove di sera, l'ora in cui i bambini vanno a letto.

Quello cos'è? chiede mio fratello.

Un orso, rispondo io e aggiungo: Aiutami a portarlo su a casa.

Mariano guarda i ragazzi che sono lì come se vedesse piante e sassi, senza ulteriori domande lui lo prende per la testa, io lo prendo per le zampe e così lo facciamo salire fino all'appartamento e lo facciamo passare dalla porta spingendo e lo trasciniamo in stanza, dove nasconderlo sarà impossibile.

Mia madre ha la radio accesa, ascolta della musica, canta a mio padre Patty Pravo, mentre lui fuma vicino al balcone e nessuno dei due sa che c'è un orso rosa nella stanza accanto.

Il giorno dopo però mia madre lo vede, proprio dove c'è la tenda che divide la mia metà da quella di Mariano, e resta a guardarlo, chiede da dove arriva.

L'ho vinto, spiego.

E come lo hai vinto?

Alle giostre, era in palio a un gioco.

Quale gioco mette in palio una cosa così?

Quello in cui si spara.

Lei rimane in silenzio e poi prende fuoco, le si contrae la mascella, si abbottonano gli occhi.

Lo devi riportare subito indietro.

No, l'ho vinto.

Non ci credo e non ne hai bisogno.

Tutti ne hanno bisogno.

No, nessuno ne ha bisogno, è un orso rosa. Questo mondo storto, questo mondo maledetto dove fanno sparare ai bambini per fargli vincere dei peluche.

Io le urlo che non me lo porterà via e le sbatto la porta in faccia, voglio che la casa tremi, lei continua a urlare che non si spara per scherzo, non si spara neanche per davvero. Ma io non la ascolto, guardo il mio premio che è grande e non ha espressione, sembra una sfinge.

* * *

È l'estate del 2001, io ho finito le scuole medie e mi sono lasciata alle spalle l'insegnante di matematica che ama dare soprannomi da strega, ho dimenticato i campi da tennis, i costumi in piscina troppo stretti sul sedere, tengo nascosta la mia racchetta nell'armadio, non ho fatto ammenda per i miei errori, non so ancora disegnare righe dritte o cerchi col compasso, di cosa accade del mondo io non ho coscienza, vivo nel limbo tra le mie cadute e le imprevedibili rivincite.

È ormai ricordo la mia infanzia dei cartoni animati, delle eroine in gonnella, dei pupazzi danzanti, delle pubblicità per le merendine, dei video musicali su MTV di cui ho scoperto l'esistenza sempre e solo dagli schermi altrui, immagini viste per sbaglio o quando, finalmente resa libera da mia madre, ho potuto passare qualche pomeriggio a casa delle amiche, trascorrendo ore incantata davanti a tutto il proibito, mentre loro chiacchieravano senza prestare attenzione, abituate a quella compagnia di top, ombelichi scoperti e microfoni accesi.

Sta di fatto che ho tredici anni e non ho ancora dato il mio primo bacio ed è luglio, ci avviciniamo alla fine del mese e in casa nostra si sta svolgendo l'ennesima battaglia: mia madre ha tirato fuori lo scudo, Mariano la spada affilata, sono al centro del salotto e stanno per sfidarsi a duello.

C'è un treno che prenderanno i miei compagni di classe, spiega mio fratello.

Tu non andrai da nessuna parte, hai diciassette anni, risponde mia madre, i gemelli sono seduti per terra, fanno a gara a chi raccoglie più polvere.

Io invece andrò, è una manifestazione a livello mondiale, c'è un treno che parte da Termini la mattina presto...

Non prenderai nessun treno, questa è l'ultima volta che lo dico.

Non ti interessa di quello che ci stanno facendo? Finanziano guerre finte, pensano solo ai soldi, agli investimenti. Non ti frega delle banche, dei soldi che gli dobbiamo? Proprio te che manco hai una casa tua...

C'hai in bocca parole che neanche capisci, ma cosa ne sai tu delle guerre, cosa ne sai tu delle multinazionali o delle case. Quello che devi fare è studiare, lavorare, non farti arrestare.

Tu non capisci.

No, tu non capisci che hai diciassette anni e non andrai a Genova, starai qui dove posso vederti e sentirti, dove io ho deciso che starai.

Non sei tu quella che vuole sempre salvare tutti, quella dello sciopero, quella del non farsi sottomettere?

Io sono quella che ha più anni di te e ha visto più cose, io so quello che faccio, tu no, tu sei un bambino.

Vado lo stesso, non mi puoi incatenare qui.

Mio padre prova a dire la sua: Anche noi, Antonia, abbiamo fatto le nostre manifestazioni, anche noi siamo stati per strada, ai ragazzi serve andare agli scontri, serve stare in prima linea.

Ah sì, serve? Guardaci, tu senza gambe e io a spazzare nelle case degli altri, a pulirgli il culo. A loro serve studiare, non c'è altro che serve. Quella politica è finita.

Quella politica è finita per voi, incalza Mariano.

E io ho la solita espressione di quando mi passano davanti gli eventi come carri merci, per cosa stiano litigando non ne ho idea, ho l'istinto di tapparmi le orecchie e iniziare a urlare, io sono avversa a questa famiglia, alle sue mancanze, ai suoi tormenti.

Mariano dice a mia madre che è una fallita, scandisce F-A-L-L-I-T-A con attenzione perché lo capisca bene.

Pochi giorni dopo finge d'alzarsi e uscire per andare a casa d'un amico e invece prende il treno regionale e poi la metro e poi arriva a Termini e sale su un treno in direzione Genova.

Noi non abbiamo i cellulari, non abbiamo la televisione, non abbiamo un computer, noi senza mezzi, senza possibilità di comunicazione, chiusi nel passato di un mondo che sta correndo al galoppo, ci sorpassa, ci schiaccia sotto i suoi zoccoli duri.

Mia madre chiama col telefono di casa i suoi amici e chiede, telefona alle madri, ai padri, telefona alle professoresse in vacanza, domanda a chiunque, chi gli ha dato i soldi per il treno, chi gli ha detto a che binario prenderlo, con chi sta viaggiando, dove dormirà.

Antonia accende la radio sul radiogiornale, sente le notizie seduta al tavolo della cucina, ha la radio incollata alla guancia, come se non se ne volesse separare, sembra l'ombra di una bambina chiusa nella cantina di un palazzo preso dalle bombe.

Tornerà domani, Antonia, vedrai, dice mio padre il burbero, il disinteressato, il nichilista.

Sta' zitto, gli urla lei ribellandosi, la sua voce è acuta, passa i muri. Che ti sei messo a parlare delle piazze, delle lotte, glielo hai detto tu di andare, la colpa è tua.

Le urla si accavallano, la voce in sottofondo gracchia dalla radio e dice che la situazione è cambiata, il corteo si è trasformato, ora regna il caos, ora c'è la paura, sono cominciate le cariche della polizia, la voce racconta chi è caduto a terra, chi sta scappando, la voce dice black bloc, famiglie, centri sociali, la voce dà dettagli confusi e a un certo punto dichiara che è morto un ragazzo, poi molte volte black bloc, poi estintore, i miei genitori si gridano sopra che questa volta è finita, si separeranno, divideranno per sempre le loro vite, tu di qua, io di là, tu è meglio se ti fai curare, tu è ora che inizi con gli antidepressivi, tu sei un povero storpio, tu sei la solita furia.

L'ansia mi travolge, mi accade solo dentro queste mura, dove coltivo le mie nevrosi, di Mariano non abbiamo notizie e mi sembra già scomparso, inghiottito dai movimenti delle galassie.

Mia madre sta mettendo alcune cose in uno zaino e grida che lei va a riprendersi il figlio, ovunque sia, non c'è poliziotto, non c'è riunione di potenti, non c'è armata che possa fermarla dal riaverlo.

Facciamo schifo, urla a mio padre e gli lancia addosso un bicchiere mezzo vuoto di vino.

Lo prende sul gomito con cui lui si è riparato il viso, lei ormai è impeto e danno e non accenna a fermarsi. Cieca e sorda agli occhi sgranati dei gemelli, indifferente a come io, immota vicino al termosifone spento, guardo la scena. La vedo in una bolla d'acqua pulitissima, mi appare rifratta, diversa.

Antonia va davvero a Genova, Antonia recupera davvero suo figlio, Antonia lo riporta davvero a casa, ci mette del tempo, impiega energie, attraversa luoghi che non so, parla con persone che non conosco, non racconta come ha fatto, non narra quei giorni trascorsi.

La casa che la attende ora è una faglia, una ferita pulsante, un ascesso scoppiato, un bisturi che ha diviso lembi di pelle.

Io ho curato il braccio a mio padre, che silenzioso fissava le mattonelle dietro al lavello, ho cucinato polpette e condito l'insalata, ho messo a letto i gemelli, ho aspettato che la notte passasse seduta sulla tazza in bagno, perché quando sono agitata devo sempre fare pipì, ho dormito due ore abbracciata al lavandino. Poi il giorno dopo ho ricominciato da capo e quello dopo ancora anche. Sparare a salve mi viene bene, rompere rotule con le racchette anche, la mia famiglia è il mio anestetico, contro di loro non so reagire.

Mariano rientra con la faccia di chi ha visto la trincea, mia madre lo invita a prendere le sue cose, a essere veloce.

Antonia dice: Io una paura così non la prenderò più, tu non meriti di essere mio figlio, tu non meriti nulla.

Io e mio padre non siamo sicuri di aver capito cosa sta accadendo, pensavamo che il vortice degli eventi si fosse fermato, credevamo di essere arrivati al momento in cui si mettono i punti di sutura.

Adesso tu esci con le tue cose e vai da tua nonna a Ostia, io ho smesso di avere a che fare con te, mia madre continua a inseguire Mariano con la voce e tira fuori dai cassetti le sue magliette, i suoi calzini, i cappelli di lana, i filtri delle sigarette, sotto lo sguardo morto del mio enorme pupazzo rosa.

L'orso si gode la scena dello sfacelo e sembra sorriderne, sapere che fine faremo.

Se sei così adulto, se sei così bravo, cresci davvero.

Mariano io so che vorrebbe gettarsi ai suoi piedi e chiedere scusa, urlare perdono, lo so perché vedo come tremano i suoi occhi, caldi di angoscia, noi senza di lei non siamo niente, noi senza di lei chissà dove andremo, ma non lo fa, non giunge le mani, non le dà ragione, non le dice che è vero: Genova era troppo per lui.

Mio padre fa su e giù con la sua sedia, il gomito fasciato, la faccia cosparsa di sudore, il caldo della fine di luglio lo sta sciogliendo, continua a dire: Antonia, sono cazzate.

Però Antonia non lo ascolta, mettendo in chiaro che quello non è un parlamento a due camere, un equilibrio tra le parti, quello è il suo dominio.

Massimo vede Mariano prendere le borse che lei gli ha fatto, portarsi sottobraccio il suo avvenire. Dopo anni di brutture, sguardi mozzi, parole violente, dopo anni di questo ragazzino ha preso tutto da te, di questo bambino molesto, di questa piccola rogna, sembra patire la sua uscita di scena.

Maria', non devi andare, dice Massimo con l'aria confusa delle mattine nebbiose.

Viene ignorato da Antonia che accompagna mio fratello alla porta.

Solo per poco mio fratello ci guarda: me, mio padre, i gemelli.

La frustrazione di mio padre si manifesta nel modo in cui stringe le ruote della sedia, sapendo di non potersi alzare e intervenire: inerme vede mia madre decidere.

La porta fa *clic*, mio fratello se ne va, su di noi cala il sipario delle vendette e delle lontananze.

Alle mie amiche i giorni dopo chiedo se hanno visto in televisione di Genova e loro mi rispondono di no, c'erano le repliche di *Dawson's Creek*, a Joey piace più Pacey a quanto pare.

Io sorrido e dico certo, come se fossi una trota, un coregone.

* * *

Luglio sta finendo, ad agosto sfreccio seduta sul sedile di una bicicletta, mentre è un altro a pedalare.

Solo pochi e privilegiati hanno i motorini, noi giriamo in sella alle biciclette ricevute per i compleanni. Io non so usarla, non ne ho mai posseduta una quindi ho trovato un ragazzo, il suo nome è Federico, è più basso di me, il viso simmetrico, che per galanteria passa ogni pomeriggio sotto casa e mi carica sul suo sellino, e poi pedala in piedi fino al luogo che con gli altri, i non viaggiatori, gli esuli delle scuole di Roma e provincia, abbiamo scelto per far vacanza.

Lo spazio dei nostri appuntamenti noi lo chiamiamo piazzetta, ma è di fatto l'incrocio di qualche strada nel rione di Residenza Claudia, la parte delle villette che dentro ad Anguillara va dalla stazione dei treni fino alla strada per il lago di Martignano.

La piazzetta non ha alcuna attrattiva, c'è solo un lampione intorno a cui sedersi e viali lungo i quali far impennare le bici, lì non si affacciano bar o edicole, sale da biliardo, il nostro luogo di ritrovo non è vicino al lago, ma appartiene alla parte nuova del paese.

Intorno sono pochi i punti di interesse: la piscina di un albergo il cui ingresso è a pagamento e dove si tengono le lezioni di nuoto e pallanuoto invernali, i campi agricoli e privati colmi di fieno e la casa abbandonata, villetta sfitta da anni.

Agata e Carlotta sostengono che Federico mi ami, di quell'amore che ti fa faticare in salita, e che per me sacrificherebbe amicizie e solidità, ma io non provo per lui se non gratitudine e me ne tengo a distanza, poggio le mani sui suoi fianchi senza stringere e quando arriviamo in piazzetta ci parlo poco e senza trasporto.

Federico è un amico di Andrea che insieme ad alcuni altri ha scelto la piazzetta come presidio e aggregazione, si portano da fumare e passano molte ore a parlare di come è finito il campionato di calcio, se qualcuno ha un pallone fanno due tiri, ma la loro attività privilegiata è visitare la casa abbandonata.

Io non ho ancora nessuna cognizione della mia sessualità, mi sono strusciata contro il cuscino nel letto a volte per ragioni che neanche io ho saputo comprendere, costellazioni di immagini catturate sui giornaletti di Mariano, discorsi sentiti per strada, cartelloni pubblicitari. Ho un immaginario esile e la mia esperienza si riduce all'aver visto nudi i miei fratelli con indifferenza e nessun valore. Da anni i miei genitori non fanno sesso e nessuno di noi vuole indagare questa assenza. Ora meno che mai sono vicini, ma partigiani del loro medesimo e insieme opposto dolore.

L'unica ad avere idee più chiare è Carlotta che confida a me e Agata richieste e proposte ricevute dai maschi del circondario e allarga gli occhi colmi di un trionfo per me stucchevole e nauseante.

Io e Agata percepiamo la nostra ignoranza come una vergogna, arretriamo rispetto allo svolgersi degli eventi, non conosciamo il vocabolario, non capiamo gli approcci, galleggiamo nella fine dell'infanzia coi nostri corpi piatti, senza seno e senza glutei, siamo manichini.

Agata è più interessata di me ai racconti di Carlotta che dice di Francesco, di Vincenzo, di Lorenzo, ogni giorno si aggiunge un nome alla sua collezione del fatto e del vissuto.

Il massimo che so confessare in queste circostanze è il mio interesse per Andrea che per me resta l'unico a stimolare brividi e accelerazioni. Dal giorno delle giostre sono passati alcuni mesi, né a lui né alle mie amiche io ho parlato di Mariano e della sua cacciata, a nessuno ho fatto cenno della guerra fredda che si muove nelle mura di casa. Andrea sembra avere verso di me un rispetto che spesso si tramuta in lontananza, non è a me che chiede sigarette o soldi in prestito, non è me che porta in bicicletta, non sono io che lo accompagno tra i campi o a schiacciare pinoli coi sassi come se fossero vermi.

Su Carlotta in poco tempo iniziano a circolare voci, accuse, menzogne, sussurri. I nomi di quelli con cui lei ha condiviso il proprio corpo, quelli delle toccatine, quelli delle mani tra le cosce, quelli dei jeans aperti, quelli dell'inginocchiati qui, si sono moltiplicati, da due saranno venti, trenta, sembra che tutti i maschi del paese l'abbiano vista nuda, a ognuno lei ha dato piacere, per ognuno è stata soddisfazione.

Una delle varie sere in cui restiamo a dormire a casa di Carlotta, io e Agata, strette a tre in un letto a una piazza e mezzo, ascoltiamo il suo resoconto minuzioso d'intimità che ci sono straniere.

Quando noi chiediamo come si fa, lei risponde: È facile, ti siedi alle sue spalle e allunghi una mano davanti e tocchi.

Io allora apro gli occhi sul soffitto e vedo i poster alle pareti, i cantanti pop, gli attori, il *Titanic* che è affondato e Jack che non s'è salvato e penso che non ci salveremo neanche noi.

Carlotta insiste che dovrei propormi ad Andrea, loro non dicono mai di no se gli si chiede di toccarli e io rispondo che non riesco. La realtà è che non ne ho voglia, ma non so spiegarlo.

Se stai seduta alle spalle, nessuno di loro ti guarda in faccia, noto, e il mio commento si assesta a mezz'aria.

In un pomeriggio seguente, io e Agata sediamo sotto al lampione della piazzetta e aspettiamo Carlotta per ore, doveva arrivare alle quattro, ma sono le sei e non si vede. Federico ci avverte che è andata alla casa abbandonata con cinque maschi, non si sa quando torneranno.

Agata dice: Smettila.

Mentre io continuo a sentirmi inadatta al giudizio e a quella pena. Dovremmo alzarci e raggiungere Carlotta nella casa, toccare, leccare, assecondare anche noi, eppure non accenniamo passo, io mi sento cemento e desidero solo la solitudine, le mie repressioni.

Quando Carlotta torna dalla casa e piano piano emergono anche quei cinque ragazzi, alcuni li conosciamo altri no, ha un sorriso pago ma storto sul viso, lo stesso che avrebbe un comico a fine spettacolo, pronto al pianto dietro le quinte, perché il pubblico non ha applaudito abbastanza.

Quella iniziale sensazione di successo, che l'aveva fatta sentire apprezzata e considerata, sta iniziando ad affievolirsi, si tinge di nuovi colori.

Io m'alzo e prendo la strada che va verso la casa abbandonata dove non sono mai stata, voglio vedere cosa contiene, quali rivelazioni sulla nostra crescita, quali riti iniziatici, quali oracoli futuri.

Mi ritrovo dentro a una semplice villetta a due piani, coi sanitari divelti, puzza di fogna, preservativi usati per terra, qualche bottiglia vuota di birra, pacchetti di sigarette consumate, cicche, vernice, qualcuno ha fatto dei disegni sul muro, scritto i propri nomi, rintraccio quello di Carlotta, vicino ha marchiato un piccolo cuore, è rosso.

Le mura della casa rimbombano di incomprensioni e corpi compressi, di esigenze e fallimenti, di seni che non sono cresciuti e cellulite che è spuntata all'attaccatura delle cosce, dei panta-loncini a vita bassa che fa schifo indossarli con quella pancia cadente: hai già tredici anni, mettiti a dieta, elimina tutti i gelati e le caramelle, mangia il meno possibile, fino a scomparire.

La settimana dopo, agosto è finito e in noi c'è la preoccupa-zione dell'estate che non tornerà.

Il liceo, le classi, i compagni, le scelte ci attendono.

Decidiamo di andare tutti insieme alla piscina dell'albergo per festeggiare gli ultimi giorni di compagnia e passare la giornata a buttarci di testa dai trampolini, infastidire i bagnanti coi figli piccoli, leccare gelati Magnum seduti al sole a gambe incrociate. Federico mi vede armeggiare col mio borsellino che è vuoto e fa il gesto sensibile di pagarmi l'ingresso, io gli rispondo un grazie smorzato, avrei preferito che qualcun altro si fosse fatto avanti, magari una delle mie amiche.

Indosso un costume a due pezzi che Agata m'ha prestato e mi sento esposta al pubblico scandalo, giro col mio asciugamano stretto al petto e mi metto solo all'ombra, divento comunque anguria in pochi minuti. Vedo Andrea farmi cenno di seguirlo, vuole buttarmi in piscina, ma scuoto la testa.

Da varie notti dormo malissimo, sghemba, con le ginocchia piegate, il collo insaccato nelle spalle, la mascella stretta, anche se ho tenuto i teli a dividere la nostra stanza, al di là dei lenzuoli mio fratello non c'è più. Quando l'ho chiamato dalla cabina telefonica mi ha detto: A Ostia fa molto caldo.

I nostri corpi in casa sono freddi, come pupazzi di neve ci muoviamo rigidamente da una stanza all'altra e questo torpore io non voglio condividerlo, lo tengo chiuso a doppia mandata in quello spazio angusto che è la mia memoria famigliare.

Mi perdo tra i pensieri e mi ritrovo al sole, l'ombra ha girato e m'ha lasciata, vedo gli altri schizzarsi in acqua, correre lungo il bordo della piscina, tuffarsi, allora mi immergo anche io perché sento l'afa sulla pelle, ma esco subito, il cloro mi ricorda la scuola media e tutto quello a cui non vorrei pensare, recupero di fretta il mio asciugamano.

Mi guardo intorno, non riesco più a rintracciare Carlotta e chiedo ad Agata che fine abbia fatto, lei mi spiega che è andata a farsi la doccia, voleva tornare a casa e quindi pure io domando a Federico se intende rientrare anche lui, perché mi sento fiacca, colpita dal caldo e dalla mia impotenza, lui risponde va bene e che mi aspetta fuori dalla piscina.

Allora io recupero le mie cose, lo shampoo all'eucalipto che ho rubato a mio padre, tengo la bottiglietta nella mano sinistra e la spazzola nell'altra, gocciolo quando cammino, lascio tracce, entro negli spogliatoi e dico: Carlotta?

Sento scorrere l'acqua di una doccia.

Ti ho portato lo shampoo, aggiungo.

Poi si fa silenzio, la doccia s'ammutolisce, due persone bisbigliano e io sono nel corridoio delle cose che non so fare, del non sapermi donare, non saper accarezzare, del non godere.

La porta della doccia si apre e Andrea esce per primo, lo vedo che sguscia via senza guardarmi, si sistema il costume e prende l'asciugamano, se lo lega in vita. Siamo nello spogliatoio delle femmine e io ho sempre quella spazzola in mano, l'odore d'eucalipto.

Carlotta esce anche lei dalla stessa doccia, si tiene il pezzo di sopra del costume con una mano e dice: Eccomi.

Io sono ferma nello stesso punto e Andrea anche, siamo un triangolo isoscele di perturbazioni. Mi piacerebbe non aver seguito l'istinto di andarla a cercare, come quando so perfettamente se mio padre ha incastrato la ruota della sedia contro il tavolo, se uno dei gemelli si è pisciato addosso, ho un sesto senso per le storture.

Al suo eccomi non commento, ma così come sono, i capelli rossi e bagnati, le ciabatte blu con gli strap davanti, i piedi troppo sporgenti, faccio dietro front ed esco dallo spogliatoio e dalla piscina, reggo lo shampoo, reggo la spazzola, mi dirigo sul viale, Federico mi vede e chiede cosa è successo, è pronto per andare a casa e io non rispondo.

Ho subito un affronto e sto processando tra le viscere il modo giusto per reagire, come alzare la pistola sul bersaglio. Lei sapeva di questo mio amore, lei sapeva della mia incapacità, dei silenzi, delle incomprensioni, lei mi ha ascoltata dichiarare sentimenti ai miei occhi definitivi, se non mi fossi alzata, se non fossi andata alle docce, lei mai me l'avrebbe confessato, alle mie spalle stava compiendo delitto.

Questo primo tradimento mi aggredisce e lo trattengo sulle ciglia, non lo trasformo in lacrima, lo comprimo, come se possedessi una pressa industriale, una tenaglia, il tradimento viene schiacciato dal calore del mio disgusto. Cammino veloce verso casa, rientro umida, ancora la spazzola, ancora l'eucalipto, ancora il *ciac ciac* delle ciabatte.

I miei genitori sono ai due lati del tavolo e si fissano, si mandano iatture e fatture con la forza dei pensieri, io sono ancora viscida e in equilibrio precario, ho preso il sole dritto in testa, ora mi gira tutto, faccio due passi e scivolo, crollo a terra.

Nel giro di pochi giorni a New York cadono anche le Torri Gemelle.

5.
MELOLOGO

Finisce l'estate e mia madre scopre i quattro libri che ho preso in prestito dalla biblioteca, due sono posati in bagno e altri due li tengo sul comodino in camera mia.

La vedo in piedi appoggiata alla lavatrice che sfoglia uno dei due e con antipatia muove le pagine, va avanti e indietro, il libro ha la copertina rosa acceso, le scritte in rilievo sono verdi, si intitola *Questa casa è un disastro.*

Chi è questa Linda Romsey? domanda sbagliando la pronuncia, ripete il nome tre volte e continua a sbagliarla, mi sta dando ancora le spalle mentre sono in pigiama fuori dalla porta a piedi scalzi.

Non lo so, quella che ha scritto il libro, rispondo io e sento brontolare lo stomaco.

E chi la conosce? Cosa scrive? Mia madre muove il libro prendendolo dalla costa, lo scuote come se dovesse far cadere qualcosa che vi è nascosto dentro, un mistero sulla persona che sono, la motivazione del mio essere al mondo.

Le mie amiche lo stanno leggendo...

Cosa te ne fai di questi libri? Il tono della sua voce si alza e lei si volta.

Tutta l'estate passata a perdere tempo, solo questo hai fatto. Vuoi andare al liceo classico? Sai cosa voleva dire per me andare al liceo classico, io neanche lo sognavo il liceo, io c'ho la terza media, ho imparato tutto da me, vedevo le ragazzine con lo zaino in spalla ed ero già al lavoro in casa di una vecchia, le pulivo le scale, dopo pochi anni sono rimasta incinta, ho abortito, poi di nuovo incinta, poi è nato Mariano, questa casa è un disastro? Io t'ho fatto fare la tessera della biblioteca per leggere come si deve. Andrai al classico a raccontargli di questa Linda qualcosa, questa sconosciuta, di questi libri colorati, cos'hai otto anni? Hai chiesto consiglio alla bibliotecaria come t'avevo detto?

Sì, ma mi ha dato dei libri difficili...

Tu sei così quindi, quando arrivano le cose difficili le abbandoni. Fai quello che fanno tutti, fai quello che non serve a niente.

Mamma, è un libro per passare il tempo, dico indicando quello che ancora ha in mano.

I libri non si tengono al cesso, non sono le riviste del parrucchiere. Il tempo sta già passando, mia cara, questo tempo è finito e tu non hai letto nulla. Vuoi studiare il latino, vuoi studiare il greco? Questa casa è un disastro?

Mia madre posa con vigore il libro sulla lavatrice, perché è della biblioteca e non nostro, altrimenti, lo so, lo avrebbe fatto a tocchi, ne avrebbe ingoiato le pagine, ci avrebbe pulito il sugo caduto per terra. Si gira verso di me, ha lo sguardo di chi non libera.

D'ora in poi mi fai vedere i libri che prendi in biblioteca, vuoi andare al liceo classico con le tue amiche? Allora inizia a studiare. La scuola è un privilegio. Non ti sarà permesso stare a pancia all'aria, o si studia o non si è nessuno. Hai capito? Tu vuoi essere nessuno?

Io resto in silenzio e penso alla faccia tonda della biblioteca-ria, la frangetta storta e lucida, che non lava abbastanza spesso, e le dita dalle unghie morsicate, gli anelli colorati che indossa, quello azzurro sul pollice, i libri che prende dallo scantinato e porta su, prende e porta su, la lista che m'ha consegnato quando le ho chiesto consiglio, perché mia madre voleva leggessi libri seri, libri veri, libri che mettono i brividi, che fanno piangere.

Ne ho visto qualcuno per casa tempo fa... di una scrittrice inglese, com'è che si chiama? continua mia madre imperterrita.

Jane Austen, rispondo io e sento bollire i piedi, infilati in una pozzanghera rovente, a mollo nel minestrone delle nostre parole.

Era difficile? Ma se hanno fatto pure il film, grida lei e il mio libro sembra un cadavere, cosa morta e mostruosa, lei preme le dita sulla copertina, ne traccia gli errori.

Tu non l'hai letta, mi difendo.

Io non conto, lavoro sempre, sai cosa vuol dire lavorare tu? Non mi risulta, ti lamenti, questa è la tua attività. Sei una spina al piede.

Torno passiva, muta, e in quell'assenza di rumore ronzano i libri che forse non leggerò mai, mi domando perché si acca-nisca, cosa voglia per me, cosa stia progettando e proiettando, mi chiedo se c'entri con l'assenza di mio fratello, se adesso si sia resa evidente la mia insignificanza, se lei voglia a ogni costo imbottirmi, come reggiseno, come quaglia e cappotto.

Mi stai ascoltando?

Sì, ti sto ascoltando.

Sembri un pesce morto, mi guarda e mi attraversa dalla pancia alle reni.

Se non prendi la media dell'otto a questo liceo che hai scelto, non esci più di casa, ti chiudo qui, io e tuo padre stiamo per spendere un sacco di soldi in libri scolastici, tu mi devi ripagare.

Sì.

Leggeremo insieme se non capirai, studierò con te, ce la dobbiamo fare, ce la dobbiamo fare per forza, le trema la voce mentre apre l'oblò e prende i panni bagnati, li sfila dalla lavatrice di cui ancora sta pagando le rate. Mia madre odia mischiare neri e colorati, ma detesta anche sprecare acqua, chiude il rubinetto mentre mi lavo i denti, si indispettisce se faccio la doccia per più di dieci minuti.

Il ci mi comprende come una prigione, il noi in cui nessuno mi ha chiesto se voglio abitare.

Ho scelto un liceo per ricchi, è un atto punitivo, di taglio in profondità, di soffocamento. Ho scelto una scuola difficile dove insegnano le lingue morte che nessuno usa e mi dico che l'ho fatto per le mie amiche, loro andranno lì e anche io, ma la verità è che mi porto dentro una cosa piccola piccola, una ghianda, un insetto, che è la voce di mia madre, a cui devo dimostrare di non essere da poco.

Quel noi, che sta là non visto, mi comanda, per me crea castelli in aria e paludi.

* * *

Il primo giorno di liceo scopro che anche dove educano i ricchi i muri si sfarinano, i cortili hanno le radici che scerpano l'asfalto e le palestre puzzano d'un sudore antico.

Il palazzo ha tre piani, è un parallelepipedo compatto, rosso mattone, lo circondano alcuni alberi di pino assai rigidi e poco frondosi, le strisce per i parcheggi, il campetto per giocare a calcio; dentro nei sotterranei sono al sicuro lo spazio per la pallavolo, le spalliere su cui arrampicarsi, una cavallina sdrucita, gli anelli che pendono come salami e prosciutti dal soffitto. Le classi fortunate stanno all'ultimo piano e guardano i maschi giocare a calcio dalle finestre, le sciagurate nei sotterranei accanto all'aula magna, dove fa più freddo e le pareti sono di cartongesso, se le prendi a pugni le sfasci, tutto sa di muffa e muschio, il sole filtra solo per distrazione e di traverso.

È lì che inizio il mio primo anno: in cantina come roditore o blatta.

Anche in questa scuola trovo presto nuove incapacità da esibire, mi faccio notare per il fiato corto, l'avversione nei confronti dei palleggi e delle schiacciate, indosso calzini di spugna che mi stanno larghi sulla punta e tute da ginnastica sformate sulle ginocchia. Ho sempre freddo e sonno e fame d'apprezzamento, necessità che nessuno si dimentichi di me, voglia di presentarmi e ripetere: Eccomi, eccomi, eccomi qui.

Le mura di cinta e le classi sono piene di scritte, insulti agli insegnanti più temuti, dichiarazioni di sentimento cancellate, numeri di telefono rubati, sulla facciata della scuola spiccano i gusci e le macchie lasciate dalle uova che sono state lanciate alla fine dell'anno precedente.

La scuola si trova sempre sulla via Cassia ma più inoltrata e per raggiungerla oltre al treno devo prendere anche un autobus, il duecentouno, il suo capolinea è l'ingresso sud di una zona residenziale, quella dell'Olgiata, luogo di campetti da tennis e golf club, domus degne dei Fori Imperiali, colf e giardinieri, controlli ai cancelli: l'estrema periferia ricchissima.

Devo alzarmi dal letto alle sei del mattino per essere in classe alle otto e venti, a stento faccio colazione, ingollo latte e due biscotti, ho la pancia stretta, i treni stanno peggiorando, sono carri bestiame, la gente alita contro le porte automatiche, non ha lo spazio per starnutire, si insulta a ogni scossone, e io, una volta scesa, spesso devo iniziare a correre, con lo zaino che balla sulla schiena, perché vedo arrivare il duecentouno dall'altra parte del parcheggio.

L'autobus ha pochi posti a sedere, passa accanto alla mia scuola media che ora mi appare minuta, secca e floscia, una pianta a fine inverno; poi la supera e procede lentissimo, ci sono tratti per colpa dei semafori dove è impossibile pensare di superare i trenta all'ora e altri dove d'improvviso la strada si libera e il traffico pare defluire al modo del sangue nelle arterie migliori.

Ma a volte non basta, certi giorni accumuliamo ritardi e siamo costretti a scendere davanti alla deviazione per il Grande Raccordo Anulare e farcela a piedi fino a scuola. In questo tragitto, faccio slalom tra i gas di scarico delle automobili in coda e mi accorgo della presenza d'un altarino, è Agata a indicarmelo, è recintato con una staccionata, al centro ci sono un mazzo di fiori finti e due fotografie incorniciate in lamiere di ruggine, qualcuno ci dice che là è finita la vita di due ragazze in motorino, si sono schiantate anni prima contro il palo della luce, e io penso che sia il presagio di un dispiacere, doverle incontrare senza conoscerle per il resto dei cinque anni della mia vita e immaginarmi anche io lì, una foto al bordo strada, su cui scorre il fiume dell'indifferenza e dell'urgenza di arrivare a destinazione.

Io e Agata siamo in classe insieme, mentre Carlotta alla fine ha cambiato idea, al liceo di Roma ha preferito quello di provincia e quindi sta andando al classico che si trova a Bracciano, vicino a dove andava anche Mariano.

Dalla piscina in poi io non le ho dato spiegazione, tra di noi sono piovute grandine e silenzio, quando viene nominata tiro fuori cattiverie e sputo sul suo nome quasi fosse ragno o formica, come se potesse annegare. So benissimo che ogni mia parola di disprezzo le verrà raccontata e per questo le carico di sassi e spigoli, non mi sottraggo all'insulto, alla sua distruzione.

Se mi saluta giro il volto, se passa salto sul posto alla maniera dei pugili, come chi vorrebbe picchiare. Carlotta prova e riprova ad avvicinarsi, a infilarsi nelle crepe del mio muro, ma viene grattata via, è calce che si sfarina, io la rigetto, la vomito a terra.

Non mi informo su chi frequenti, con chi esca, come vada alla sua nuova scuola, ignoro i suoi racconti, mi irrito quando si lamenta, esulto se è in affanno, penso che ogni sua sillaba sia imbroglio, maldestra voglia di apparire e tornare, mentre cerco di ricacciarla nel buco della sua onta, e la rivedo ancora e ancora uscire dalla doccia con l'asciugamano tra le mani, sento l'odore di eucalipto, le fibre della spazzola premere sul palmo della mano.

Stare in classe con Agata mi dà il vantaggio d'averla estromessa, non potrà parlare con noi di tutto un mondo che ora ci appartiene, rimarrà nell'hinterland delle nostre chiacchiere e delle narrazioni, in quelle rare occasioni in cui saremo insieme, e io fingerò d'aver accanto un fantasma, calcherò su ciò che non le compete più, tirerò fuori aneddoti scolastici sempre più specifici, dettagli capienti. Fingerò di parlare solo con Agata ma lo farò con tono vivace, note di voce che non m'appartengono, inventando meraviglie, vantandomi di opulenze altrui, evidenziando la sua distanza, ciò che Carlotta non sarà mai, ma noi sì, perché a star vicine ai soldi si respira il loro odore, il lusso è contagioso, mi dico e le dico senza guardarla.

La verità è che già sull'autobus, appena ci metto piede, sento addosso un'aria invadente, le ragazze hanno profumi corposi, da donne in ufficio, i maschi in inverno portano giubbotti imbottiti di piume d'oca e cappelli di lana con la marca in vista, tra loro sono così simili che non sapresti dire chi è chi. Fra loro, quelli che vengono dall'Olgiata e da Le Rughe, entrambe zone di Roma Nord di sole ville a tre piani, giardini davanti e dietro, piscine coi trampolini, tappeti persiani, guardaroba che sono stanze, si riconosceranno al primo sguardo, prenderanno per poco l'autobus con noi, giusto il tempo d'avere l'età per il motorino e poi per le minicar, macchine in miniatura che fanno lo stesso rumore dei trattori, ma che possono essere guidate sotto i diciotto anni. Io senza bicicletta, loro al volante, ci guarderemo presto ai bordi d'universi paralleli, tra noi la Via Lattea.

Persino Agata, a cui mai nulla è mancato e che sempre s'è potuta permettere vezzi a me impossibili, arranca dietro a quell'avvicendarsi d'abbigliamenti usa e getta.

A noi fa fatica pensare alle scarpe Nike o Adidas nuove, loro tornano da via Condotti dopo lo shopping per il compleanno e indossano a scuola scarpe Prada e borse Gucci, ci stipano dentro quaderni e penne, noi abbiamo gli stessi zaini delle medie.

Quando siamo andate dal cartolaio per comprare la cancelleria necessaria ho provato a proporre a mia madre una Smemoranda nera e lei ha guardato il prezzo e m'ha detto che con due quaderni di piccole dimensioni ce lo saremmo fatto da sole il diario, come ogni anno. Bastava dividere la pagina a metà, scrivere il numero e il giorno, lasciare le righe per i compiti.

E allora, fissa davanti al reparto biglietti d'auguri pieni di strass e cagnolini dal muso bagnato, le ho quasi urlato che io volevo un diario vero, non un quaderno coi giorni scritti sopra, non un calendario, non l'ennesimo imbroglio, lei in risposta m'ha fatto lo sgambetto, col ginocchio dietro al mio, e ignorandomi ha preso i quaderni che voleva, le penne che voleva, l'astuccio che voleva, rosa pallido e troppo lungo.

Questa nuova scuola da subito mi rigetta, come salsa scaduta, surgelato sciolto, e io per questo resto e mi ancoro, col mio zaino sfondato e il quaderno al posto del diario, faccio barricata e competo, se vedo campi di battaglia inizio a marciare.

I miei capelli rossi sono ricresciuti, lunghi e simmetrici rendono il mio viso più affilato, le mie orecchie ora le tengo sempre ben coperte, custodite, non oso farmi code alte o chignon, non ho seno, non ho sedere, ma sono magra e comincio a indossare le poche cose attillate che ho, mostro a tutti le costole e i polsi fini, metto il mascara di nascosto sul treno e allo specchio mi sento come uscita dal mio tuorlo, devo essere pronta a diventare la mia versione migliore, dimenticare la cattiva stima che gli altri hanno avuto di me.

C'è solo una cosa che può salvarti se non hai i soldi ed è la bellezza, mi ripeto, spazzolandomi più spesso, tirandomi giù la guancia con l'indice per mettermi la matita sulla parte inferiore dell'occhio e approfondirlo, farne oggetto d'interesse. Ho poche cose, ma quelle poche non mi faranno somigliare a mia madre, la trascurata, l'operaia, la lavapiatti, quella col vestito di lino preso al mercato e indossato per fingere d'essere ciò che non è. Io devo smettere quanto prima d'essere bambina difettosa e trasformarmi in donna da poter amare. Mi prude addosso questo cambiamento, mi tuffo di testa nella morbosa competizione dei corpi e degli sguardi.

Dopo una settimana dall'inizio della scuola dico a Federico che dobbiamo baciarci, a me serve questo battesimo, non ci saranno repliche e neanche applausi, non andremo nella casa abbandonata, non ci incontreremo più in bicicletta, lui per me è un merluzzo, di quelli che tieni in congelatore e sai sempre che potrà salvarti se non hai niente da cucinare per cena.

Il bacio viene storto, sembra un masticare e un ruminare più che un segno d'affetto, la bava cola agli angoli della bocca e lui è più basso di me, i suoi capelli puzzano di gel, la sua gentilezza è un intralcio.

Accade dietro a un muretto della piazzetta, né nascosto né visibile, sotto ai pini che hanno lasciato cadere processionarie. Federico chiede se ci rivedremo e io mi pulisco la bocca col dorso della mano, non voglio rimanga traccia di quella implicita richiesta d'aiuto.

Rispondo: No, avrò da fare, e gli do già le spalle.

* * *

La mia classe sotterranea fa sembrare noi alunni delle creature notturne, come falene sbattiamo le palpebre per rimanere svegli.

Io e Agata sediamo insieme a un banco intermedio, davanti ci sono i troppo studiosi, dietro quelli che dei libri non vogliono saperne, su nessuno di loro, sono convinta, pende la stessa urgenza: non scendere sotto una certa media, non far risvegliare il drago a tre code che alberga nel petto di mia madre.

I maschi sono pochi e quasi tutti brutti, continuo a ripetere ad Agata che nelle altre classi almeno un ragazzo accettabile c'è e nella nostra niente: uno appena prende parola arrossisce e ha capelli fini e radi, un altro è tozzo e bassetto dal viso troppo grande, uno ha capelli imburrati e la pelle piena di nei, un altro si fa riconoscere per i denti davanti accavallati e il naso sformato. Provo per loro repulsione, li vorrei sotterrare, disperdere al vento. Soltanto uno si salva, ma è fuori questione per altre ragioni, si chiama Samuele ed è stato bocciato già due volte, è l'unico ripetente della nostra classe, non ha ancora l'età per lasciare la scuola, quindi continua a non superare gli anni con ostinata negligenza. Ha un viso da bambino, labbra gonfie, occhi dolci e minacciosi insieme, veste spesso con tute da ginnastica e scarpe usurate, ma i dettagli raccontano la sua storia da figlio di persone abbienti, come gli orologi, i braccialetti e le catenine, le scarpe sono consunte sì, ma ne cambia un paio a settimana, le distrugge giocandoci a calcetto i pomeriggi. Non viene a scuola con lo zaino, si presenta sempre in ritardo, siede davanti e dorme, oppure si porta il giornale o altri libri a sua scelta che non fanno parte del programma scolastico e li sfoglia in silenzio. Incute timori e soggezioni a noi matricole impacciate e grottesche. In classe spesso si gira le sigarette o scioglie il fumo per farsi una canna a ricreazione, per il resto del tempo ci ignora come fossimo ranocchi e lui principe, scappa al suono di ogni campanella per raggiungere i suoi ex compagni di classe o quelli degli ultimi anni, che fanno i rappresentanti d'istituto e presto andranno all'università.

Mette paura, mi confessa Agata una mattina.

Samuele infatti è arrivato alla seconda ora puzzolente d'alcol per essersi scolato due birre di prima mattina, ha una felpa gialla, gli occhi tumidi, risponde biascicando al professore di inglese, il quale prova a chiedergli dei compiti: La luna è caduta stanotte, il mondo sta per finire.

Noi restiamo zitti in un silenzio religioso e carico di vibrazioni.

Le lezioni di latino e greco sono dolorose, la professoressa è inflessibile e ci domina potente, non le serve neanche alzare la voce, su di noi cala come la notte ogni suo sguardo di dissenso, può farci sparire pronunciando un cognome. Persino Samuele la rispetta, quando è la sua ora sonnecchia senza creare disturbo, lei non lo considera, tra lui e la felce all'angolo non passa differenza.

I primi mesi siamo tutti storditi da quelle lingue che non capiamo e non vogliamo capire, ripetiamo le declinazioni e i verbi come automi e bambole, a casa, sul treno, in cucina, prima dopo durante le lezioni, ci trasciniamo coi vocabolari sottobraccio, ognuno pesa chilogrammi, è come un sacco di farina, una bottiglia carica d'olio.

I miei vocabolari di greco e latino sono vecchi e lerci, li abbiamo comprati usati grazie a un'amica di mia madre, la carta delle pagine si è ingiallita e ai margini ci sono trascritte le note incomprensibili di altri studenti, a me è quindi impossibile usare quegli spazi vuoti per segnarvi a matita le coniugazioni da usare durante i compiti in classe, quando girano tra i banchi le temute versioni di greco.

Perché sono qui, mi domando sfogliando e risfogliando quel vocabolario, mi dico che neanche in Grecia questa lingua antica la sanno più.

Con i primi voti ottengo misere sufficienze, compiti corretti a penna rossa che non oso consegnare a mia madre, li nascondo e falsifico le sue firme sul diario, se per gli altri prendere sei è ragione di festa, per me è disastro.

Antonia, da quando Mariano è a Ostia, concentra su di me ogni pensiero, mi aggiudica colpe e mansioni che prima dividevo con mio fratello: dai piatti al cucinare, dallo stirare i panni al sistemare i letti dei gemelli, è un continuo aiutarla in questo e in quello.

Finisci le faccende e poi va' a studiare, è la sua nenia quotidiana.

Non ci sono più uscite, rare le occasioni per stare in compagnia, di Federico ho già dimenticato il sapore, Andrea è tabù e sipario chiuso.

Mia madre mi bracca – io volpe, lei fucile – un giorno al mio rientro da scuola mi fa trovare un nuovo dizionario sul tavolo della cucina e sorride.

Dice che ha chiesto alla signora Festa, a cui pulisce la casa, quale avrebbe potuto essere un dono per una ragazza che legge, e lei, con meticolosa ferocia, le ha risposto: un dizionario.

Così fai i confronti con il latino e il greco, studi le lingue, le avessi potute studiare io, hai visto che bello? Tutte le parole, proprio tutte...

Antonia apre a caso il dizionario della lingua italiana e mi indica le pagine, si posa gli occhiali da vista sulla punta del naso, dice: *melologo*, che viene da *melos* e *logos*, hai capito? Le cose che stai studiando tu. Un testo accompagnato da musica, leggi qua.

Mi getta tra le braccia il dizionario e continua a sorridere, le brillano gli occhi d'un sogno, allora guardo dove lei ha puntato il dito e ripeto: *melologo*, a voce alta, dico tutta la definizione.

La gioia di mia madre mi si appiccica addosso, dopo mesi di viso scuro e parole mozze, non posso recarle tristezza, quindi sfoglio e scelgo un'altra parola e così restiamo sospese nel tempo di quello che impariamo per la prima volta. A ogni vocabolo che pronuncio ad alta voce lei si anima e lo ripete, cerca di farlo suo, con la cadenza dialettale di cui non può mai liberarsi. C'è una forza dinamica, che mi spinge a perseguire la sua soddisfazione, allontanandomi dalla mia.

Dall'arrivo del suo dono il mio tempo si fa denso, lo studio diventa compulsivo e distruttivo, non lo lascio mai, non penso d'essere più intelligente degli altri, anzi, la mia è mera applicazione, con foga inseguo i voti, dal sei al sei e mezzo, dal sei e mezzo al sette, dal sette e mezzo all'otto, quando la professoressa di greco mi riporta un compito e sopra c'è scritto nove, io scatto in piedi.

Gli altri mi guardano ammutoliti e poi ridacchiano, ma a me non importa, li vedo durante le lezioni e i compiti in classe giocare coi cellulari sotto ai banchi e scambiarsi bigliettini, sbirciare i fogli altrui, mentre nella mia testa fa ping pong la frase di Antonia: Tu sei così, quindi, quando arrivano le cose difficili le abbandoni.

Neanche di quel voto dico niente a mia madre, perché un voto solo conta quanto una lattina fatta cadere al primo colpo, io devo continuare a sparare finché nessuna resta in piedi, tornare da lei e mostrarle che non ottengo solo i premi inutili, gli orsi rosa e giganti, le caramelle gommose, i cioccolatini, io sono movente d'orgoglio, io non abbandono.

Al terzo compito che mi va bene, in materie diverse, persino la matematica, i miei compagni notano le mie abilità e non sanno come reagire, perché non sono così repellente per essere considerata una secchiona da vilipendere, ma neanche così ricca e disinteressata allo studio da essere contesa e avvicinata.

Provano quindi a chiedermi aiuto prima delle interrogazioni, vogliono riassuntini e consigli, durante i compiti allungano le mani verso il mio foglio e guardano, io cerco di sostenere Agata che so essere indietro ma studiosa e chi secondo me ha difficoltà e non se ne approfitta. Ma quando Samuele con gesto violento, appena la professoressa di italiano esce dall'aula, si avvicina al mio banco e mi ruba il foglio dalle mani per vedere le risposte che ho dato alle domande aperte, io non resto seduta a subire, con impeto sono già in piedi e me lo riprendo: Torna seduto, gli dico e ho gli occhi fermi, la voce compatta.

Lui mi guarda dall'alto, la sua figura segaligna, stringe gli occhi in pupille sottili, ineducato ai no degli altri.

Sei solo 'na poraccia, 'na secchiona con le pezze ar culo, mi apostrofa in dialetto per manifestare la mia miseria, farne accusa, ribadire a tutti che sono l'unica figlia di poveri in quella classe, sottolineare il mio essere ospite, intrusa, miracolata.

Non rispondo perché la professoressa rientra, e Agata mi tocca il braccio come a confortarmi, da me si aspetta lacrime e nessun contegno, eppure io le sposto la mano e mi applico a lisciare bene il foglio del compito che si era accartocciato, lo accarezzo per lungo e per largo e guardo la schiena di Samuele.

Mia madre ha un cesto pieno di pezze, scampoli di stoffe che ci cuce sui vestiti per rinforzare i pantaloni, per sistemare le tasche sfondate, le giunture lise, coprire le bruciature o le macchie ostinate sulle magliette.

Alla ricreazione lui esce per primo e lo seguo, vedo che prende le scale e le imbocco pure io, faccio due piani alle sue spalle e poi fino in cima, lo guardo sparire sul tetto terrazzato a cui è vietato accedere.

Esco anche io sul tetto, mi colpisce forte il sole d'una Roma gelida e serena, con lui ci sono altri ragazzi, tutti più grandi di me.

Solo a quel punto lui nota me e i miei capelli rossi.

Che vuoi? Si gira con la sigaretta spenta in bocca, nello sguardo il nervosismo e la derisione.

E come già mi è accaduto scorrono nella mia testa le immagini delle fatiche e delle dispute, le mie disperazioni e ambizioni, ciò che di me non viene mai rispettato e capito, la biblioteca e le minacce, pagine su pagine di pagine per pagine, i sorrisi di mia madre mentre ripete: *melologo*, *melos* e *logos*, musica e parole, la frangetta della bibliotecaria Tiziana, la lista dei libri senza i quali non sei nessuno, tutto quello che ho dovuto leggere lasciando ad altri i libri da passeggio, da svago, da risate, le ore di studio e le grida di mio padre e mia madre che si azzuffano, i libri tenuti sulle ginocchia sul treno e in bagno, il sole che tramonta senza che io sia potuta uscire e i voti che salgono, che scendono, che mi giudicano. I miei pensieri fanno crescere voglia di guerra e vendetta, è finito il tempo in cui ero indifesa, ho capito parecchie cose ormai: so sparare, so picchiare, so maltrattare e so prendere a baci.

Chiudo la mano e con la forza frenetica di quel mio corpo fragile, delle ossa del bacino sporgenti e l'audacia di chi deve sempre lottare, gli tiro un pugno in pieno viso, lo prendo all'occhio destro. Samuele fa qualche passo indietro, si porta le dita all'occhio colpito e con l'altro mi guarda disorientato, nonostante la mezza cecità cerca di capire se alle mie spalle c'è qualcun altro: ma no, non c'è.

Poveraccio sei tu, hai capito? *Poveraccio* sei tu che ancora non sai scrivere in italiano. A chi fai paura, eh? Figlio di papà, urlo e sputo, la mia saliva gli arriva sulle scarpe.

Non so se la mia intensità è stata sufficiente a ferirlo, le mie nocche sono doloranti, bruciano, mi tremano i tendini e la carne, ho le ciglia bagnate dal mio furore, dalla rabbia che mi è montata dentro, l'ho dovuta espellere e ora è di nuovo nel mondo.

La mia rabbia è stesa sulla terrazza, prende il sole e fa smorfie, striscia tra le ombre e si affaccia alle spalle dei presenti, la mia collera è cruda, è viva, ha faccia, capelli e mani, indossa jeans usurati sulle ginocchia e porta in spalla una borsa di pelle senza più cuciture da un lato, si distingue per insensatezza, per gli abiti dei colori sbagliati. La mia ira è sproporzionata, ha gambe lunghissime, orecchie piccole e docili, piedi corti e pelosi.

Quando lei c'è, io di solito torno a casa, non quella del paese, ma la mia vera casa, il disegno che con Mariano facevamo da bambini sull'asfalto, la C-A-S-A, siedo lì dentro, tra le linee che abbiamo tracciato.

* * *

Sono seduta al muretto di tufo e calcestruzzo che circonda il campetto da calcio, l'insegnante di educazione fisica ha detto che sono sbilenca e ho la stessa resistenza di un mollusco, l'equilibrio degli ortaggi e le sementi. Mi ha costretta a fare tre giri intorno alla scuola e ho avuto la sensazione d'aver ricevuto da loro solo questo: l'ordine di correre in cerchio, senza mai raggiungere una meta, un porto sicuro.

I ragazzi dell'altra classe giocano a calcio, alcuni si portano da casa le scarpe coi tacchetti, altri entrano in campo vestiti di jeans e maglioni, si divertono con noncuranza a calciare la palla molto in alto al centro del campo così che la luce la renda abbagliante, impossibile da schivare, un masso che crolla dal cielo.

Sei matta o cosa? Samuele si siede vicino a me con le mani nelle tasche e io non rispondo.

Non tutti sono come me, prima o poi finirai nei guai, aggiunge e il suo occhio vagamente arrossato non sembra aver subito molto la mia aggressione: mi offende non averlo scalfito.

Tu non sai cosa sono i guai, dico dopo averci pensato su qualche minuto.

Lui mi guarda, non ha rabbia in volto o accuse, ma la faccia di chi sa d'essere stato scoperto nell'inganno fino a quel momento ordito. Un ragazzo che si porta i libri da casa e legge in classe non può essere un imbecille, un indifferente, lui non ha mai avuto bisogno del mio compito d'italiano, era la sua maniera d'attirare attenzione.

Come si chiama quello là? gli domando vedendo che non dice altro, indico un ragazzo coi capelli un po' lunghi e dalle punte all'insù.

Non lo so, mi risponde lui e tira fuori una sigaretta, la stringe tra indice e pollice come se volesse romperla.

Sì, lo sai, ho visto che ci parli.

Cosa fai, mi spii?

No, spio lui.

Samuele si alza dal muretto e chiude la sigaretta nel pugno: Allora chiedilo a lui come si chiama.

Quando s'allontana non lo seguo, né chiedo scusa, non voglio arrendermi di fronte alle mie esagerazioni.

Il ragazzo si chiama Luciano, ho già chiesto ad altri il suo nome, conosco dove abita e la targa del suo motorino, ho scoperto che ha una grande casa, con tre piani, due giardini, la madre veste Louis Vuitton e il padre ha una Mercedes dai fianchi larghi, so che nella vita farà il palazzinaro come il padre e ai compleanni riceverà gioielli, so che a scuola piace molto, anche alle ragazze più grandi di lui, gli scrivono bigliettini che buttano nel suo zaino, sulla lavagna a ricreazione disegnano il suo nome con cuori e frecce, lo tartassano con numeri di telefono ripetuti e preghiere d'attenzione, mi alzo dal muretto e mi avvicino alla rete che delimita il campetto, guardo come ride e come cammina. Penso: Che passo ha la gente ricca se non quello dei bardi e dei cavalieri, dei soldati.

Alla ricreazione di qualche giorno dopo dico ad Agata: aspettami alle macchinette del caffè, devo fare una cosa, e sparisco tra gli studenti che affollano l'atrio, esco nel giardino e vedo Luciano seduto su un muretto, non sta fumando, beve avidamente un succo di frutta all'albicocca, mi avvicino e lo guardo davanti ai suoi amici, dico ciao e mi presento, come se fossimo a una conferenza, a un ballo in maschera, cerco di mantenere la mia temperatura costante, evito risolini, allusioni.

Luciano ha il succo in una mano, la confezione è verde e sopra due albicocche disegnate si intrecciano e dichiarano che dentro non ci sono zuccheri aggiunti, ha occhi furbi di chi fiuta selvaggina, mi stringe le dita, ha una presa generosa ma non cordiale.

Ci scambiamo poche parole, io per l'occasione indosso una gonna nera, che era di mia madre e che tengo stretta con un elastico nascosto perché troppo grande, un paio di calze scure arrotolate in vita, scarpe da ginnastica riportate il lunedì precedente dal mercato del paese e un largo maglione grigio, spicca il mio viso diafano, le efelidi sono macchie e i capelli innaturali.

Quindi ci vediamo per andare al cinema, dico io senza porre una domanda ma come per confermare qualcosa che sta già accadendo e lui mi risponde va bene, mi chiede se ho un numero di telefono e io rispondo di no, niente cellulare, ma solo quello di casa e mi attraversa un senso di vergogna che prende fuoco intorno allo stomaco, lo sento risalirmi in gola, ma trattengo il respiro, ingoio umiliazione come polvere d'amianto.

Luciano soffoca un sorriso, ma si segna sul suo cellulare il numero di casa, mi fa ripetere il nome perché l'ha già dimenticato, e io penso al fotofinish che dovrò vincere in gara con mia madre per rispondere a ogni telefonata prima che sia lei a farlo e possa domandarmi e questo chi è e dove vive e cosa fa e che famiglia sono, quasi che la nostra invece di famiglia sia la garanzia d'un prodotto di qualità.

Lo saluto senza dire molto altro, non so che scuse inventerò per andare al cinema, come ci arriverò, con che soldi lo pagherò, non so a chi confidare che io al cinema non sono mai stata se non a quello gratuito in piazza l'estate a vedere *Mamma Roma* – il film più amato da Antonia che a me aveva solo fatto innervosire, a metà proiezione mi ero addormentata per la fatica – non so a chi confessare che ci manca la televisione e che viviamo solo di radiodrammi, romanzi a puntate sulle riviste e libri, cose moribonde e pronte al loro canto del cigno.

Mentre rientro sento chiamare il mio nome dall'alto, sollevo il viso e vedo Samuele affacciato al terrazzo come se volesse lanciarsi, chiedo che c'è e lui non risponde, si ritira oltre il parapetto e sparisce, la sua ombra non mi è più addosso.

Io confido ad Agata quel pomeriggio che sono innamorata, è una menzogna, ma fa piacere mentire sull'amore, dire di conoscerlo mi fa sentire valida, parte di un cosmo ordinato, le chiedo perentoria di non dirlo a Carlotta e aggiungo: Lei non sa niente dell'amore.

Con le altre nostre compagne di classe non abbiamo molti legami, ne consideriamo solo un paio che vivono a Cesano, viaggiano con noi in treno e quindi condividono con noi spazi e tempi, lentamente le stiamo imparando a contemplare quali possibili confidenti. Una si chiama Marta e con una disarmante semplicità prende voti altissimi a scuola, il che in me provoca disappunto e acredine, sembra non doversi sforzare come me per ottenere plauso; l'altra ha nome Ramona, è la figlia d'un militare e ha origini napoletane, a scuola spesso le fanno il verso quando pronuncia le *e* troppo aperte, ma ha una capacità a me sconosciuta: sa ridere di quasi tutto tranne che del sangue. Una volta a lezione si è tagliata un dito con un foglio del quaderno, s'è guardata la falange ed è svenuta.

Anche a loro lo ripeto, questo mio primo sentimento, deciso a tavolino e studiato al microscopio, artificiale, come arto o gamba persi per colpa d'una granata.

Da quel giorno le tengo aggiornate su Luciano, a loro avviso sarà difficile che si faccia sentire, ma io attendo senza compiere nuove richieste e un pomeriggio, mentre sto studiando geografia, sento il telefono di casa squillare e mi lancio a rispondere, presentendo la sua voce. Luciano mi dice che quel sabato danno un film poliziesco che vorrebbe vedere, non pare importargli molto il mio desiderio.

Rispondo che interessava anche me, seppur sia la prima volta che lo sento nominare e ci diamo appuntamento al cinema Ciak sulla Cassia, luogo che io potrò raggiungere solo prendendo due autobus e un treno, ma questo lui non è necessario lo sappia, non credo che conoscerci farà parte del nostro incontro, io dovrò sempre essere personaggio con lui, sorriso, bambina, annuire, mi piace la tua casa, mi piace tua madre, mi piace la tua automobile, mi piace come baci, mi piaci nudo, mi piace questo film, era proprio quello che volevo vedere, come hai fatto a indovinare?

Con l'aiuto di Marta dico a mia madre di dover studiare da lei a Cesano e prendo il treno subito dopo pranzo, ho chiesto a mio padre dei soldi rivelandogli del cinema, ho preferito giocare la carta della fiducia per farlo sentire partecipe di me e di ciò che mi accade, ma ho omesso la presenza di un ragazzo perché lui sempre se sente parlare di uomini, ora che non può neanche appoggiarsi alla sorveglianza stretta di mio fratello, si angoscia e contorce, assumendo una posa da martire. Tra lui e mia madre continuano le schermaglie, i cattivi pensieri, le mani addosso, i silenzi omertosi.

Aiutata dai segreti mi avvio al mio primo appuntamento e assisto impassibile a un film in cui neanche il protagonista resta vivo, una carrellata di corpi maciullati e teste mozzate, sangue spruzzato come fosse candeggina, animali presi a calci, case date a fuoco; non capisco se è una prova a cui Luciano ha deciso di sottopormi e non intuisco se voglia da me che indossi l'abito della sensibile ragazza di provincia o l'armatura della figlia di proletari e popolani, nel dubbio a fine proiezione gli sorrido e dico: Dovremmo baciarci.

Così facciamo, mentre le luci si accendono, e fino a quel momento le parole che ci siamo scambiati sono state: ciao e come stai. Quando lui allunga una mano oltre il suo sedile e la infila tra le mie cosce, io mi alzo lenta e dichiaro che ci rivedremo, forse.

In un battito sono già fuori, per strada, mi avvio alla fermata dell'autobus che è davanti alla tomba di Nerone, coperta dalle scritte e accerchiata da lattine di birra, la fisso con convinzione e amicizia, è il luogo dove leggenda vuole riposi l'uomo che diede fuoco a tutta Roma.

* * *

Quel Natale mio fratello decide di non presentarsi a pranzo, nonna ci raggiunge da sola, si fa trasportare su due treni da Ostia, porta sulle ginocchia due teglie di lasagne ai funghi e prosciutto, entra in casa e commenta che è tutto da rifare, c'è la muffa vicino alla cappa in cucina e le fughe delle piastrelle non sono bianche, i bambini fanno baccano da sagra e sono magri, paiono grissini e lampioni.

Mangiamo con la radio accesa, la gente sta pregando con le candele in mano davanti alla buca lasciata al World Trade Center – dicono – e il nostro silenzio è sbrecciato solo dagli scherzi dei gemelli, i versi che fanno con la bocca, come schioccano le dita bambine, presto vengono zittiti e messi all'angolo dalle occhiate di mia madre. Intanto su Massimo è calata la brina della costernazione, da quando lui e Mariano sono divisi non fanno altro che chiamarsi a vicenda mio figlio e mio padre, il che confonde Antonia e a me dà la stessa sensazione di quando arrivo all'epilogo di un libro senza capirne il finale.

Il posto vuoto di Mariano viene riempito dal nostro malessere, le lucine appese in balcone sono l'unica decorazione che sfoggiamo e Antonia ha deciso che abbiamo speso troppo in libri, dizionari, vestiti e carta igienica, non ci saranno regali tanto, parole sue, non ci manca nulla.

Ai gemelli nessuno ha mai raccontato la favola di Babbo Natale e neanche a me e a Mariano, nessuno ha nascosto regali negli armadi o sotto ai letti, nessuno s'è alzato a mezzanotte scivolando in salotto per ammucchiare doni racchiusi in fiocchi e carte lucide.

Babbo Natale è una fandonia e non c'entra niente con Cristo, se lo sono inventato, è la teoria di Antonia e ne fa vanto da quando ho cinque anni.

A scuola fin dalle elementari io ho sempre finto di crederci, succhiando immaginazione dai racconti degli altri bambini, mentre loro vivevano lo strappo di scoprire che la magia non è altro che umanità, io costruivo fantasie di polistirolo, mi impegnavo a fingere la finzione.

A pranzo finito, attraverso la strada, vado alla cabina telefonica e infilo i soldi. Sento suonare libero e spero che lui risponda, lo immagino a casa da solo, con un pacchetto di patatine industriali, seduto sul divano color vinaccia di nonna, fermo e che guarda il davanzale o l'oleandro del giardino condominiale.

Pronto? Maria', sono io. Ah, buon Natale. Buon Natale, che fai? Niente, dormivo. Perché non sei venuto? Antonia avrebbe fatto la pazza e sono stanco di lei. Sei stanco anche di me? No, come sta papà? Seduto. Stai diventando dura come un sasso. E tu lontano come Plutone. Che hai chiamato a fare? Devo chiederti una cosa. Chiedi. Ma quando i ragazzi si fanno toccare, vogliono che stai alle loro spalle? Che domanda è? Una domanda, rispondi. Alle loro spalle a fare cosa? A toccare, stando alle spalle, si fa così o no? Non si fa così, qualcuno t'ha costretto? No, nessuno, ero solo curiosa.

Le monete finiscono e anche le nostre parole da festa. Non ho avuto tempo e modo di dirgli che mi manca, che senza lui non ho nessuno che sappia qualcosa di me, nessuno che salga con me le scale di casa portando in braccio un orso rosa e alto due metri, che compia gesti inutili e per questo sacri.

Rientro chiusa nei miei pensieri che sono già lontani dal pandoro preso in sconto al dieci per cento e da mio padre che ha aperto la busta e ci ha versato dentro lo zucchero a velo, ora lo sta scuotendo a mo' di maracas, fa il suono sordo dei sacchi buttati in mezzo alla strada.

Dopo il cinema io e Luciano abbiamo continuato un corteggiamento di sguardi e qualche vicinanza, le telefonate a casa sono diventate un appuntamento serale, ma devo sempre chiedergli di richiamare lui, perché dopo cinque minuti alla cornetta mia madre fa segno di smettere e poi il gesto dei soldi, i soldi che finiscono, i soldi, i soldi, i soldi perduti.

Ciò che ci raccontiamo galleggia, ripetiamo spesso gli stessi argomenti, le lezioni private che lui prende in inglese, se vince o perde a calcetto, se va o non va allo stadio col padre, se io ho pensato a lui, e certo – dico – ci ho pensato molto, ripeto molto ogni volta che chiede quanto, perché più di molto non so quantificare, cosa c'è dopo molto, moltissimo? Infinito? L'universo? Ti ho pensato l'universo, gli comunico strappandomi le pellicine dagli angoli delle unghie.

Con lui non tocco le corde ruvide della mia vita casalinga, non pongo questioni d'esistenza o domande scomode, mi muovo rapida negli elenchi degli oggetti che lui ha ma io no, e quasi mi sembra di possederli con lui, perché quel sottile legame, ufficioso e boschivo, potrebbe essere segno di partecipazione, seguendo il principio dei vasi comunicanti a un certo punto la sua opulenza trasborderà e sarò io a raccoglierla, il vaso piccolo e in basso che guarda in alto a bocca aperta.

Samuele ci ha tenuto a precisare che lui e Luciano non sono amici e che non è una persona che vale, si è accostato alla fine dell'ora di latino e ha mormorato la sua opinione che io non avevo richiesto. Da parte mia c'è stata una alzata di spalle.

A chi importa? gli ho chiesto sistemando le penne nell'astuccio lungo e rosa.

Fuori dalla scuola vedo Luciano assai poco, riesco a fermarmi qualche volta al bar davanti all'istituto dove passa le ore a masticare liquirizie e commentare le partite di calcio, quelle già giocate e quelle che verranno, e io annuisco distratta. Grazie alla scusa dello studio da Marta però conquisto alcuni pomeriggi e il primo lo impiego per andare a casa di Luciano.

Prendiamo insieme l'autobus e io sento appiccicati ai vestiti e allo zaino gli occhi liquidi e vibranti delle altre ragazze che iniziano a capire della nostra vicinanza e non si capacitano della motivazione che spinga uno come Luciano a frequentare una come me, la molliccia, la carina ma non troppo, quella che magari ha i pidocchi e le calze rotte.

La villa dove abita ha una siepe d'alloro, è la prima siepe della mia vita, cioè non la prima in ordine cronologico, ma la prima a cui io do valore simbolico, perché fino a quel momento non ho mai pensato di volerne una, ma adesso la siepe è tutto quello che bramo, poter creare alti confini, perimetrare ed escludere agli sguardi.

La camera da letto di Luciano è un seminterrato che però ha un lato sulla parte bassa del giardino, quindi nulla ha a che vedere con i seminterrati che conosco io, angoli scuri e aria viziata dei palazzi antichi, lì in quella che loro chiamano taverna Luciano ha il suo bagno e un ampio salotto con al centro un biliardo da bisca, la sua camera è tre volte la mia e scopro che colleziona maglioni blu della Ralph Lauren, me li mostra con grande emozione.

Presto incominciamo a baciarci, i suoi genitori non sono a casa, e se rientrano non si impicciano e non cercano tracce di lui, è come se vivesse solo e fosse già adulto, come se potesse fare l'avvocato e partire da un attimo all'altro per una crociera attraverso l'Atlantico, visitare il Polo Nord.

Non gli ho mai chiesto se vede altre ragazze, non ho mai domandato di essere classificata o collocata, di venire disegnata a contorni netti, non ho indagato sulla musica che ascolta, su quali gomme preferisce masticare – se menta o frutta – non so altro se non che ha quei maglioni uguali, apprezza i film in cui i buoni vengono strozzati come i cattivi e che sa pettinarsi bene i capelli, si fa la messa in piega per ottenere quella curvatura delle punte.

Lo sento fare inediti e goffi tentativi di sfregamento e tatto, e reagisco scostandomi, dichiaro che sarò io a toccarlo, le sue mani non mi interessano, lui non dice né sì né no.

Però girati di spalle, aggiungo, non voglio guardarti in faccia.

In che senso? domanda lui e io mi ricordo: sta' attenta coi maschi, anche quando dicono di fidarti, anche quando sembrano capire, loro non capiscono.

Nel senso, guarda fuori, il tuo giardino è più bello di me.

E così facciamo, io mi concentro sulla sua nuca, lui sui cespugli di roselline gialle.

* * *

Come si fa a portare in casa il diluvio? Gli altri non lo sanno, ma io sì.

A gennaio trovo Antonia piegata sul tavolo della cucina, non s'è manco voluta sedere, ma coi gomiti puntella la tovaglia, sta sfogliando il mio diario, cioè il mio gruppo di quaderni legati con gli elastici su cui lei ha segnato numeri e date, ed è ferma su una pagina, la guarda con occhi da orco, grandissimi e neri.

Queste cosa sono? chiede e punta il dito sulla pagina, spinge su quel quadrato di carta, spinge e spinge, lo vorrebbe bucare.

Non lo so, mi avvicino e controllo, vedo che ha trovato dei disegni, li ha fatti Luciano sul mio diario, me lo ha rubato quando ero a casa sua e ridendo ha annunciato che lo avrebbe abbellito.

Sento ticchettare la pioggia sul balcone e l'acqua è pronta a entrare, inondare cucina e bagno, letti e armadi.

Chi li ha fatti? domanda Antonia curvando ancor di più la schiena, sembra una balena decisa a far di me plancton e pesce piccolo.

Un amico...

Sono celtiche, ci sono croci celtiche sul tuo diario, la sua voce s'alza di dieci note, acutissima, fitta, il diario è tra le sue mani e lei lo sbatte due volte sul tavolo, vorrebbe trasformarlo in coriandoli, io sono sul punto di affogare. Sento i piedi freddi dentro ai calzini di lana, i termosifoni appaiono distanti, la temperatura è scesa sotto lo zero.

Domani vengo a scuola con te, grida così forte che mi pare possa crollare il balcone e con questo il palazzo, sento il *clic* della porta della camera: mio padre s'è chiuso dentro.

Non provare a dire A, non provare a ridere, non cercare di scappare, vieni qui, mia madre mi prende per il gomito e apre di nuovo il quaderno, mi schiaccia la faccia sui disegni che Luciano ha fatto, come se io fossi un cane che ha pisciato dove non doveva.

La mattina dopo dice che non andrà al lavoro, indossa il suo cappello di lana verde e i guanti azzurri, la sua policromia sgraziata, che nella mia infanzia abbiamo condiviso e io ora rifuggo, mi accompagna sul treno e fino a scuola, sul suo volto il disgusto, sul mio la costernazione di non poter fermare gli eventi.

Appena varco il cortile dell'istituto sento la mano di mia madre afferrare ancora il gomito e condurmi, io tengo gli occhi bassi sulle crepe dell'asfalto, sulle buche e sugli aghi di pino sperando che arrivi l'Apocalisse e ci spazzi via prima che sia mia madre a farlo.

Con passo militare Antonia mi trascina al piano dove c'è la presidenza e fa picchetto davanti alla porta in attesa di venire ricevuta, di nuovo non ha appuntamento, di nuovo finché non le aprono la porta non accenna ad andarsene.

Ci sediamo davanti alla preside, che è una donna bassina e dai capelli corti e neri, i suoi occhiali da vista hanno lenti tonde e il cordoncino che evita di farli cadere è pieno di perle, il suo profumo delicato sa di fiori e cardamomo e fa a pugni con il sudore da carpentiere di mia madre e le smagliature che si porta addosso.

Antonia apre il diario e lo mostra alla preside.

Un alunno ha disegnato queste sui quaderni di mia figlia.

La preside osserva e fa un sorriso imbarazzato, si torce le dita e prova a minimizzare dicendo che i ragazzi vedono certe frasi sui muri e non capiscono bene, sentono cori allo stadio, oppure riconoscono scritte sugli autobus, è solo ignoranza, incomprensione che verrà persa col tempo.

Cara signora, io non ho studiato e non sono qui a dirvi come insegnare a mia figlia, non verrò mai più a dire cosa dovete fare o no, ma pretendo che venga difesa. Il ragazzo deve essere chiamato e così anche la sua famiglia, questi non sono disegni.

Certo... dirò alle insegnanti di aiutarlo a capire, di parlarci, ma si rende conto che metterà sua figlia in difficoltà... io conosco gli studenti e non è mai bello che s'accusino a vicenda.

Io lo accuso, sono io quella in difficoltà, ha capito? Voglio le scuse da quel ragazzo, dalla sua famiglia e da voi.

Mia madre si tira su dalla sedia e la fa scricchiolare, io resto seduta, inquilina di un incubo, sento le mani bagnate, i mondi che con ostinazione tengo separati da compartimenti stagni si stanno mescolando.

Sono solo disegni, le vorrei dire, sono solo righe e cerchi, sono solo pagine a quadretti che possiamo strappare, ma non mi cavo dalla bocca una sillaba, nuoto nell'acqua sterile di quella sconfitta.

6.
D'ESTATE MUOIO UN PO'

Era maggio quando mio padre si spezzò a metà, cadde da una impalcatura mentre stava portando due secchi di calce, uno per mano, un altro operaio inciampò su una carrucola e gli piombò addosso, mio padre perse l'equilibrio e la barra di ferro che avrebbe dovuto proteggerlo cedette, lui mollò i secchi ma non fece in tempo ad afferrare nulla e quando cadde mio padre sapeva che il suo lavoro era in nero, non aveva assicurazione per gli infortuni, non aveva la tredicesima, la busta che gli davano un mese sì e uno no doveva andare a chiederla a bassa voce, doveva insistere e ricordare che lui esisteva e che come gli altri alle cinque del mattino s'alzava e andava in cantiere, sapeva che non ci sarebbe stato sindacato, non ci sarebbe stata tutela, non ci sarebbe stata denuncia.

Era maggio e mio padre era schiena a terra come uno scarafaggio, muoveva per l'ultima volta le gambe in uno spasmo che raccontava già la loro resa.

Un amico di mio padre bussò e bussò contro la porta del nostro seminterrato perché non sapeva dove telefonarci, perché la bolletta non era a nome nostro, perché il telefono non c'era più e alla radio di certo nessuno parlava di mio padre che era caduto, che non camminava, mio padre quasi morto, lui bussò finché mia madre non aprì la porta e allora le disse: Anto', Massimo è cascato.

Ma l'amico doveva tornare al lavoro, e quindi mia madre uscì per strada con le infradito gialle e addosso un camicione che mio padre usava per casa, e cercò qualcuno che potesse accompagnarci, ma non lo trovò e rientrò, si infilò i pantaloni e poi strinse i capelli col solito mollettone, dopo ci mise in braccio un gemello a testa e gridò: Teneteli stretti, avete capito? Stretti.

Io e Mariano la seguimmo, bassi e coperti di indecisione e scoramento, aspettammo alla fermata il primo autobus che non passava, e aspettammo e aspettammo mentre Antonia faceva su e giù e sembrava non vederci, i suoi pensieri vorticavano e si appendevano, erano lenzuoli al vento. Il primo autobus passò e noi ci stipammo in due posti ma eravamo cinque e i gemelli piangevano e poi stavano muti e poi ci osservavano e poi insieme piangevano ancora e io e Mariano non osammo chiedere cosa era successo e perché, tenemmo i fratelli stretti, quasi fino a soffocarli.

Il terzo autobus era bollente, i finestrini non funzionavano e noi già da più di un'ora eravamo partiti da casa e mia madre urlò al guidatore che non si respirava: Stiamo senza aria quaggiù! Ma lui non si accostò, non controllò e le persone fasciate da vestiti leggeri ed estivi ci additarono malamente.

A quell'ospedale io non voglio più tornare, anche solo sentire dire Policlinico mi fa girare il viso altrove come se al suo posto ora ci fosse un cratere, la traccia di un cataclisma, al pronto soccorso ci fecero restare fuori in sala d'aspetto e la mia pelle sudò contro la pelle di Maicol e la sua faccia era diversa dalla mia e da quella di mia madre e lo invidiai perché se papà moriva lui aveva ancora la possibilità di somigliargli. Mariano anche aveva capito che c'entrava Massimo e sbatteva i piedi contro il muro, teneva il fratello in braccio quale fardello e disastro.

Smettila con quei piedi, mia madre lo gelò e parlò con le infermiere e i dottori, chiese e sparì dietro a una porta e ci lasciò così, noi quattro sull'orlo del dirupo, capaci di gettarci.

La gente girava in ciabatte e vestaglia, usciva dagli ascensori sulle barelle, qualcuno disse è arrivato un uomo in codice rosso, caduto da chissà dove, secondo me un poveraccio che faceva il muratore e io registrai la parola, registrai poveraccio e me la passai da una sinapsi all'altra come fosse fiele sulla lingua. Poveraccio.

Quando Antonia tornò da noi notai le macchie di sudore sotto le sue ascelle e sul volto una ruga profonda tra le sopracciglia, che prima non m'era mai apparsa tale, non era stata solco e valle.

Mia madre ci raccolse e ci toccò le braccia con le sue mani grandi, le mani che non tremavano mai, e non pianse e non fece lamento, non urlò, non ingiuriò dio e il cosmo, Antonia non aveva neanche trent'anni e suo marito neanche quaranta, disse solamente: Papà non può camminare, voi adesso mi servite attenti, ok? Siete attenti?

Io e Mariano annuimmo, eravamo fatti a briciole, eravamo bambini, eravamo senza giochi e senza casa, ma eravamo attenti.

Dobbiamo essere molto forti, molto forti, ripeté Antonia, riprese in braccio i gemelli e dopo sedette su una sedia di plastica verde, in mezzo ai parenti di altri che erano stati portati lì o ci erano arrivati coi piedi loro, tirò fuori un seno alla volta e allattò i gemelli che succhiavano latte e disinfettante, latte e malattia.

Vostro padre non lavora in cantiere, siete attenti? Non lavora, se ve lo chiedono, lui non lavora, sta a casa, è caduto dalle scale. Ripetete.

Noi restammo zitti e guardammo i suoi seni e la camiciona e il sudore e i capelli rossi.

Ripetete, sibilò lei a voce più bassa e ci guardò negli occhi, prima me e poi Mariano.

Papà non ha lavoro, è caduto dalle scale.
Papà non ha lavoro, è caduto dalle scale.

Lei annuì soddisfatta della recita e dell'intonazione, ci obbligò a tornare seduti e inerti.

Lui non è mio papà, mi sussurrò Mariano all'orecchio come ad allontanare l'angoscia.

* * *

Orso dice: il primo che si butta dal pontile vince. Ma non spiega cosa.

I motorini sono parcheggiati accanto agli scalini del molo, in piazza, dove ho incontrato il lago la prima volta, ed è ancora lì, la stessa acqua nera, lo stesso odore di piume bagnate.

Orso non si chiama così davvero, ma è come si fa chiamare, ha due anni più di me ed è l'unico che conosco ad avere un tatuaggio al centro del petto, il muso di un orso con la bocca aperta, dice di averlo sognato da bambino, l'animale lo stava divorando: era partito dalla punta dei piedi rosicchiando il pollice.

Marta si appoggia coi gomiti sul manubrio del motorino e fa no con la testa, le fa schifo buttarsi, ha i capelli liscissimi e un grosso neo sulla narice sinistra, la scuola sta finendo e pare lei riceverà dieci in condotta, un voto che probabilmente si addice di più alle mummie o agli affreschi.

Comincio a camminare sul pontile, le mie infradito nere suonano *ciac ciac* e io *sguisc* perché sono sudata, fa già molto caldo ma siamo solo all'inizio della stagione, l'acqua è quasi primaverile.

Il Greco s'è tolto la maglietta ed è rimasto nel suo costume a bermuda, lascia le scarpe sul motorino insieme al casco e sale le scalette, dice: L'ho fatto almeno dieci volte.

Ma è una bugia, ho già capito che ogni cosa che dice il Greco è bugia, anche il suo soprannome, anche il paese in cui dice d'essere nato, anche il mestiere del padre.

Vedo il Greco superarmi, ha la pelle scura, quasi mulatta, e si lamenta perché il molo è caldo, si sta bruciando i piedi.

Io giro il viso verso i motorini e le riconosco tutte lì intorno: Marta, Dafne, Ramona e Iris, non ci pensano proprio a venire con me, a vincere il premio che nessuno sa quale sia.

Orso è arrivato alla balaustra e grida: Che ti spaventi? Lo dice a me con lo stesso tono che userebbe per un suo amico.

Io no e te?

Mi levo di dosso la maglietta e i pantaloncini di jeans, resta sul mio corpo un costume intero e nero, lo stesso che voglio indossare per tutta l'estate, senza stancarmene mai, sentendo la lycra raffreddarsi sulla pancia dopo aver fatto ogni bagno.

Orso ha gli occhi lucidi e rossi, come quelli di mio fratello, non è tanto alto e si è rasato i capelli qualche mese prima, m'ha raccontato Marta che l'hanno dovuto operare alla testa, aveva sempre male e un giorno qualcosa dentro doveva essere scoppiato, come i popcorn, come al cinema.

Lui non risponde e ride, si siede sulla balaustra, vuole raggiungere per primo i piloni da cui saltare, ma il Greco lo segue e prova a superarlo. Dal modo incerto con cui si mette a cavalcioni, inizio già a dubitare che questa per lui sia l'undicesima volta.

Sta' attenta, urla Iris facendo qualche passo verso di noi e così io e lei ci guardiamo, non so se essere lusingata o perplessa, mi mette sconcerto quella premura, lei aggiunge: Non scivolare.

Ci siamo conosciute da poco, tutti noi eravamo ignoti gli uni alle altre fino a inizio mese, quando al primo maggio Marta mi ha invitata a passare la giornata al lago con suo cugino Orso e altri amici. Gli altri amici erano questi qui: il Greco, Dafne,

Ramona e Iris, la quale dopo aver saputo che avevo letto *Orgoglio e pregiudizio* ha risposto: Anche io.

Una risposta che m'ha disturbata, a lungo ho pensato stesse mentendo, volesse prendermi in giro. Quei libri erano stati punizioni e gioco di rivalsa per me fino a quel momento, mi avevano esclusa dai riferimenti e dalle chiacchiere delle mie coetanee, perché non guardavo i telefilm che loro guardavano, non giocavo ai videogame con cui loro si intrattenevano e non leggevo i libri che loro leggevano.

Prima che i maschi compiano quel gesto audace, io sono già in piedi sulla balaustra e mi sporgo, poso un piede e poi l'altro sul pilone dove attracca il battello che fa il giro del lago. Da lassù i miei capelli rossi sventolano e mi colpiscono il viso.

Sento la spinta partire dalle caviglie, le alghe galleggiano sul pelo dell'acqua – disegnano figure geografiche, potrebbero essere scambiate per continenti – prendo slancio e vedo i ragazzi arrancare, Ramona dice: *Nun te schianta'*. Così mi tuffo e l'acqua gelida mi punge le cosce sottili e il mento, tocco il fondo sotto il pontile coi talloni, sento sassi viscidi e vetri non più appuntiti, è buio e non c'è nulla, apro gli occhi e vedo offuscate le ombre delle alghe assai lunghe, mi do la spinta per tornare in superficie, poi un altro tuffo rompe il silenzio che s'era stabilito tra me e il lago: è Orso che riemerge a prendere aria poco dopo di me.

Il Greco è rimasto seduto là, col proprio orgoglio nascosto tra le scapole e il viso sconfitto di chi è stato battuto a una gara di corsa, da mesi cerca di attirare l'attenzione di Iris e si occupa di lei con tenerezza, ma finora ha guadagnato solo qualche stretta di mano e dichiarazioni di entusiastica amicizia.

Hai vinto te, Orso sorride e fa il morto a galla, ha scomposto le geometrie lacustri, la sua testa lucida e la cicatrice risplendono.

E che ho vinto?

Niente.

Io muovo scomposta piedi e gambe, dirigendomi verso la riva come un cane bagnato.

Esco infreddolita e cammino sui sassi e tra qualche rifiuto facendo caso a dove metto i piedi, infatti ho il terrore – inculcato da Antonia – di venire punta da una siringa.

Ma che fai là? Orso esce dall'acqua e si asciuga, passa anche a me un asciugamano e guarda il Greco appeso dove lo abbiamo lasciato.

Mo' scendo, dice lui, ma non si muove.

Allora Orso risale sul pontile e lo raggiunge, con calma lo fa scavalcare riportandolo sul cemento, gli dà una pacca sulla spalla e lo incoraggia, dice: Lo farai la prossima volta, che problema c'è?

Il Greco annuisce con gli occhi bassi, e io penso che Orso è gentile, umano, e mi domando: cosa accade se in un lago butti insieme una persona buona e una cattiva, qualcosa si contamina, qualcosa viene sciacquato via, qualcosa si mescola e s'assorbe?

Sto coi piedi sull'asfalto scuro e dopo un po' mi decido a recuperare le mie ciabatte e i vestiti che ho lasciato nel punto in cui mi sono tuffata.

Non ci hai pensato un attimo e ti sei buttata giù, sento Iris alle mie spalle, i suoi capelli neri e scalati vengono mossi dall'aria così come il suo vestitino giallo a quadretti con dei fiocchi sulle spalline.

Qualcuno deve pur farlo.

Cosa?

Buttarsi giù.

La vedo sorridere e aspettarmi, al centro del molo.

Ti va di venire a conoscere il mio coniglio nano? Si chiama Laurie, sai come...

Dovevi chiamarlo Darcy, il coniglio, Laurie è solo quello a cui Jo ha detto che manco morta l'avrebbe sposato, le rispondo sfoggiando conoscenze che ora sembrano essere giustificate, trovare un luogo in cui vivere.

I motori a due ruote si accendono, io mi tampono i capelli e infilo un casco che Orso mi sta porgendo, è a scodella e mi balla sulle tempie, sopra è pieno di adesivi colorati.

Iris compie lo stesso gesto salendo alle spalle del Greco.

So fare bene la crema pasticcera, mi urla lei e ride nonostante la mia risposta poco amichevole, mentre i motorini partono con il *vroom* tipico delle marmitte modificate.

E io penso che non c'entra nulla, proprio nulla, la crema pasticcera coi conigli.

* * *

Luciano è il mio ragazzo monile, pepita e baule, il mio orpello prezioso, la spilla di pietre cangianti che espongo sul bavero sinistro della giacca.

Mia madre detesta sentirne il nome, storce le labbra come colpita da una frustata.

Per risolvere il fattaccio delle celtiche ho dovuto dichiarare che c'era un problema e il problema era mia madre.

Sai, Lucia', mia madre è piena di fisime, è cresciuta al modo di un ramo storto, soffre di acutissime manie di persecuzione, non sa distinguere ciò che ha senso da ciò che è accessorio, si veste come un uomo e paga lei le bollette, devi avere pietà di lei, devi comprendere, a lei basta che chiedi scusa e tutto verrà archiviato.

Per quella occasione, quando ho deciso che il problema non erano i disegni di Luciano ma Antonia, ho indossato una camicetta rossa e un cerchietto lucido che mi aveva regalato Agata a Natale, mi sono seduta sul muretto a braccia conserte, l'aria grave di chi sta affrontando i bagliori di un conflitto armato, l'ho guardato negli occhi e con un dito mi sono toccata la tempia, ho girato l'indice e girato ancora, quasi stessi caricando un carillon, per dargli a intendere che le fobie di mia madre vivevano tutte nella sua capoccia.

Dopo le scuse di Luciano a me è stato interdetto di rivolgergli parola, interdizione che ho metodicamente infranto, usando il cellulare delle mie amiche a scuola, infilandomi nei corridoi dietro l'aula magna per parlargli e portargli lettere scritte su fogli a quadretti, dietro la brutta copia degli esercizi di matematica. Ho disegnato cuori per lui, angeli dalle ali piccole e asimmetriche, frasi d'un amore di formica e plexiglass. Quanto più lo ripeti – ti amo – più si consuma, è cera che scende a gocce e smoccola, sporca a terra.

La scuola è finita e io ho mantenuto la mia media dell'otto e mezzo, mia madre ha visto la pagella e ha commentato che nove potevano pure sforzarsi a mettermelo, io ho puntato il dito sul voto d'italiano che era un nove pieno, e lei ha chiuso il viso trattenendo la soddisfazione sotto ai tremori.

Agli ultimi colloqui prima delle pagelle, la professoressa d'italiano ha voluto chiamare i miei genitori e s'è presentata solo Antonia e la professoressa le ha porto un foglio protocollo con su scritto un mio tema, le ha detto di avermi messo dieci, ma di essere preoccupata, perché nel tema io raccontavo di una fontana con dei pesci dentro, la fontana nel cortile d'un palazzo, e la mia mano girava e girava e la mia bocca stava muta e dalle finestre del palazzo la gente m'urlava: Sfrontata, e io con dita da bambina stringevo i pesci a uno a uno, gli facevo schizzare gli occhi fuori dal corpo liscio, gli tiravo le code e raschiavo via le squame. La professoressa aveva detto a mia madre che il tema era scritto con cura, io sapevo usare vocaboli che nessun altro alunno conosceva, ma c'era qualcosa, qualcosa che mi tormentava.

Tornata a casa mia madre me l'aveva chiesto senza indugi: C'è qualcosa che ti tormenta? Me lo devi dire.

No, non c'è.

M'ero difesa io riprendendo tra le mani il mio tema dove avevo definitivamente messo alla gogna la piccola me, l'infanzia indifesa e dei giochi salubri, quando non sapevo colpire e attendevo che fosse Antonia a difendermi, quando correvo da lei o da Mariano per informarli degli attentati che subivo alla mia personcina imbottita con la midolla di pane.

Ma forse avrei dovuto urlare: sei tu, sei tu certamente che mi tormenti e poi il mondo tutto, e poi quello che non ho, in primis la televisione, i telefilm su Italia Uno, le mèches bionde ai capelli, le figurine dei calciatori, il Game Boy, la PlayStation, *Tomb Raider*, tutti i libri che m'hai vietato, le Lelli Kelly luminose, i Chupa Chups da succhiare ogni pomeriggio senza sentirti dire che mi cadranno i denti, i tiri alle sigarette senza temere di finire sdraiata su una panchina, il corso di nuoto, di pallavolo, di teatro, il cellulare che trilla e trilla e non si stanca mai, il McDonald's dove festeggiare il compleanno, la borsa di Guess da abbinare alle scarpe, miliardi e miriadi di scarpe Nike e Adidas, i costumi Sundek e le magliette con Winnie the Pooh, le compilation del Festivalbar, i dischi di Britney Spears, le uscite pomeridiane alle discoteche per minorenni, la minicar, il motorino con le luci al neon sotto alla pedana, le Big Babol da masticare in classe, il fumo da sciogliere sul palmo della mano e gli occhi lucidi di mio fratello, tutto m'ha tormentata, tutto, come i pesci che stanno zitti anche se la gente mi accusa.

Per questo il nove in italiano ci pare una ferita: Mia figlia scrive bene, ma racconta malevolenze, spreca belle parole per cose meschine.

La scuola finisce e Luciano parte con la famiglia per la Sardegna, dove hanno una casa al mare e la barca, non pensa di invitarmi, da quando ci frequentiamo io non ho ricevuto regali da lui, e questa sua vita di lusso non pare lui voglia condividerla con me, mi tiene bene confinata dentro alle mura della scuola e delle uscite nel circondario, vado bene nuda in camera sua, ma non per fraternizzare coi suoi amici.

Alla cena di classe che facciamo per salutarci dopo la fine dell'anno io ordino solo una pizza margherita perché è la meno costosa sul menu, bevo acqua frizzante, ho quel cerchietto in testa che mi fa apparire una catechista e una felpa larga da giocatrice di basket, a un certo punto Samuele arriva con i soliti due amici, ha bevuto e barcolla venendo verso il tavolo, si mette ad applaudire davanti alle professoresse e fa un inchino caracollando al centro della stanza, le ringrazia per averlo bocciato ancora.

Tutti restano immobili, dipinti nel quadro di commiati e arrivederci, le mani posate sulla tovaglia di carta, le gambe incrociate sotto al tavolo, le nostre insegnanti si fanno di gesso, statue di stipendi esigui e colleghi tracotanti.

Allora io mi alzo e giro intorno al tavolo, mi avvicino a Samuele e gli prendo un braccio, lo accompagno all'uscita, lui si fa portare farfugliando.

Ora vai a casa, lo mollo fuori dal ristorante e guardo gli amici, sono gli stessi del terrazzo.

Non hai studiato niente tutto l'anno, non venire a fare la scena adesso, gli dico e lui ha la faccia pallida, la fronte sudata, un gorgoglio sulle labbra.

Cos'è che hai dentro, le pietre? prova a domandare, poi si piega a metà e vomita davanti a me, al limite di un tombino, io vedo i rivoli dei suoi succhi gastrici farsi largo sull'asfalto, i rimasugli di una cena da fast food.

Faccio una piroetta e torno dentro, non mi farò rovinare la serata, ho preso i voti che meritavo, ho un ragazzo ricco, ho un'estate davanti, e per chi ha la mia età, l'estate è come la messa, la chiesa, la riva del fiume a fine nuotata, la boccata d'aria dopo un viaggio a finestrini chiusi, è il paese che si veste a festa.

Mi siedo di nuovo vicino ad Agata.

Che è successo? mi chiede lei intimorita.

Ha vomitato, rispondo tagliando una fetta ormai secca della mia pizza.

Mi mette ansia ma fa anche un po' pena... prova a dire lei a voce bassa.

La pizza è diventata fredda, concludo io ruminando una mozzarella di calce e poi – *tac, tac* – butto le posate con clamore sul piatto.

* * *

Si chiama Batman.

Chi?

Il coniglio.

Avevi detto Laurie.

Ha cambiato nome, tanto lui non se ne accorge.

Sotto a casa di Iris c'è un piccolo orto delimitato da una rete verde petrolio, dentro: insalata, pomodori, cavoli, broccoli e un coniglio che si chiama Batman perché è nero e combatte il crimine, schiaccia con la pancia le lumache che cercano di attentare alla verza.

Iris è la prima persona conosciuta ad Anguillara che ha una casa simile alla mia, abitiamo a due chilometri di distanza e la sua famiglia non vive in una palazzina popolare, ma il loro appartamento somiglia al nostro: cucina bagno due camere da letto un salottino.

Le nostre ciabatte infradito sono coperte dal terriccio e Iris sta cercando Batman tra le canne di bambù che il nonno usa per far arrampicare i pomodori San Marzano.

Lì prima c'era un pappagallo di nome Cresta, mi confida indicando una gabbia lunga e vuota.

Non domando che fine abbia fatto il volatile, ma rubo una fragola ancora acerba, ne succhio l'acidità fino in pancia.

Ogni giorno devo inventare un modo diverso per poter raggiungere il lago.

Di recente il figlio di quelli da cui lavora mia madre ha deciso di abbandonare la sua bicicletta, quindi io ne sono diventata erede e sto imparando a usarla davanti casa, sono già caduta due volte e ho le ginocchia sbucciate al modo dei pargoli, per ora non posso ancora usarla come mezzo di trasporto, allora mi affido all'autobus-navetta del paese che conduce fino alle sponde del lago, oppure faccio un paio di chilometri a piedi e arrivo fino a casa di Iris, lì, non visti dai nostri genitori, Orso e il Greco vengono a prenderci coi motorini, anche se andare in due è vietato, oppure c'è la nonna di Marta che passa a recuperare tutti con la sua Fiat Punto gialla peperone.

Iris dorme in stanza con sua sorella, sul muro hanno appeso qualche fotografia di loro fanciulle e gagliardetti della Lazio – la squadra amata in famiglia – Iris m'ha mostrato la sua libreria con grande discrezione, perché non possiede ancora molti libri, la maggior parte di quelli che legge vengono dalla biblioteca, ma ci tiene a farmi elenco di tutti quelli che ha letto e schedato, ha creato infatti un quaderno dove appunta cosa legge e se le piace, non me l'ha ancora consegnato, ma ha acceso in me incredibile desiderio di compensazione, perché io non ne possiedo uno e non ho mai pensato di compilarlo, ho già scordato molti dei romanzi letti e sono milioni quelli che mi mancano.

Li immagino come un plotone d'esecuzione: prima o poi tutti i libri non letti mi spareranno.

Da quando Agata è partita per un paio di mesi in Inghilterra a studiare la lingua, vista l'insufficienza ricevuta in inglese a fine anno, si può dire che Iris sia la mia amica quotidiana. Di Carlotta continuo cocciuta a non domandare il destino, se mi chiedono qualcosa su di lei rispondo con enfasi e teatralità dei gesti: Carlotta chi?

I miei orari e quelli di Iris da giugno sono diventati sempre gli stessi: ci si vede verso le dieci, si va al lago fino alle cinque, si torna, si cena – perché sia a casa mia che a casa sua è vietato sparire tutto il giorno – poi dal venerdì alla domenica si esce di nuovo fino alle dieci massimo, dopo quell'ora Antonia chiama la polizia, non per gioco, ma veramente la chiama, e il carabiniere amico suo viene a cercarmi per riportarmi a casa dopo aver chiesto in giro: Dove sta la figlia di Antonia la rossa?

Iris mi porge Batman che ha orecchie carnose e uno spruzzo bianco sul pelo del muso, il suo manto nero riluce e i suoi denti aguzzi mi sembrano pronti a un pasto.

Mica morde, mi avvisa Iris leggendo sul volto le mie fantasie.

Allora io passo le dita sul suo liscio pelame da guardiano della notte e i suoi occhi gialli paiono limoni gettati in un catino.

Dopo un quarto d'ora sentiamo i clacson dei motorini e raccogliamo i nostri zaini dove abbiamo infilato asciugamani, creme solari e libri da leggere: io mi fingo da settimane molto interessata a *L'idiota* di Dostoevskij e lei sfoglia avida *Martin*

Eden di Jack London, fa spesso sospiri e capita mi chieda il significato di alcune parole tra le più complicate. Non le ho ancora confessato del mio dizionario – lo sto continuando a leggere e ho iniziato a sottolinearlo, visto che è l'unico oggetto di carta che mi appartiene e non deve essere restituito, ho cerchiato in rosso alcune parole: pavido, illune, antropomorfismo – ma deve aver inteso che so destreggiarmi con le parole e il loro senso.

Giugno procede anche quel giorno tra i teli da mare stesi su una spiaggia dura e nera, i tuffi salendo l'uno sulle spalle dell'altro e buttandosi di testa, i gelati Algida da leccare seduti a un baretto estivo, le sedie di plastica scura e gli ombrelloni marcati Coca-Cola a fare ombra, le mie scottature a chiazze che mi fanno assomigliare a un vitello, gli occhiali da sole rubati a mio padre che mi vanno larghi sul naso e se starnutisco cadono, i capelli rossi che pure se il collo mi suda non lego mai per evitare di mostrare le mie orecchie da elefante e scimmia, le lentiggini che si sono fatte colleriche, mi puntinano infatti braccia e gambe. Orso a volte prende in prestito una penna al bancone del bar e le unisce cercando disegni sulla mia epidermide: così affiorano pipistrelli, stelle marine, mulini a vento composti da efelidi e nei.

Ma il mio passatempo preferito resta la lotta da fare in acqua. Quando non giochiamo col Super Tele a schiaccia sette e non ci destreggiamo in verticali e capriole, io faccio arrampicare Iris sopra di me e così, una donna sull'altra, sfidiamo tutti i contendenti del circondario, duplicando le nostre forze e movenze, esponendo al quadrato voglia di guerra e vittoria.

Se c'è da fare una gara in cui si trattiene il respiro sott'acqua io la ingaggio sempre, incrocio le gambe, chiudo gli occhi e butto fuori l'aria con forza finché, per la spinta, non mi ritrovo seduta sul fondale, e da lì inizio a contare, mi alleno a non arrendermi mai, muovo le mani per rimanere in basso e non riemergere, sino a che non mi gira la testa.

A Iris non piace quando mi vede affondare, rimane di solito nei paraggi e scruta l'acqua sopra di me, se non vede più bolle comincia ad agitare le dita creando piccoli vortici per avvisarmi che sta per intervenire, poi mi acciuffa dai capelli, come una gatta farebbe coi suoi figli nati da poco, e mi riporta nel mondo.

A pranzo mangiamo hot dog con le sottilette squagliate, panini tonno e pomodoro, o nel caso di Iris pane bianco e maionese, dopo troviamo un angolo all'ombra dove leggere e iniziamo a scambiarci fatti e misfatti dei nostri romanzi. Poterne parlare con lei e guadagnare punti nella nostra conoscenza grazie alle mie letture, dà valore alle ore – perdute per sempre – che passo davanti alle pagine: alcune le sopporto, altre le soffro, altre ancora sarebbe bene venissero strappate per farne carta da forno.

Ho già dichiarato a Iris più volte la mia insofferenza nei confronti del principe Myškin, che coi suoi modi candidi e la sua flemma bianca mi porta all'esasperazione, tanto che se lo avessi davanti lo schiaffeggerei.

Io odio gli innocenti, dico a voce alta e Iris si mette a ridere.

Dafne ci ha confessato che sua madre non le lascia leggere quei libri, perché non sono educativi e noi siamo troppo incerte e incaute per possederli, preferisce far imparare alla figlia i versetti della Bibbia e farle passare giornate intere a pulire le spiagge o i boschi con gli scout. E così io ho capito che esistono nel mondo genitrici peggiori della mia.

Un sabato sera di noia e stanchezza siamo come sempre alla piazza del molo, quando Orso sparisce col Greco su un motorino. Noi ragazze restiamo sedute sul muretto a guardare chi passa, decidere chi salutare e chi no, commentare trascorsi e futuri plausibili di chi abita come noi il paese. Iris è molto brava a fare le imitazioni e a dare i soprannomi, allora in un codice nostro di gesti e distorsioni possiamo confidarci le brutture e intimità altrui.

Si sono fatte quasi le dieci e quei due ancora non tornano, il coprifuoco sta per scattare, e io cammino avanti e indietro a braccia conserte con l'aria d'essere un trucido comandante di legione.

Poi li vediamo entrare in piazza alla guida di un'automobile a gas, puzza e le funziona un faro solo, l'hanno rubata al vicino del Greco e la guidano senza patente coi loro visi imberbi e le cinture slacciate, fanno la curva a gomito e le ruote sfrigolano, poi si fermano davanti a noi. Solo a quel punto Orso apre gli sportelli e alza il volume d'uno stereo antico, sintonizzato per l'occasione su Radio Vaticana, che anche il sabato sera trasmette preghiera, abnegazione.

Così nella piazza a sovrastare gli schiamazzi e le risate, arriva la parola di Cristo.

Orso sale sul cofano in piedi e benedice la folla a braccia larghe, con bontà e saggezza grida ai pochi astanti: Non vi libererete mai di me.

Radio Vaticana invero è compagna fedele per gli abitanti del paese, non perché particolarmente credenti o pii, ma perché i suoi ripetitori si trovano a pochi chilometri dalle nostre case e con le loro onde la radio riesce a farsi sentire appena alziamo il citofono, il telefono fisso o addirittura quando apriamo il frigorifero. Là, grazie alla luce artificiale che illumina le vivande, veniamo inondati dal volere divino e insieme al salame e alla lattuga contempliamo il regno dei cieli.

Io e Iris ci facciamo prendere da risate forti, grasse e, benché di solito assai poco incline al riso, persino io lacrimo e sento la pancia stringersi mentre scopro l'ilarità di quella scena: la bruttezza della macchina ferrosa, l'odore di marcio che esce dalla marmitta, la figura di Orso che pare un santo patrono, la musica house sostituita dal rosario per le famiglie.

Il Greco ci convince a fare un giro e allora noi giriamo: finestrini abbassati, braccia fuori, cantiamo *Almeno tu nell'universo*, sgraniamo insulti, parolacce e bestemmie, mentre Radio Vaticana dà la buonanotte ai fedeli. Dafne intanto s'è fatta rossa in viso, ha il dolore tra le sopracciglia, e la macchina continua ad arrancare e spegnersi perché il Greco non sa guidarla davvero.

Noi ridiamo, ridiamo della nostra onnipotenza.

* * *

Le strade fuori dal paese sono buie, passiamo correndo davanti a una pizzeria, dico a Orso di rallentare, lui prende una curva con accanimento, l'acqua del lago riflette, è lama di coltello, divide a metà le case.

Ho ai piedi scarpe di plastica nera, sono lucide e mi spaccano i piedi, sento il casco coperto dagli adesivi ballare, quelle sono le mie prime scarpe col tacco, hanno un laccetto sulla caviglia, la fibbia mi morde la pelle.

È la mia sera di gala, il debutto in società, sono in ghingheri per la discoteca del paese, ho convinto mia madre che sto partecipando a una innocua festa in pigiama a casa di Marta, lei ci ha messo tempo a cedere perché impensierita da queste nuove amicizie di cui sa così poco e mio padre ha solo saputo affliggerci commentando: Se ci fosse stato Mariano...

Superiamo il circolo velico e ci allunghiamo sul rettilineo, il motore è modificato, fa più chilometri all'ora di quelli che dovrebbe, una volante ci ha fermati contromano il giorno prima, io senza casco, Orso sorridente, il solito carabiniere mi ha riconosciuta, ha detto: Solo per tua madre non vi porto in questura, e io volevo azzannarlo.

Orso non mette la freccia ma svolta tra i villini, alla fine della strada lo vedo, lingua di carbone, odore di alghe limacciose e sabbia densa: il lago.

Prendiamo la strada che lo costeggia, allarghiamo le gambe per l'ondata di afa che ci accoglie, gli stabilimenti estivi sono chiusi, il gabbiotto del giornalaio ha sempre fuori appesi per il collo due giochi gonfiabili di un dinosauro giallo e di una tartaruga a macchie, io li chiamo: gli impiccati.

Orso fa zig zag tra le macchine che aspettano in fila, la strada è a senso unico, i locali del lungolago si stanno riempiendo, il posteggio scarseggia, lui posa le scarpe da ginnastica a terra e sbuffa, rimaniamo incastrati tra una macchina rossa e una fioriera. Vedo già le luci della discoteca che si agitano nel cielo, chi passa a piedi accanto a noi ha parcheggiato ancora prima della svolta dalla strada principale.

Ci siamo persi gli altri, dico a Orso e gli pizzico la pelle che esce dal casco, lui muggisce.

Si sente odore di cavalli dal maneggio sulla via parallela, la sabbia è sempre umida e l'asfalto tiepido, due anni fa la discoteca dove stiamo andando era un baracchino per le granite, ora al centro ha una enorme pagoda giapponese, laccata e lucidissima. Io l'ho sempre vista solo di giorno e ne ho sognato le proprietà ammaliatrici, la capacità di seduzione, dentro non possono che esserci maghi e fate.

Finalmente riusciamo a passare e parcheggiamo sui ciottoli al bordo della strada, c'è la fila per entrare nel locale.

Hanno tutti la camicia, dico a Orso.

Lui si stira addosso la maglietta bianca e si mette in fila, ritroviamo Marta accompagnata da Ramona, mentre Dafne è dovuta rimanere a casa, la madre non ha abboccato all'amo della festa da sagge scolare in vacanza.

La camicia non serve, risponde Orso e si fa largo tra chi conosce, saluta, stringe mani, la sua gentilezza riesce a oliare le loro reticenze, farlo apparire un trentenne in completo gessato.

Noi ci stringiamo a lui, l'ingresso per le ragazze è gratis, fingiamo di avere almeno diciassette anni, siamo giovani prede, abbiamo il cuore sulle tonsille, la tenda che ci separa dal locale è la nostra soglia, al di là possono solo avvenire incredibili trasformazioni, diventeremo amazzoni, guerriere e principesse.

Dentro troviamo Iris quasi subito, ha un bicchiere di plastica in mano di quelli lunghi che danno al privé, una camicetta bianca con un laccetto alla base del collo, dei sandali con pietre finte sulle caviglie e i capelli appena tinti dalla parrucchiera della madre.

Io l'avvicino e vedo che il fiocco della sua camicetta si è allentato, le si nota il reggiseno, mi accosto e glielo riannodo, in un gesto preciso, e lei fa un sorriso smorzato dall'alcol, dice: Grazie.

Mano, fiocco, sorriso. Grazie.

C'è ressa, passiamo strizzandoci per arrivare al bancone, rosso, nero e decorato con dragoni dorati, provo un forte senso di nausea e ordino un mojito che non ho mai bevuto, ma mi fa impensierire chiedere la gazzosa, succhio dalla cannuccia tutto lo zucchero di canna sul fondo, il lime ha un profumo astioso e Iris dice qualcosa che non ascolto, siamo affacciate su uno stagno finto dove sono state buttate tre carpe rosse.

Cerco di non perdere gli altri, seguo le loro schiene con gli occhi, noto Orso salutare il Greco e vari loro amici, vedo Marta e Ramona assomigliare a pali della luce in una stradina di campagna, abbandonate e sinistre, sperdute tra gli schiamazzi di quella che non pare la nostra ribalta.

Poi qualcuno mi tocca la schiena e mi ritrovo Andrea appostato alle spalle, è corvo e civetta, sento la testa pulsare forte, come quando ho la febbre o prendo troppo sole, lui ha il solito viso pulito e piacevole, gli occhi vivaci, una camicia borgogna ben abbottonata, prova a chiedere notizie, con chi sono lì e perché, poi domanda: Qualcuno ha lanciato un sasso sul parabrezza della macchina di mio padre, sai chi è stato?

Ha un profumo speziato, sa di legno e mandorle, lo vedo che vaga con gli occhi sopra di me, come se cercasse altro e non riuscisse a concentrarsi, Iris lo guarda perplessa e dice con acrimonia: Non sono fatti nostri, abbiamo molto da fare, e mi tira per il polso.

Andrea la scambia per un'ombra e la ignora, poi accadono alcune cose molto velocemente, io mi muovo verso Iris, lui continua a sollevare gli occhi e fa una smorfia, come se avesse visto un ratto passare al galoppo, intanto qualcuno dice: Che ti guardi?

Allora mi volto e vedo un ragazzo con le orecchie larghe, capelli a brusca, rasati alle tempie, gli occhi mignon e vicini, una camicia azzurrina dal colletto rigido fuori dai jeans, ha un tatuaggio sul polso, cammina a gambe divaricate, come se cavalcasse una giumenta, o un trattore.

Che ti guardi? ripete, e Andrea risponde senza dialetto che non sta guardando.

Io fisso il volto di quel ragazzo e penso che non ricordo il suo nome, il ragazzo spinge Andrea senza preavviso, lo sguardo del ragazzo è bianco, io e Iris siamo cristalli, ci attraversa la luce di ciò che sta per succedere.

Andrea dice: Lo hai lanciato tu il sasso sul parabrezza?

Il ragazzo risponde di no e si mette a ridere.

Allora cosa ridi? Andrea si avvicina a lui e l'altro lo spintona ancora.

Iris mugugna uno Smettetela, ma non viene ascoltata, la gente ci guarda, si aspetta uno spettacolo con fuochi d'artificio come alla Sagra del pesce, quindi mi avvicino al ragazzo e gli tocco il gomito, dico: Fatela finita.

Lui mi guarda con cura e risponde: Io so chi sei.

In poco tempo siamo già fuori dal locale, Iris è rimasta dentro e ha detto che chiamerà Orso e il Greco, Andrea e il ragazzo si sono dichiarati battaglia e quando si combatte bisogna farlo altrove, darsi appuntamento per sguainare le spade, se avessero un guanto di certo se lo sarebbero già lanciato con furba insolenza.

Non ho potuto fare a meno di seguirli, perché fiuto guaio, curiosità, baruffa, la mia prima notte da debuttante sta già per concludersi, la sceneggiatura è stata debole, le luci stroboscopiche appaiono sullo sfondo e il mojito muove la mia bile fino al disgusto.

I due si minacciano, il dialetto del ragazzo sta diventando incomprensibile, lancia improperi che non riconosco, lui e Andrea si spintonano, in tre spinte Andrea è quasi arrivato alla spiaggia, il ragazzo lo sta costringendo verso l'acqua.

Io grido: Basta.

Andrea mi guarda con occhi d'astronauta, si sente il lago sciabordare sul bagnasciuga, si è alzato un vento calmo, la superficie ondeggia leggera, la patina delle creme solari disciolte durante la giornata non permetterà mai ai pesci di nuotare a riva.

Cristia', sei stato tu, lo accusa ancora.

Il ragazzo che si chiama Cristiano ha le guance rosse e la camicia sbottonata fino a metà petto, l'aria di chi ha bevuto e sente il mondo come tuono entrargli in testa, disturbarlo: Vai a farti una passeggiata, intima ad Andrea che scatta in avanti, allora io mi metto in mezzo.

Non importa a nessuno del tuo parabrezza, idiota, urlo ad Andrea e lo scalcio via.

Cristiano sorride come se quello fosse l'inizio, la finestra aperta su un bel panorama.

* * *

Carlotta guarda il letto, le lenzuola sono quelle dell'infanzia, poi prende la busta che è trasparente e adatta a confezionare il pane, una pagnotta da un chilogrammo almeno.

La sua è una camera componibile, ha un letto a una piazza e mezzo, un armadio a ponte, la scrivania coordinata color rosa saponetta, sul tavolo ci sono i libri di scuola, un rotolo di nastro adesivo e delle forbici, le forbici sono lì nel caso lei dovesse cambiare idea.

Carlotta apre l'armadio e guarda i propri abiti, sono tanti ma deve sceglierne solo uno. Passa le dita sul vestito di velluto verde, inadatto per quella stagione, poi su quello a fiori chiassosi, troppo esuberante per l'occasione, in fondo tasta coi polpastrelli quello della sua comunione, è a balza e bianco, da sposa bambina.

Alla fine decide di rimanere com'è: un paio di leggings neri che le segnano i fianchi, una maglietta larga con sopra la esse di Superman, si leva i calzini, ha lo smalto rosso sulle unghie, le sembra intonarsi al resto, a quello che sta per accadere.

Siede sul letto, osserva i calzini che ha buttato in un angolo, prende in mano il cellulare e rilegge gli ultimi messaggi ricevuti, hanno tutti lo stesso mittente, dicono tutti le medesime parole, non ha il numero salvato in rubrica perché non sa chi sia a scriverle.

Gli occhi sono dilatati, le palpebre gonfie ed è come se vedesse doppio: doppio il tavolo, doppia la mensola, doppio il nastro adesivo, doppia Carlotta. Una delle due è seduta sul letto e l'altra la scruta in piedi accanto alla finestra, la seconda Carlotta la giudica, ne odia i capelli, il seno, il sesso, la pelle.

Ha la testa piena di salti e strappi e nodi e gomitoli. Le pasticche che ha rubato alla madre iniziano a fare effetto, si sente lieve, modesta e impalpabile, vede i contorni delle cose sfuocati, si sporge e con le mani aperte afferra il nastro adesivo, il tempo va all'indietro, si ripiega su se stesso e così la sua memoria che non ricorda l'inizio, il momento esatto in cui è arrivata, ha messo piede nel mondo.

Le viene il dubbio che la busta sia bucata e la controlla, la gira e la rigira, ci soffia dentro a mo' di palloncino e la agita, con ossessione ne segue i contorni con le unghie.

Non trova falle né vie di fuga, allora procede.

È luglio, la radio dice che il Senato della Repubblica ha approvato la legge Bossi-Fini sull'immigrazione, il ritorno dei Savoia in Italia, e Carlotta Sperati è nella sua camera, non ha neanche quindici anni, si mette la busta sulla faccia e la stringe intorno al collo con il nastro adesivo, gira e gira il nastro fino a chiudere ogni fessura, la busta si gonfia e si sgonfia col suo respiro, le forbici sono rimaste sulla scrivania, lei ha gli occhi aperti, quel poco che vede è un soffitto bianco e le pale del ventilatore che mulinano. Pensa che il passato è sbagliato, bisognerebbe farlo a pezzi con forchetta e coltello, come il pollo alla domenica.

O almeno è così che io avrei scritto la sua storia in un tema dal titolo: *D'estate muoio un po'.*

7.
QUESTA CASA È UN DISASTRO

La luce azzurrina faceva sembrare gli occhi di Carlotta incantati, nelle iridi si riflettevano i colori dello schermo. Con la mano sul mouse portò la freccetta su una cartella, il titolo della cartella era AMORE, lei cliccò due volte e la aprì per mostrarcela.

Io sedevo a una spanna, faceva caldo, la finestra era socchiusa e sentimmo il suo cane trascinare qualcosa per il cortile, forse un pezzo di ferro, faceva *tic tic* ogni volta che sbatteva.

I computer per me erano film di fantascienza, io appartenevo al paleolitico della tecnologia, ai tostapane, alle lavatrici, alle radiofrequenze, ciò che per gli altri era norma, nella mia vita era futuro.

Guardai curiosa il desktop come fosse una mappa del tesoro, quando la cartella si aprì apparvero delle fotografie digitali, erano uomini ed erano nudi, ognuno era salvato col proprio nome e la città: Alberto da Bari, Francesco da Pisa, Giuseppe da Montefiascone. Erano tanti, non li contai, ma pensai sulla cinquantina.

Noi in famiglia non avevamo il culto delle immagini, ne conservavamo alcune scattate quando io e Mariano eravamo piccoli, fatte da mio padre con la sua Canon, molte erano venute sfuocate, mosse, in alcune appariva il pollice di mio padre, in altre

Antonia aveva la bocca spalancata, gli occhi chiusi, parecchie erano fatte col flash in piene giornate di sole, le cavità oculari erano riempite di luci rosse o bianchissime, apparivamo spesso alieni o pipistrelli. Tutte erano stipate in un paio di album dalla copertina nera, eredità di mia nonna paterna, che io non avevo mai conosciuto. Dopo l'incidente di mio padre le fotografie erano finite, non avevamo altro da ricordare, forse mio padre aveva regalato la sua Canon a un'altra famiglia che aveva bisogno di costruire la propria memoria e non di tumularla.

Agata disse: E tu che fai? Gli mandi le tue?

Carlotta allora annuì, rispose: Certo.

Aprì così MSN, esibì i suoi contatti, per la maggior parte maschili, le conversazioni che si scrivevano fino a tarda notte, le foto che allegavano, le dichiarazioni di reciproca appartenenza, di simultaneo piacere e orgoglio per i loro corpi esposti e condivisi.

Mentre Carlotta ci elencava le proprietà di ognuno di loro, io ebbi una vertigine, sentii pulsare il mio disgusto sulle tempie, non so se fosse panico, se fosse inquietudine, se fossero pensieri scomposti di disagio, ma dovetti alzarmi e osservare quelle nudità dall'alto, le trovai aggressive, mi si incollarono sulla pelle delle braccia.

Notai di nuovo, dentro alla stanza di Carlotta, accanto al suo computer e vicino alla libreria dove teneva ancora ben allineati i peluche di orsetti e conigli, che tra noi c'era uno scarto: lei correva avanti e si buttava, io arrancavo e rischiavo di cadere a ogni passo.

L'idea che qualcuno potesse conservare una foto di me nuda mi sconvolgeva, il solo pensiero, il dubbio, la vaga ipotesi mi stringeva le tonsille, provocava brividi gelidi dal collo alle gambe. Non era mai accaduto infatti che io mi fossi resa manifesta, spogliata davanti ad altri che non fossero qualche amica o la mia famiglia e mi sembrò impossibile che potesse accadere, che un giorno sarebbe arrivato Sergio da Caltanissetta e io mi sarei offerta a lui, gli avrei detto: Ecco la mia fotografia, ti piace? Ho il seno piccolo ma sono magra il giusto, non si vedono le ossa ma neanche il grasso, sono un petto di pollo di qualità.

Due o tre chat si illuminarono mentre io facevo questi pensieri, e Carlotta ci guidò nei pertugi delle sue conversazioni notturne, mandò baci e bacetti, sorrisi, cuori, moltissimi cuori e buttò lì battutine un po' provocatorie, chiese cosa facevano, dove erano seduti e rise.

Io ebbi invidia per il suo saper stare tra gli altri, per quello che allora mi sembrava un senso di libertà contagiosa e assoluta, ebbi la sensazione che il suo corpo ritratto in pose davanti allo specchio del bagno o seduto sul letto fosse simbolo di virtù e di capacità.

Agata anche aveva l'aria impressionata, puntò il dito su quello o sull'altro ragazzo e chiese informazioni più dettagliate, e poi prese parte alle chat, volle rispondere anche lei e batté sulle lettere al ritmo dei sonnambuli, di chi si alza la notte e segue una voce, esce per strada, si mette in cammino.

Io non sapevo come partecipare, quale esperienza gettare in comune, mi sentii danneggiata, ferita da questa mia impossibilità, dal mio non dichiarato ma evidente e smisurato senso del pudore.

Non riuscivo ancora a figurarmelo, a dare un volto a questa mia riservatezza, non mi chiedevo da dove provenisse, se fosse la risposta alla lontananza spettrale che si era imposta negli anni tra i corpi dei miei genitori, se fosse una condizione transitoria, definitiva, terminale, se mai avrei saputo emanciparmi da me stessa, se avrei introiettato il fantasma del giudizio, dello sguardo altrui, delle opinioni. Sapevo solo che non appartenevo a quella scena, non appartenevo a quel computer, a quelle dichiarazioni di presenza, a quella notte calda, insopportabile.

Mi mandi foto, scrisse uno dei nottambuli, e Carlotta non gli rispose, disse che gliele avrebbe mandate il giorno dopo, lui non le piaceva tanto, aveva pochi capelli in testa e delle brutte mani, aveva quarant'anni.

Io ero ancora in piedi e le mie amiche non avevano staccato gli occhi dal computer, nessuno si era accorto della mia fatica, ero sola ma salva nel vedere ignorate le mie debolezze.

Andai sul letto al centro della stanza e poco dopo Carlotta e Agata mi seguirono, si stesero con me, non ci coprimmo neanche con il lenzuolo, il PC era rimasto acceso, proiettò un cono di luce sui nostri volti e a me sembrò d'essere guardata nei miei pantaloncini del pigiama e i capelli mal tagliati, vedevo l'ombra delle mie orecchie riflessa e la immaginavo viaggiare nell'etere, raggiungere tutti gli altri continenti.

Perché non ci diciamo un segreto? propose Carlotta dalla sua posizione centrale, noi come fedeli ancelle eravamo ai suoi lati, decoravamo il suo letto.

Comincio io, rispose Agata: Odio mio padre, odio i maiali e le mucche e la nostra azienda agricola, non sopporto il mio cognome sul cartello con sotto scritto VENDESI POMODORI DA SUGO, è una cosa orribile.

Carlotta commentò con lei e si scambiarono pareri, mentre io mi domandai se mai, in quelle rare occasioni in cui ero andata a comprarmi un abito in un negozio, qualcuno nei camerini mi avesse fotografata in mutande e se lo avevano fatto ora dove mi tenevano? In quale cartella del loro prezioso PC ero catalogata? Avevo un titolo? Avevo un numero? Avevo un orario in cui venivo aperta sul desktop ed esaminata?

E il tuo qual è? mi domandò Carlotta che aveva appena finito di comunicarci il suo segreto e io non avevo ascoltato.

Restai in silenzio ancora, non era da me prendere parte alle chiacchiere, di solito ero un'ottima ascoltatrice o una legittima comparsa sullo sfondo delle diatribe, ma ora avrei potuto dire qualcosa a loro due, avevo molto da servire su un piatto d'argento: dall'incidente di mio padre, al quartiere da cui provenivo, dalle convinzioni politiche precoci di mio fratello, al modo in cui Antonia si depilava le gambe usando il bidet senza chiudere la porta, ma in effetti non era questo che volevano, non attendevano il bollettino delle struggenti inezie famigliari, ma qualcosa che riguardasse me, un mio sordido anfratto, la mia confessione.

Gli occhi di Carlotta aspettavano da me un salto nel vuoto, un consegnarmi a loro, il suggello per quella amicizia, e io capii che il mio segreto era questo: se sparissero, se adesso io contassi fino a tre e le vedessi dissolversi, probabilmente non mi mancherebbe nulla di loro.

Forse mi sarei disperata per il ritorno alla solitudine che era stata mia compagna fin dall'infanzia, o forse avrei sentito di aver perso un ruolo, che non mi sarei più potuta dichiarare al pubblico una buona amica, chissà cosa avrei fatto i pomeriggi, chissà dove sarei andata e chissà chi sarei stata per gli altri.

Ho paura dei ponti sospesi, non ci camminavo sopra neanche da bambina al parco, risposi invece.

Agata e Carlotta sembrarono soddisfatte in parte, una delle due fece un sorrisetto consolatorio come a dirmi che non era grave, sarei sopravvissuta, in fondo in paese c'era solo un pontile e nessuno aveva mai preteso che io mi buttassi da lì.

Grazie per i vostri segreti, disse Carlotta chiudendo gli occhi, mentre io li tenni sullo schermo e notai un esserino tondo abbarbicato sopra al pc, pareva un occhio scuro, una pupilla gigante, un obiettivo fotografico puntato come un fucile.

Quello cos'è? chiesi ignorando la sua frase.

La webcam, rispose Agata e sorrise per la mia sciocca domanda. Per fare i video a distanza, così vedi l'altro senza doverti muovere da casa.

Io annuii e cercai un lembo di lenzuolo con cui coprirmi.

Il cane intanto non mollava ciò che aveva preso e il suo *tic tic* risuonò caparbio nell'aia e sulla strada di campagna.

* * *

Invitare qualcuno a casa mia vuol dire, senza scampo, esporlo alla conoscenza di chi divide con me un legame di sangue. Non c'è speranza di trovarla vuota, anche la mattina all'alba, anche quando per tutti inizia la scuola, il lavoro, mio padre resta.

Antonia parla di lui come della nostra guardia senza gambe, certo non potrà aggredire i ladri, ma sarà testimone del loro furto, presenza marmorea.

La verità è che non c'è nulla da rubare dentro le nostre mura, se ci sono soldi nei cassetti o sotto i letti io non l'ho mai saputo, ma sono sicura che mia madre li tenga ben nascosti, probabilmente nelle mutande o tra i seni, penso li ingoierebbe piuttosto che farseli portare via.

Chissà un ladro cosa ne penserebbe delle scatole per scarpe che Antonia usa per dividere i calzini dalle magliette nei nostri cassetti, delle confezioni delle uova che dipinge di blu, di argento, di porpora e tiene su una mensola in camera sua, le ha riempite di ninnoli, anellini di bigiotteria, collanine fatte da lei con le conchiglie trovate a Ostia e i fili dei pacchi; dei poggiapentole realizzati grazie ai tappi di sughero, resti del vino rosso e frizzante, che ama tanto mio padre e a me fa venire dolore alle tempie.

Forse il nostro ospite non voluto penserebbe che siamo molto creativi nella nostra quotidianità, che ci sediamo tutti intorno al tavolo della cucina e con pennelli e pennarelli ci dedichiamo a opere bizzarre di bricolage e découpage – la seconda è una delle attività domenicali più amate da Antonia, ritagliare fiori dai tovaglioli e incollarli col vinavil su superfici di legno casuali (comodini, cassettiere, manici di scopa) – ma non è esattamente così, la casa e il suo ornamento, la ragionevole organizzazione e il suo decoro, sono attributi di Antonia sola, sue propaggini.

Il regime di riutilizzo e mancanza di sprechi ci è imposto dalla vita e la vita passa attraverso mia madre. È lei la cuoca del pane raffermo, delle polpette coi piselli rimasti dalla sera prima, della frittata di riso, dello schiacciare con la forchetta tutti gli avanzi in una ciotola, buttarci sopra dell'uovo e cuocerli al forno, senza badare all'accostamento di spezie o sapori, la nostra non è una cucina per palati esigenti, ma per esigenze di sopravvivenza. Antonia ha imparato da sua madre e da sua nonna a non lasciare che una goccia di caffè vada perduta, a friggere le bucce delle patate, delle mele e delle pere, a imbastire zuppe in cui galleggiano dalle verdure alla carne bollita, dalla pasta rimasta sul fondo della scatola alle erbe che lei ha seccato sul balconcino in mazzetti a testa in giù.

Il ladro, invitato come commensale alla nostra tavola, non so come potrebbe reagire davanti alle nostre ossessioni settimanali: la carne al lunedì – un hamburger a testa – gli gnocchi del giovedì – fatti a mano da me e Antonia e spesso troppo grandi e simili a patate intere – o il pesce del venerdì – di solito i bastoncini sottomarca, merluzzo panato e cotto in padella, simbolo di unione famigliare.

Mio padre è uno di quegli esseri umani che nonostante gli anni trascorsi a mangiare sempre le stesse cose, cucinate sempre allo stesso modo e sempre dalla stessa persona, trova qualcosa da commentare, qualche dettaglio che lo indispettisce, come il sale o la cipolla, come il parmigiano o le fette troppo sottili di carne, quasi tentasse di sottrarsi alla nostra reiterazione, ai nostri pasti ostinati.

Quando vado a pranzo dalle mie amiche mi capita spesso di vederle abbandonare alcune pietanze nel piatto, lamentarsi per la cottura della pasta o la durezza del pollo, avere preferenze su ciò che verrà servito a tavola: io non ho questo potere sulla nostra alimentazione, devo anzi dimostrarmi sempre favorevole al menu, evitare che i gemelli si alzino mentre mangiano, difendere il nostro cibo dalle rimostranze di Massimo. Il metodo più collaudato è quello della tosse: tossisco mentre parla.

Fino a che Mariano viveva con noi, colazione, pranzo e cena erano campi di battaglia aperta, ci si incaponiva per le verdure grigliate, ci si irrigidiva sul colore del vino, sull'aceto in eccesso nell'insalata, ora i timidi tentativi di Massimo vengono sedati e messi a dormire presto.

Inoltre un visitatore noterebbe di certo la differenza ingiusta tra la mia camera da letto, abbastanza ampia e abitata da un enorme orso rosa, e lo stanzino dei gemelli, che ormai hanno otto anni. Nessuno per ora ha tentato di propormi uno scambio o il loro ingresso nel mio mondo, ma sento che ogni anno il momento si avvicina, quello in cui loro saranno abbastanza grandi da scavalcarmi, avere opinioni, prendere possesso della mia aria viziata.

Non c'è tra me, Maicol e Roberto alcun rapporto se non quello della consuetudine, la distanza di anni che ci separa per me è apocalittica, loro appartengono a un'era geologica diversa, parlano altra lingua e non ne riconosco i fonemi, mi disinteresso al modo in cui iniziano a non assomigliarsi più, ai gusti paralleli che si fanno intuire, ai capelli più ricci di uno, più spessi dell'altro, a come dicono mamma e ma', a come sanno obbedire in maniera composta.

A differenza di me e Mariano, loro hanno con mia madre una relazione di totale sudditanza e nessuna collera, passano con lei la maggior parte del loro tempo e ne sono felici, incollati al suo fianco quasi ancora sperassero di denudarla e succhiare da lei latte e pensieri.

Quando mia madre leva i pantaloni della tuta a Massimo e siede con lui sul letto e gli massaggia le gambe con una crema, preparata da lei, e gli alza e gli abbassa le cosce e fa perno sulle rotule e tocca le anche e le ossa che sembrano accorciarsi ogni anno di più, i gemelli siedono sul letto e osservano partecipi quel rituale, imparano come andrà eseguito, consci dell'eredità scomoda che ci verrà consegnata: papà non camminerà mai più e se non sarà Antonia, saremo noi a dover inventare un unguento, una pomata che sappia evitarne la decomposizione.

In quei momenti intimi e surreali, io osservo a distanza, come quel famoso ladro farebbe dietro al suo passamontagna, sconosciuto, reietto.

È passato più di un anno da quando Mariano non condivide con me questo miscuglio di emozioni collose, spesse e sudate – senza di lui io sono figlia unica e unica figlia a sentirsi ingombro nella propria casa.

Il giorno in cui Iris mi domanda se può venire a vedere la mia camera, io le rispondo di no, ché la mia stanza è piccola, sporca, non c'è niente di bello da vedere, neanche i libri perché sono tutti presi in prestito e restituiti, ma lei insiste che non le importa cosa c'è, le interessa vedere dove dormo. Io infatti ho visto dove dorme lei.

La nostra reciprocità mi spaventa, i suoi occhi su ciò che a me pare inconfessabile mi turbano, mi fanno starnutire.

Eppure lei alla fine viene sotto al palazzo e sale a casa mia, varca la porta, vede la figura di mio padre sulla sua sedia accanto alla radio spenta e gli dice: Buongiorno e lui risponde Buongiorno, secco e asciutto e lei non se ne accorge, non fa domande, non punta lo sguardo su dettagli colpevoli, sulle nostre stramberie, mi segue in camera e passa il suo tempo seduta a terra con la schiena contro l'orso gigante, dice che ho una bellissima casa, proprio così, le piace molto, è colorata, è viva, lei non sopporta le fisime di sua madre per il parquet e per il soggiorno sempre immacolato, abbiamo case grandi uguali, ma nella mia scorre linfa.

Dove lo hai trovato? mi domanda posando il capo sull'orso.

L'ho vinto, sparando alle giostre, confesso, seduta sul mio letto e cerco con lo sguardo cosa potrei mettere via, cosa abbia l'aria d'essere fuori posto o squillante.

È proprio da te.

Cosa?

Che spari e vinci.

Perché?

Perché sei fatta così, hai il coraggio di fare tutto.

Non so cosa rispondere a quella frase, non mi sono mai pensata capace e volitiva, ho sempre e solo agito per scatti e convulsioni, per sentimenti di rivalsa e per vergogna.

Mi viene in mente un dettaglio, di quando tra le tante definizioni ho letto proprio questa, **coràggio** s. m. [dal provenz. *coratge*, fr. ant. *corage*, che è il lat. **coratĭcum*, der. di *cor* "cuore"].

Ha a che fare col cuore, con quanto cuore metti e quanto lo butti lontano, con il sangue pompato, le arterie, le vene, i battiti, il flusso, il movimento d'animo, la pressione e lo sbalzo di volontà. E io non sono un'appassionata di cuori, disegnarli, mimarli con le dita, colorarli a margine, vederli in cartoleria a febbraio, trovarli stampati su tessuti e pantofole, i cuori, rosa, rossi, li uso solo quando devo fingere.

Non è così, Iris, le dico e la guardo.

Rimaniamo ferme alcuni istanti, in ciò che abbiamo appena definito, nelle nostre parentesi quadre e nelle abbreviazioni, nelle lingue morte da cui deriviamo, i *coratĭcum* e i *cor*.

Cerchiamo un nome per l'orso, lo sai, odio che le cose restino senza nome, risponde lei alla fine.

* * *

La signora Mirella non vive a casa nostra, la affitta, così pensa mia madre da quando ha telefonato alla portinaia dello stabile a corso Trieste.

Quella è la nostra casa in custodia, legalmente noi viviamo lì, anche se mia madre ha sempre temuto che la custodia venisse revocata, è il suo cruccio, la sua possibile crisi isterica, la revoca, il cambiamento, qualcuno che trova la pratica e manda gli assistenti sociali, manda a controllare; eppure chi di dovere sembra essersi di nuovo dimenticato di noi, da anni ci considera ormai presi e sistemati, come bambocci nella confezione regalo.

Antonia prova a spiegarmi e ci vorrebbero dei disegni, un grafico, delle linee rette, un tetto fatto congiungendo i pollici delle mani. Perché per noi deve essere così difficile capire a che luogo apparteniamo? Quale indirizzo va scritto sui documenti, dove sia la nostra residenza. E se non risiediamo, allora perché siamo qui?

Antonia siede accanto al forno, in cui sta scaldando carote e piselli, e fa dei gesti in aria e sul tavolo, come se compattasse dei blocchi di calce o fosse pronta a impastare farina e uova, si protende e stende l'immaginaria sfoglia della nostra dimora.

Con le mani e la voce si mette a raccontarmi come siamo arrivati lì, grazie all'amico di un amico del suo amico Vincenzo, quello che ci ha aiutati col trasloco, lui ha fatto sapere a mia madre che c'era una possibilità di trasferimento e di fuga, attraverso le conoscenze, le firme di un paio di fogli, gli accordi validi per un tot di anni, ha architettato quello scambio di case.

Antonia a corso Trieste non stava bene, noi eravamo infelici, ogni giorno ci toccava in sorte una nuova battaglia per difenderci dai giudizi e dalle pretese di chi aveva più di noi e lei da anni e anni lottava per l'assegnazione ed era stanca, esausta, triturata, voleva una casa tranquilla, in un posto tranquillo.

Vincenzo aveva sentito l'amico dell'amico che conosceva una tale Mirella Boretti vedova Mancini a cui era stata assegnata una casa popolare, di proprietà del comune di Roma ma fuori dalla città, nel paese di Anguillara Sabazia, perché il comune possedeva abitazioni nell'hinterland della Capitale e in queste sistemava in alcuni casi i richiedenti casa.

Alla signora Mirella però non piaceva il lago, non voleva vivere sulle sponde di qualcosa, l'espulsione dalla città gravava addosso a lei e alle figlie, e stava cercando qualcuno disposto a fare uno scambio a tempo determinato, senza mutare la custodia o l'assegnazione, ma solo stipulando un patto, una scrittura privata, lei avrebbe pagato le bollette della casa romana, noi quelle d'Anguillara, lei avrebbe vissuto a corso Trieste e noi in paese, e loro due – Mirella e mia madre – si sarebbero tenute in contatto per stabilire oneri aggiuntivi, grazie a un occhio strizzato qui e un altro là, tra le conoscenze della signora in questione, nessuno avrebbe controllato o dato pensiero.

Allora mia madre, che era sempre stata ligia ai suoi doveri e s'era tenuta in bilico tra legalità e illegalità provando a non muovere mai passi falsi e definitivi, aveva firmato questo pezzo di carta e aveva consegnato corso Trieste a Mirella Boretti vedova Mancini.

Quella s'affitta la casa nostra, mi dice Antonia dopo aver riassunto come meglio ha potuto i passaggi salienti della storia. Se la affitta e ci guadagna, perché è una casa che vale.

Antonia si tortura le dita, le stringe e le fa diventare bianche sulle punte, poi dà uno schiaffo a mano aperta al tavolo, sa di aver sbagliato e sa che mentre a molti gli errori vengono condonati a noi no, se sbagli in basso paghi il doppio, non hai rete di protezione, non hai conoscenze, non hai soldi per pagarti l'assoluzione.

La signora Mirella non risponde per qualche settimana al telefono se mia madre la chiama, o si finge un'altra, dichiara d'essere la sorella, la figlia e poi quando infine parla con Antonia le dice poche cose e vaghe, risponde che lei ci vive a corso Trieste, anzi ci fa vivere le sue figlie, nessun affitto, nessuna burla, ma se ci vivono le figlie, lei allora vive altrove e dove vive? La signora comunica che c'è un malinteso, lei vive lì con le sue figlie, sono insieme, certo, sono insieme.

Nel giro di un mese la signora Mirella torna a farsi vedere nel cortile di corso Trieste, la portinaia rassicura mia madre, era solo un presentimento infondato, forse la signora era fuori per lavoro, o dalla sorella spesso malata, ha molte sorelle, tutte lontane, si dispiace per averci agitati.

Mia madre si fa convincere, e in breve tempo corso Trieste torna a essere un ronzio in sottofondo, il brusio di una preoccupazione da confinare e anche io me ne dimentico.

∗ ∗ ∗

A partire dal primo dicembre addobbo la casa e comincio una guerra ai fianchi per stordire mia madre e convincerla alla resa: quest'anno festeggeremo con criterio, ci saranno i dolci, ci sarà sette e mezzo, ci sarà l'arrosto e soprattutto ci saranno i regali. Mariano e la nonna saranno nostri graditi ospiti e noi siederemo tutti insieme, come santi e congiurati.

Gli alberi ai giardinetti pubblici sono tutti spogli e con l'aiuto di Orso riesco a staccare un ramo secco abbastanza grande per farci da addobbo natalizio, lui si porta da casa una sega a mano e io faccio il palo, controllo che nessuno noti il furto.

I miei pensieri bambini sul cogliere le rose che spuntano dalle siepi degli altri mi tornano alla mente come uno schiaffo, ma poi porgo l'altra guancia alla soddisfazione di compiere un gesto che mia madre definirebbe indecente.

Orso domanda se può aiutarmi a portarlo in casa e io rispondo di no, farò da sola.

Il ramo viene posizionato vicino all'ingresso e addobbato con tutto ciò che di rosso vi è in casa, calzini, nastri, elastici per capelli, stracci, fiocchi, pupazzi e stelle ritagliate da cartoncini bianchi.

Antonia, quando torna la sera, lo fissa e scoppia a ridere, dice che è la cosa più disgraziata che abbia mai visto.

Iris trova in cantina dal nonno alcune lucine di Natale che non usano più, solo a lei ho comunicato il mio piano per riappropriarmi del 25 dicembre, e ora è mia complice nella pianificazione della santa festa.

Le luci che recuperiamo non funzionano tutte e alcune si fulminano appena le proviamo a una presa elettrica, ma sono sufficienti per creare atmosfera, così quando viene a casa mia, le posizioniamo strategicamente intorno al ramo e sul bordo del nostro divano, che è rosa salmone, avendo perduto tra i vari ossessivi lavaggi di mia madre il suo vermiglio colore iniziale.

Con soddisfazione ci rendiamo conto che manca molto poco per raggiungere l'obiettivo: servono i regali. Io metto subito in comune quello che ho ricevuto da Luciano e che si può benissimo riciclare, è infatti un maglione verde bottiglia che mi sta due volte più grande, non ha neanche scelto lui il capo ma se l'è fatto portare dalla madre, preso al loro negozio ai Parioli, ignorando le mie misure di spalle, fianchi e pancia: andrà benissimo per Antonia.

Per gli altri abbiamo più difficoltà, non essendo allenata a regalargli nulla non mi sono mai chiesta cosa piaccia o non piaccia alla mia famiglia, non ho pensato di doverli accontentare, di evitare doppioni nel loro guardaroba, di mettere da parte soldi per stupirli. Alla fine optiamo per dei lavori a maglia, eseguiti dalla nonna di Iris: una sciarpa per Mariano, una sciarpa a testa per i gemelli, e per mio padre, onde evitare la beffa di regalargli qualcosa che di certo non indosserà mai, un gilet arancione dal collo a V.

Iris fa dei pacchetti con la carta del *manifesto* che abbiamo trovato nel cestino in cucina e, dopo aver selezionato le pagine che non s'erano sporcate di lattuga, abbiamo reputato consona allo scopo.

Arriviamo all'ultimo giorno di scuola e organizziamo le nostre vacanze di Natale con l'idea di incontrarci per giocare a carte e a tombola, andare al molo e salire sulle giostre, farci offrire un bicchiere di prosecco per Capodanno, desideriamo con impazienza ristabilire i giochi di sguardi da fine agosto, la complicità, i corpi che si annusano, l'elettricità delle cose sciocche.

Nei mesi precedenti non siamo riusciti a vederci molto spesso in gruppo, la fine dell'estate ci è caduta addosso, e l'inizio della scuola ha spazzato via le giornate al lago e le letture al sole, gli equilibri sono cambiati, ho il presentimento che non staremo mai più tutti insieme per una intera estate.

Per questo, in memoria del passato prossimo, io e Iris ci dedichiamo con struggente cura ai preparativi di quelle vacanze, che hanno il diritto di essere perfette e luminose, passiamo così alcune ore a scegliere i vestiti con cui ci agghinderemo per la fine dell'anno e io non provo repulsione nel vederla in piedi davanti al mio armadio che passa in rassegna le mie poche giacche e i maglioni.

Questa sarebbe perfetta per la notte di Capodanno, sorride e mi mostra una maglietta con sopra stampata la esse rossa di Superman, la sventola e ne liscia le pieghe, era infatti appallottolata sul fondo del mio guardaroba.

Io non rido, gliela levo dalle mani e la ributto dove l'ha trovata.

La maglietta è un regalo di Carlotta, ne aveva comprate tre uguali, una per me, una per sé e una per Agata, divertendosi a chiamarci supereroine e parlando dei nostri poteri: saper volare, incantare con lo sguardo, trasformare il legno in oro.

Questa fa schifo, rispondo netta e chiudo l'anta con eccessiva brutalità.

* * *

Il naso di mio fratello mi è sconosciuto, non è più il punto focale della sua identità, ma un dettaglio comune, la presenza qualsiasi di un neo o di una lentiggine. Lui, nel suo famigerato corpo, mi appare rimpicciolito, come se fossi un'adulta davanti agli oggetti dell'infanzia, ai tavoli, alle sedie, ai palazzi che vedeva giganti e ora hanno l'aspetto di docili falene o scarabei.

Mariano fissa l'anta dell'armadio su cui ho attaccato delle lettere ritagliate dai giornali di papà, ho composto il mio nome in forme e colori diversi, l'ho ripetuto quattro volte. Io, io, io, io. Forse per farmelo andare a genio, per pensarlo come opportuno e non una etichetta che mia madre ha scelto e m'ha dato, sbagliando tutto.

Gli oggetti sono lontani, la vita di Mariano si è ritirata dalle loro superfici, il lenzuolo delle sue giornate è steso altrove, qui è rimasta la sua ombra grigia, il fumo diradato del suo passaggio.

Si siede sul letto su cui una volta dormiva e poi si alza subito, si pulisce i pantaloni come se fosse sporco o qualcosa lo avesse contaminato: la nostra fratellanza è ingombrante e appiccicosa.

Perché non l'hai ancora tolto? mi domanda.

Perché è tuo.

Non vivo più qui ormai.

Io faccio una smorfia che scaccia la sua chiarezza, la sua cristallina voglia di riportarmi alla verità. Per me il letto è lì in attesa, sempre pronto al suo ritorno, a quella sera in cui cambierà idea e avrà di nuovo voglia di dividere con una tenda la nostra stanza in due, essere ancora la mia metà di spazio, affacciarsi alla nostra finestra, buttare sguardi e calzini negli angoli.

Ho saputo della tua amica, mi dice e noto che s'è bucato l'orecchio, ha un cerchietto d'argento che pende sulla sinistra, il suo volto sembra invecchiato di anni e carico di esperienze e vento.

Quale amica? chiedo io e prendo la spazzola dal comodino, mi dedico ai miei capelli con tenace cura, preparandomi al pranzo di Natale quasi fosse la mia comunione.

Quella che s'è ammazzata.

Io non fermo la spazzola ma caparbia la passo e ripasso su un grumo di capelli arruffati, cerco di dipanare i nodi, far scorrere le setole e le dita.

Non eravamo più amiche, cerco di liquidare la conversazione, deve sgorgare altrove, scorrere via nei tubi di scarico.

Il funerale c'è stato e io non sono andata, al suo liceo hanno organizzato un evento in sua memoria e io non sono andata, Agata m'ha invitata ad accompagnarla a casa di Carlotta per parlare coi genitori e io non sono andata, per me la sua morte non esiste, a lei mi sottraggo perché mi è indigesta, detesto il senso di colpa ingiusto che ha lasciato su di me, detesto la teatralità del suo gesto, detesto l'affettazione con cui gli altri ne parlano, detesto le ipocrisie di chi si riscopre solidale con qualcuno che non ha mai, e dico mai, amato solo quando muore, detesto il paese che cerca spiegazioni a tutto, che indaga sulle morti giovani nei loro dettagli più intimi e infimi: il colore del suo smalto, la maglietta che indossava, quanto era grande la busta con cui s'è strozzata.

Il paese da mesi mormora e suggestiona, imbastisce favole e demoni, ripercorre tutte le tappe del fattaccio, avanti e indietro, dalle amiche che le hanno voltato le spalle come me, ai voti presi a scuola in italiano, dagli uomini che le scrivevano messaggi sconci e violenti, alle fotografie di corpi nudi trovate nel suo computer, dalla faccia che aveva da morta, a quante volte si masturbava prima di andare a dormire. La gente vampirizza la morte, ne succhia via l'ultimo decoro, la gente si stipa al funerale per dire d'esserci stata e piange qualcuno che le era indifferente. In dieci, venti, trenta sono venuti da me a chiedere perché, a chiedere ma come mai, a chiedere e tu come ti senti? E io ho risposto benissimo, sto benissimo e non so nulla.

Carlotta ora pende sulla mia testa, è la mia spada sospesa, l'accetta di un boia, me la sogno la notte che vuole dirmi i suoi segreti e poi le va via la voce e diventa un mostro nero, un'arpia, un pozzo profondo. Carlotta ha inghiottito i segreti, quelli finti, quelli veri, quelli inascoltati.

Però la vedevi tanto prima, no? Mi sa che è stato brutto per te... perché non me l'hai raccontato al telefono, me l'hanno dovuto dire.

Non c'era molto da dire, è morta, s'è suicidata e io non c'entro niente.

Lo so che non c'entri niente, quindi?

Andiamo di là, dico lasciando d'improvviso la spazzola. Ho fatto preparare persino l'arrosto ad Antonia, sono settimane che programmo questo Natale, per favore, possiamo non parlare per l'ennesima volta di quella che è morta?

Sento la voce diventare acidula e le mie mani si accaniscono a lisciare ciuffi di capelli già lisci, poi indosso il cerchietto delle grandi occasioni e mi giro a guardare mio fratello.

Mariano è un ottimo lettore, interpreta da sempre i miei sbalzi, le mie occasioni mancate, ma adesso dopo il tempo che ci ha divisi, sono arcano per lui, mi scruta e si tocca il mento, si alza quasi in punta di piedi, nei suoi occhi vedo la voglia di aprirmi dalla gola alle ovaie, guardare dentro che c'è.

Potrei dirglielo io, qualcuno lo ha già intuito: nella mia pancia abitano solo pietre.

Non ti capisco, Mariano vuole chiedermi in tre parole cosa succede, cosa è rimasto di me, cosa ho espulso fuori, perché non mi libero di ingombri e insignificanze, perché non piango o strepito, perché non mi rammarico, se sta scoppiando qualcosa dentro di me e dove.

Io lo supero e apro la porta, sento mia madre tramestare in cucina, la tavola è apparecchiata, le lucine sono accese, il mio ramo di Natale non è dignitoso ma c'è, fa presenza e si impone a ricordare a tutti che quello è un giorno di festa, ognuno di loro deve impegnarsi perché resti tale.

Mia nonna è piccola di statura e molto magra, ma esigente e fattiva, segue mia madre in tutte le preparazioni e ne controlla i movimenti, dalla scelta della teglia all'aggiunta del sale, dall'ordine delle spezie al servizio dei piatti. Mia nonna dice che non si tinge i capelli da qualche anno perché le sembrava uno spreco di soldi, nonostante sia una nonna giovane, a vederci da fuori lo siamo tutti, da mia madre fino ai gemelli passando per mia nonna e Mariano, ma sottopelle ci sentiamo custodi di molte vecchiaie, lunghe vite. Io credo che lei abbia deciso di lasciare i capelli imbiancare da quando Mariano vive con lei, non vuole venir scambiata per sua madre.

Papà! Lo chiamo a voce alta e levo un pupazzo a forma di ratto dalle mani di Maicol, gli intimo di sedersi e così faccio fare a tutti, accendo una candela rossa al centro del tavolo consumando un cerino, e li guardo: siamo così poco abituati a trovarci che il tavolo risulta stretto, le sedie scricchiolano.

Mio padre sembra dover piangere da un momento all'altro, ha proprio la faccia di un uomo che mormora e lacrima, l'apparizione di Mariano lo ha spiazzato e avvinghiato ai suoi terrori: teme il momento in cui lui andrà di nuovo via. Il loro gioco di sguardi da non padre e non figlio è tenero e quasi allarmante, sottende un affetto tra persone che non sanno comunicarselo, che non troveranno mai le parole.

Be', mangiamo, c'è un sacco di roba, ci incita la nonna e fa le porzioni con mia madre dando pasta al forno a tutti e consigliando di non esagerare perché ci sono anche l'arrosto e le patate e poi i dolci e i formaggi, abbiamo fatto le cose in grande, come si deve.

Dura mezz'ora, il nostro Natale, poi come è arrivato, finisce.

* * *

Che vuol dire che non vuoi votare? dice mia madre.

Ha terminato la sua fetta d'arrosto, ne ha chiesta una piccola perché si sente un masso nella pancia, un nervosismo di pietra.

Questo, che non voglio votare, non serve a niente, le risponde Mariano.

Gli argomenti a tavola si allontanano crudelmente dai miei brillanti voti scolastici, dal circolo di canasta della nonna, dai problemi all'impianto elettrico alla scuola dei gemelli, dal fatto che papà voglia buttare tutte le sue vecchie cravatte, anche quella a righe verdi e rosse del matrimonio.

Votare è un privilegio, dichiara Antonia ed è già rigida, vedo la sua mascella ruminare a vuoto.

Maicol dice: Posso lasciare le patate? Sono tante.

Tutto è un privilegio per te, ci racconti questa storia da una vita. Votare adesso è inutile e poi chi dovrei votare? Mariano mastica a bocca aperta e il sugo della carne scende da un lato, dove le labbra hanno ceduto.

Quelli più a sinistra, biascica Antonia e alza la mano adatta, quasi mi dà uno schiaffo sul gomito. Tu sta' più composta, per favore. Non sei sola a tavola.

Io chiudo meglio i gomiti e fisso la scatola del pandoro, penso sia una buona idea alzarmi e scartarlo, riempire la busta di zucchero, divagare, e così faccio, mi alzo, porto il mio piatto nel lavello.

Dove vai? Non abbiamo finito la carne, mia madre lancia uno sguardo a Massimo come a chiedergli di rimettere ordine ma lui è congelato, ha smesso di mangiare da un quarto d'ora buono.

Maicol: Posso lasciarle?

E chi sono quelli più a sinistra? ribatte ancora Mariano.

Be', ci sono, vai al seggio e controlli, cerca Rifondazione. Ti siedi? Antonia fa ping pong con le sue frasi tra me e mio fratello, io comincio ad aprire il pandoro per distrarla. Se magari improvviso un balletto o declamo una poesia poi li inganno, torniamo a sopportarci, accomodarci.

A sinistra non c'è più nessuno, ma'. Governa uno che c'ha le televisioni e i giornali, uno che va a mignotte e pare una caricatura. Mariano ridacchia, amaro, e continua a masticare quell'unico pezzo di carne, ormai sarà insapore, assomiglierà al cartone per i pacchi.

Io faccio *strac* e *strac*, apro la confezione.

Non vedi che stiamo ancora alla carne? Se non voti chi pensi che governerà? Di che ti lamenti se manco voti? Antonia prova a toccarmi il braccio per farmi tornare seduta, e nonna mi fa segno di smetterla.

Maicol: Posso lasciarle, ma'? Posso?

Sono entrato in un gruppo anarchico, gli anarchici non votano, esistono altri modi per fare politica, Mariano ingoia il boccone e ci beve sopra del vino rosso. Se lo versa dalla bottiglia che sta davanti a Massimo, si sporge sul tavolo e infila un lembo della maglietta nel sugo della carne rimasta sul suo piatto, mentre sorseggia se ne accorge e ci passa sopra il tovagliolo.

Io apro la bustina dello zucchero, in casa non amiamo i canditi e neanche il cioccolato, ma apprezziamo molto lo zucchero a velo.

Mia madre butta una forchetta nel piatto, ma tiene il coltello ben saldo nella mano, lo usa come bacchetta, è direttrice d'orchestra, dirige i suoi malumori, la sinfonia della sua rabbia.

Ah bene, dopo le manifestazioni e la polizia a casa di nonna, adesso hai deciso di dar fuoco direttamente alla gente. Non ti sei dimenticato chi ti ha salvato il culo l'ultima volta, spero? Sono stata io.

Antonia fende l'aria con la sua lama e ha la fronte corrugata, pallida, suda dalle tempie. Io non so niente di quello che sta succedendo a Ostia, so solo che a Mariano piacciono gli stabilimenti chiusi l'inverno, le dune di sabbia a Torvaianica, il trampolino del Kursaal che svetta sulla piscina ormai svuotata, le cabine di legno divelte per colpa della pioggia e del vento.

Dici solo stronzate. Non sai niente dell'anarchia, non sai niente manco della sinistra, non sai niente di niente e con la tua santa ignoranza comandi, pensi di avere diritto di parola su tutto, Mariano si accanisce con quel tovagliolo e lo fa ancora e ancora, fiducioso che il sugo marrone andrà via dalla maglietta bianca, all'improvviso, per incantesimo.

Nonna dice che la cosa della polizia non è stata grave, Maicol chiede informazioni sulle patate, io verso lo zucchero dentro la busta del pandoro e inizio ad agitarlo, lo scuoto senza senno, voglio che ogni centimetro della sua superficie sia coperto, in modo omogeneo, in modo assoluto.

Ci manchi solo tu che minimizzi, dice Antonia alla nonna, e poi a mio fratello: Io sono tua madre e commento cosa fai e cosa non fai. Non studi, non lavori, non voti e io non sopporto questa faccia, la faccia di chi pensa di sapere tutto.

Massimo guarda la bottiglia mezza vuota del suo vino e poi me e poi di nuovo il vino, se potesse, ora più che mai, sono certa, scapperebbe via.

Maicol: Ma', le posso lasciare?

Nonna mi fa di nuovo segno di smetterla e sgrana gli occhi, eppure io non mi fermo.

Leggo per conto mio, non mi serve la scuola, e lavoro al bar del centro sociale che frequento, Mariano continua a fingere di essere da solo seduto a quella tavola con mia madre e il mio scuotere la busta del pandoro non lo turba, né lo muove a compassione.

Pum, pum, mi scateno a tempo di una musica immaginaria, guidata dal mio senso del ritmo, vorrei cantare qualcosa, una canzone da chiesa, un canto di Natale qualsiasi.

Quello non è lavoro, è un'occupazione illegale, in un posto che cade a pezzi, credi che non so le cose? Io sto a questo mondo da prima di te e conosco i posti, la gente che ci sta dentro, Antonia guarda la forchetta e le patate, sono diventate secche, dure sulle punte.

Roberto fa spallucce a Maicol come a dirgli che può lasciarle secondo lui, forse è rischioso ma si può fare, anche se la mamma non ha dato il permesso definitivo.

Nonna dice che comunque Mariano legge tanto, questo è vero.

Sai cosa mi fa davvero pena? Che una come te, che s'è fatta i comizi di quartiere, gli scioperi per la casa, le lotte all'ATER, una che lavora in nero, pulisce le case dei ricchi, viene a dire a me cosa è illegale. Non tutto quello che è legale è giusto e tu lo sai.

Mia madre guarda mia nonna come se fosse una intrusa, lo spettro di un nemico sconfitto in guerra.

Intanto io sto passando in rassegna i canti che so, e mi rendo conto che non ne conosco poi molti, non ho un mio repertorio per le festività, né una buona voce da coro, ma corde vocali friabili, poco abituate all'uso.

Tu non sai cosa vuol dire essere fuori dalla legalità, non lo sai perché io t'ho campato, io t'ho salvato, io t'ho portato lontano da quel mondo là, pulendo le case dei ricchi. L'anarchia... finirai a far scoppiare i pacchi alle poste, io quelle cose non le ho mai fatte, mai, e ho lottato e ho ottenuto una casa migliore, un posto migliore, hai capito? Antonia si alza in piedi e col coltello disegna in aria scellerati sgorbi e disprezzo.

Io continuo a sbatacchiare il dolce che ho ormai soffocato con lo zucchero e mi viene in mente la faccia di Carlotta chiusa in una busta, le labbra viola, gli occhi sbarrati.

Roberto leva la forchetta a Maicol come per dirgli che sì può lasciare le patate, nessuno se la prenderà con lui e io li invidio, loro che sono sempre due e indivisibili.

Noi eravamo con te, non so se ricordi, veniamo da quella vita lì, cosa ti aspetti? Che indossiamo i nostri vestitini borghesi, andiamo nelle scuole perbene, ci alziamo all'ora giusta, diventiamo professori? Io lotto dove tu hai lottato, per le stesse cose, e non lo sai accettare, Mariano anche si tira su dalla sedia, la maglietta macchiata, le labbra inumidite dall'olio della carne, il naso a becco.

Massimo fa un gesto come a dire state calmi, e mia nonna si copre la bocca con una mano.

Maicol: Posso lasciarle? Abbiamo finito di mangiare?

Io ho fatto sacrifici per voi, hai capito? Ero una ragazzina con quattro bambini e senza casa, io ho fatto la pazza per voi, mia madre ha la voce alta ma liquida, le parole escono bagnate.

Nessuno te li ha chiesti questi sacrifici, nessuno, Mariano alza il tono di più e ha la faccia deformata dallo sforzo, le vene del collo in rilievo.

Devo sbrigarmi con questo zucchero, devo smetterla di pensare ad altro, devo arrivare fino alla fine, salvare il Natale, salvare tutti noi. Ci metto più impegno, e *pum pum*, il pandoro si sta rompendo, la busta potrebbe aprirsi.

Volevate crescere lì? Quel posto è una prigione, andare via è difficile, così difficile e tu non puoi capire, non sai cosa è stato, dovresti studiare come fa tua sorella, dovresti trovare un lavoro vero, non come il mio, non come quello che faceva tuo padre, un lavoro vero, che ti fanno il contratto, che ti danno la pensione... un lavoro vero...

Antonia comincia a traboccare ma non singhiozza né si asciuga il viso, scendono solo lacrime una sull'altra, creano fughe lunghe sulle sue guance e sopra al labbro.

Massimo posa la nuca sul bordo della sua sedia, mia nonna ha la mano sul volto e non l'ha più tolta.

Maicol: Mamma, che succede?

Da quando siamo andati via da là è finita questa famiglia, è finito tutto, conclude mio fratello e ci tira giù, ci fa affondare.

La busta esplode, va in pezzi, e la nuvola di zucchero a velo scoppia nella cucina, sopra ai bicchieri, sulla carne avanzata, nella verdura, copre le decorazioni, spegne le candele, fa starnutire i bambini.

Il pandoro è a terra, e nessuno ha aperto i regali.

8.
CHE SAPORE HA L'ACQUA DEL LAGO?

Il paese lo conosco a tappe, a incontri, a periodi: le piazzette, le piscine, i cunicoli, i ponticelli sui fiumi stretti, gli slarghi d'asfalto, le case del borgo antico tutte affastellate, la piazza del molo, il lungolago, la chiesa della Collegiata, gli incroci senza semaforo, la biblioteca, il cinema all'aperto, ogni luogo è stato scoperto, appartiene a una mia epoca.

Da quando ho la bicicletta e riesco a usarla su strada sono tanti i pomeriggi in cui attraverso l'Anguillarese e mi infilo tra le stradine della zona residenziale, ripasso pedalando vicino alla casa abbandonata, scendo ai campetti da calcio davanti all'albergo con piscina, svolto a destra verso le strade di campagna e da lì risalgo, costeggio la parete della collina il cui fianco è coperto da alcune case gialle e una lavanderia, spunto al cimitero e lo supero e allora posso decidere di entrare al paese vecchio o fermarmi alla biblioteca, legare la bici, entrare, chiedere alla signora Tiziana se ha qualcosa per me: io non attendo che la biblioteca compri novità al passo con le librerie, ormai mi sono abituata agli scaffali umidi, quelli del seminterrato, lì mi aspettano, al buio, tutti i miei libri.

Nei mesi più rigidi dell'inverno, ci sono giorni di luce in cui indosso due guanti e tre paia di calzini ed esco comunque, faccio tutta l'Anguillarese senza deviare mai e arrivo fino al lago, allora rallento e pedalo guardando le case che si affacciano sulla costa, le ville con l'intonaco coperto d'edera, i ristoranti pieni la domenica, chi viene da Roma a mangiare filetti di luccio fritti, chi si stende al poco sole, le barchette ormeggiate sulla spiaggia, i sassi, le piume, i tubi di scarico, i bagni pubblici e sempre chiusi, le ringhiere dove siedono i bambini, la passeggiata spesso piena di venditori ambulanti che offrono collanine e vasi di terracotta, e poi torno indietro e rifaccio la salita, neanche mi fermo per un caffè, ma passo davanti alla bisca e alla pompa di benzina, tiro dritto trafelata e umida, rischio di ammalarmi.

Solo attraverso le ore di noia, le lungaggini delle giornate sono riuscita a fare questo luogo un po' mio, a non sentirmi più appena arrivata, in ritardo sui miti fondativi, sulle leggende e le geologie.

La gente di paese ti considera rispetto al tuo grado di estraneità.

I più amati e rispettati – oltre ai medici della mutua – sono quelli che nascono nelle famiglie contadine, le tre o quattro famiglie che da generazioni abitano lì e possiedono terre e aziende agricole, maneggi, vendite al dettaglio di carne, olio e verdura.

Poi arrivano quelli che ai paesi vicini a un certo punto hanno preferito Anguillara, e magari sono qui da due generazioni soltanto, non custodiscono le storie più antiche, hanno imparato i nomi dei luoghi a memoria e perché si chiamano così, ma non sono stati loro a nominarli, di solito sono costruttori e hanno investito soldi nel boom del paese che da borgo è diventato, grazie a loro, cittadina, possiedono supermercati e pompe di benzina.

Dopo ci sono quelli venuti da Roma, spesso piccoloborghesi che non amano più il caos della città, dipendenti di aziende ed enti pubblici che nutrono la schiera dei pendolari, mandano i loro figli a scuola ancora a Roma e vivono il borgo come una perenne villeggiatura, non hanno amici del posto, vanno a passeggiare al lago solo di rado, ma si costruiscono le piscine in giardino e fanno feste e barbecue sotto ai porticati o ai bersò.

Al loro fianco ci siamo noi, gli scappati da Roma perché diventata troppo costosa, abbiamo appartamenti lontani dal lago, tre camere e cucina, salotti piccoli ma ben tenuti, una automobile a famiglia – nei migliori dei casi – noi lavoriamo spesso in paese, troviamo occupazioni nei negozi, nelle panetterie, al supermercato o nelle case degli altri, apriamo parrucchieri e cartolerie.

A seguire ci sono gli stranieri ricchi – i tedeschi, gli olandesi, gli inglesi – che hanno comprato le case più antiche, le più in alto sul borgo e le hanno ristrutturate, ci fanno i Bed and Breakfast o ci vivono tutto l'anno, alcuni sono in pensione, altri hanno messo in attività minute botteghe d'artigianato, altri lavorano all'ENEA della Casaccia, sono biologi e biologhe, sono ricercatori, del paese vedono le cose migliori: gli affreschi nelle chiese, l'alba sul lago, i tuffi dai sassi, la neve tra i vicoli; loro iniziano a far parte dei meno apprezzati, degli invasori, la gente di paese ne deride le iniziative culturali, la scuola di musica, il teatro, le letture in piazza.

Gli ultimi, i meno amati, sono gli stranieri che vengono a cercare lavori semplici, o che vendono ciò che fanno lungo i marciapiedi, per quelli ci sono occhiate di sospetto e frasi a bocca dritta. Sono anni che in città e nei paesi vivono famiglie straniere – polacche, rumene e albanesi – famiglie come la mia, di persone che lavorano tanto e tutto il giorno e che qui sono riuscite a prendere in affitto qualche stanza, persone che fanno i muratori, i giardinieri, le domestiche, i camerieri, le cuoche, su di loro si raccontano storie, si narrano calunnie.

Per molto tempo Agata mi ha tenuta al corrente di tutte le malefatte compiute da "quelli", se cascava il tetto di un fienile, se le strade erano sporche, se in campagna si lavorava meno, se si perdeva un cane pastore, se era pericoloso girare di notte, se apparivano bottiglie di birra galleggiare nel lago: era colpa loro. Una delle migliori dicerie era quella che ogni anno parlava di un uomo rumeno morto perché si era allontanato ubriaco su un materassino gonfiabile, e così era affogato, il lago aveva compiuto vendetta.

Quasi un anno durò la paranoia di Agata, quando seppe che alcuni uomini, albanesi a quanto pare, facevano la posta fuori dalle scuole medie e i licei per rubare le ragazzine, infilarle nei pullman e portarle chissà dove a prostituirsi. Ogni volta che uscivamo da scuola, lei allungava il collo e muoveva lo sguardo di qua e di là, controllava tutti i furgoncini parcheggiati e le facce sconosciute, mi chiedeva: E quello chi è?

Quando lo avevo raccontato ad Antonia, chiedendole se poteva essere vero, se correvamo questo rischio, lei mi aveva risposto che era una fesseria e che saremmo cresciute pavide, sempre ad aspettare l'arrivo di qualche fantasma, incapaci di reagire ai pericoli reali, alle reali crisi.

Così forse è stato, sempre tra noi, bambine, abbiamo alimentato paure, ingigantite dai casi nazionali, dai rapimenti e gli accorati appelli dei genitori, dalle ragazzine trovate morte nelle aree industriali, dalle cosce magre e pallide di giovani donne lungo le strade di campagna costrette ad adescare i passanti, dalle roulotte intraviste ai margini della città, ricettacolo nel nostro immaginario di pestilenze e crimini.

Io mi adeguo alle paure altrui, se servono, ho visto e vedo le mie compagne consumarsi per inezie, rabbrividire alla prima risata o al primo commento detti in un italiano scorretto, agli sguardi per strada, allora come loro evito di ricambiare, come loro decido chi è forestiero e chi no, chi merita attenzioni e chi no.

Dopo anni nel paese ora sanno chi siamo, esistiamo in questo luogo e veniamo salutati per strada, abbiamo ripulito faccia e corpo, rimangono poche tracce a macchiarci, qualche scazzottata di Mariano, Carlotta che s'è strozzata, l'orso vinto sparando, per il resto di noi non si chiacchiera.

Da questa nuova posizione, da questo minuscolo gradino, io mi sento sollevata, dall'alto sono felice di stabilire distanze e monitorare che vengano riconosciute le differenze.

Va bene che affondino gli altri, che vengano attribuite colpe inventive e immaginarie, l'importante è che io resti e galleggi, che io affiori in superficie.

* * *

C'è un solo bar che rimane aperto la sera anche d'inverno, sta su un lato della piazza del molo, da un paio d'anni ha cambiato gestione e la famiglia d'acquirenti lo ha ristrutturato togliendo i vecchi tavolini di plastica per una mobilia moderna e squadrata, ha aggiunto dei monitor nella sala da tè, ridipinto il legno degli infissi, investito nelle macchine per fare il gelato. All'inizio, sebbene originari del paese, sono stati osservati a distanza, nella loro missione di ammodernamento del locale, ora, dopo lunghe giornate deserte, il bar è sempre pieno, soprattutto nei fine settimana, hanno vinto un po' per tigna e un po' per necessità.

È un sabato sera e pur seduta dentro al bar non mi sono ancora tolta il giubbotto, ho le mani ghiacciate per colpa del viaggio in motorino e ho messo solo il mascara dimenticando di abbondare con l'ombretto nero, ora mi sento nuda e degna di scherno.

Iris non è potuta uscire per una discussione con la madre e ci siamo io, Dafne, Ramona, Orso, il Greco. Loro bevono birra in bottiglia, io una gazzosa, quando entrano alcuni ragazzi che Orso conosce cominciano a parlare della partita di calcio della Sabazia che s'è svolta domenica. Le squadre del paese sono infatti due, la prima è per quelli che sanno giocare e partecipano al campionato d'Eccellenza, l'altra, quella in cui gioca pure Orso, è la squadra dei disperati, gli attaccabrighe, i piedi storti, gli scarti. Domenica hanno giocato e hanno perso, alla fine negli spogliatoi il capitano ha punito il portiere chiudendogli la mano nell'armadietto, qualcuno lo teneva e l'altro apriva e chiudeva, apriva e chiudeva, per rompergli le dita.

La conversazione mi annoia presto, come tutte le disgrazie altrui, ho già le mie che m'abitano e si dimenano, allora mi alzo, dico che vado a fare un giro e rifiuto la compagnia di Ramona e Dafne.

Infilo le mani in tasca e tiro su il cappuccio del giubbotto, la fredda umidità che sale dal lago mi attraversa, alzo gli occhi e vedo le luci illuminare la Collegiata sopra al borgo. Non salgo spesso fin lassù perché non ci si può arrivare in bicicletta, le salite sono ripide, i sampietrini scivolosi e spesso irregolari, ci vuole poco per ruzzolare a terra.

Entro nel paese vecchio e salgo la lunga scala di pietra che dalla piazza del lavatoio arriva fino in cima davanti al palazzo del comune e alla vecchia sede della biblioteca pubblica. Il palazzo è spento e si sente scrosciare lenta l'acqua della fontana con le due anguille, io ho il fiatone e in giro non c'è nessuno, i bar sono chiusi e anche il tabaccaio, allora mi incammino di nuovo e seguo le luci che inondano la facciata della chiesa.

Mentre salgo penso che quello è il percorso che fanno le spose, tutte le ragazze che si maritano vogliono che il rito venga celebrato in cima al paese, nella chiesa antica, ma per farlo devono camminare con tacchi a spillo su stradine e vicoli, tante sono le storie di spose cadute, di caviglie lussate, di vecchie parenti che sotto al sole a picco hanno avuto un malore a mezza via.

Quando vedo un gatto albino spuntare da una stradina laterale, lo fisso e noto il poco pelo che ha sulle orecchie rosee e morsicate, gli occhi rossi in cui si riflettono i lampioncini, il manto bianchissimo, da spettro; e così lo seguo, mi infilo con lui deviando dalla salita, scendo di nuovo tra le case, molte finestre sono già spente, i panni stesi sono stati ritirati perché il cielo ha rumoreggiato nel pomeriggio, il gatto corre e si ferma, corre e si ferma, sembra guardarmi nel buio.

Con pazienza continuo a spostarmi insieme a lui e mi affretto per non perderlo, passo davanti a una scala coperta dai rampicanti, il quadro di una madonna incastonato nel muro di un palazzo, evito di calpestare i vasi accanto ai portoni, inciampare nelle sedie che alcuni anziani usano per sedere fuori dall'uscio di casa, mi muovo in quella esplorazione, nel ventre del paese, la sua pancia nera e antiquata, le voci e i sussurri che si rincorrono dietro le finestre chiuse, l'odore delle cantine che esce dai buchi nei muri.

Il gatto fa salti e balzi, si muove silente sullo sfondo di quella cartolina e mi guida tra i viottoli più stretti, i pertugi che attraversano come vene il borgo, i miei passi rimbombano e fanno eco.

Orso m'ha detto che i suoi nonni hanno una casa nel paese vecchio e ormai non escono più da lì, fanno troppa fatica a scendere e salire dalle scale, è una lotta invitarli per le feste, raggiungerli la domenica, si sono abituati all'isolamento e alle scomodità, ma dal balcone della loro camera da letto, piccolo, cadente e senza fiori, vedi tutto il lago e la luna dipinta.

Dove corri? Una voce mi chiama e allora mi fermo, c'è un ragazzo appoggiato fuori da un pub. Lo chiamano il grottino, perché è una grotta riverniciata di bianco dove servono birre scure e hot dog, noi non ci andiamo mai, a me mette addosso un senso di oppressione e precarietà, le pareti sembrano chiudersi, l'aria diventa irrespirabile.

Mi guardo intorno: il gatto è sparito.

Tornavo al molo, rispondo riconoscendo chi mi ha parlato, mi avvicino.

Perché vai in giro da sola? domanda Cristiano osservando prima me e poi il fondo della bottiglia che tiene in mano.

Non si può? Mi appoggio a un muro e osservo la sua ombra proiettata dal lampione, poi lui per intero, il suo corpo a stecco, le braccia lunghe e le orecchie pronunciate, non c'è nulla in lui che vada male, non c'è nulla che vada bene, che sia sopportabile.

C'è un matto al borgo che getta sempre qualcosa dal balcone, pure il ferro da stiro, se sente rumore sotto la sua finestra, Cristiano sorride e posa a terra la bottiglietta ormai vuota.

Inizia così a raccontare della volta in cui lui e i suoi fratelli maggiori, insieme ad altri amici, hanno rubato al comune la chiave con cui si può chiudere l'antico portone della cittadina, quello che serve a entrare con le macchine fino a un certo punto del borgo vecchio, loro per la prima volta in secoli interi lo hanno sprangato e si sono nascosti a guardare le facce di chi arrivava fin lì e poi non sapeva come passare; oppure della neve al paese, dei tetti piani su cui si può salire agilmente passando da una casa all'altra, e dei cartelli stradali che hanno staccato e usato come slittini giù dalla discesa che porta al molo; mi dice che alla fine della passeggiata del lungolago, dove la strada è bloccata da una alta rete e un cartello di pericolo, viveva una volta un pittore e ogni famiglia vuole per il matrimonio un suo dipinto, sono quadri che valgono tre buoni stipendi; in cima invece, nella casa con la terrazza più grande, abitava una scrittrice, viveva insieme a un'altra donna, tutti sapevano che erano lesbiche e quando passavano facevano quasi un inchino; un ragazzo di cinque anni più grande di noi si aggira invece sempre in piazza, entra ed esce dai bar, parla bofonchiando e vive di grandi ossessioni – la paura dei fulmini, l'amore per le grappe artigianali, il pane secco alle anatre – una volta era soprannominato il Toro perché era pieno di muscoli e irrefrenabile, poi era stato in vacanza con degli amici, aveva preso delle pasticche ed era tornato a casa così, imbolsito e lento, fuori dal mondo.

L'amico tuo, invece, dice cazzate.

Chi?

Il Greco, lo sanno tutti che il padre è rumeno, ha un negozio di ferramenta a Manziana.

E quindi?

Quindi dice cazzate.

Insacco il collo, non mi interessa, non lo considero mio amico, è solo un ragazzo che adora Iris e con cui esco a volte, non gli ho mai chiesto nulla della sua famiglia o di cosa pensi del mondo, non l'ho interrogato sulle sue paure, su cosa lo faccia ridere, sul perché menta.

Io vorrei dire che tutti mentiamo sulla nostra famiglia, è quello il covo delle nostre più ardite bugie, dove nascondiamo la nostra identità, ci inventiamo favole, proteggiamo ingiustizie, facciamo incetta di luoghi comuni e ci barrichiamo dietro alle grida, le urla, i misteri; ma non è questo che dico, lo guardo e ribatto: Raccontami un'altra storia.

Lui annuisce e ci incamminiamo verso il pontile, gli chiedo se si è mai tuffato da lì e lui risponde di sì poi dice: Ci hai mai pensato all'acqua? Dicono acqua dolce, ma è una bugia. Questa acqua ha il sapore della benzina, quando avvicini l'accendino prende fuoco.

L'inverno fa sembrare Cristiano più pallido e più alto, i capelli sono cresciuti e sono dritti e aguzzi, tenuti su dal gel, ha un profumo forte addosso, dolciastro, crudo, sembra una spremuta d'agrumi, qualcosa che va a sbattere contro l'aria gelida della stagione; ha sempre quella camminata ciondolante, infila solo la punta delle dita nelle tasche dei jeans, il suo collo lungo spunta nudo dal giubbotto, nessuno di noi ama portare sciarpe, guanti e cappelli, mostriamo la pelle dei nostri fianchi anche a febbraio e le caviglie scoperte sotto ai diluvi.

Lì in quel punto c'è un presepe, sono cinque statuine alte all'incirca così, le hanno messe anni fa.

Siamo ormai alla fine del pontile, e io riconosco quel punto nell'acqua oltre i piloni dell'attracco, da cui mi sono lanciata: una zona di alghe e oscurità.

Gli dico che conosco questa storia e che mi sono tuffata e ho nuotato lì vicino, non ho visto niente anche se era giorno pieno e lui ribatte che invece c'è, non ho guardato bene, le statue sono sempre lì, vegliano tutti i giorni dell'anno sul paese: sono viscide, corrose dall'acqua, ingiallite, né le correnti, né i pesci le smuovono.

Quando ci stacchiamo dalla balaustra vedo Orso venire verso di noi.

Sto rientrando, ti porto a casa, mi dice senza salutare Cristiano, che credo conosca di vista.

La riporto io, propone Cristiano alle mie spalle e io annuisco, dico a Orso che vado con lui.

Orso tentenna e mi appare uguale a quando ha percorso quello stesso molo per accarezzare il Greco sulla schiena e riportarlo al di là della ringhiera, la faccia di chi protegge e sa quando intervenire, fiuta i problemi, le frustrazioni, i cambi di rotta.

Cristiano mi porta a casa dopo un po', corre sul motorino quasi fosse in lotta col mondo, non bada alle precedenze, ai sensi di marcia, agli stop e agli incroci, la strada è ghiacciata e le ruote sfrigolano, lui regge il manubrio misurandosi con gli equilibri e le atmosfere, mi dice che spesso spegne i fari e va semplicemente così, a orecchio nella notte, dichiara che la prossima volta lo faremo, spegneremo i fari sulla strada che porta a Trevignano o a Bracciano, lui sa a memoria tutte le curve, non gli serve che vengano illuminate, io dico: Va bene.

Sotto al mio palazzo sento l'aria calda salire dal motorino ancora acceso, ha le luci blu e la vernice lucida color scarabeo, Cristiano mi chiede quale sia casa mia e io punto il dito sul balcone.

Lo hai buttato tu quel sasso, sul parabrezza del padre di Coletta? mi domanda guardandomi, affonda le dita nelle tasche e tocca le chiavi di casa facendole tintinnare.

No, è stata Carlotta Sperati, rispondo io osservando le sue nocche strette sul freno.

Come fai a saperlo?

Tutti lo sanno, l'hanno vista, prima ha lanciato il sasso, poi è tornata a casa e s'è ammazzata.

Quando va via salgo in casa, mia madre è sveglia e tiene la radio bassa, sta sferruzzando, da poco ha deciso di imparare anche a fare l'uncinetto e produrre centrini pieni di falle e cappellini flosci, privi di vita.

Non le dico nulla, faccio solo un cenno e segnalo la mia presenza, vado al telefono di casa, alzo la cornetta, prendo il quaderno dove ho scritto tutti i numeri utili e premo i tasti, lascio squillare due volte, poi riaggancio.

È il segnale per Iris: vuol dire che sono viva e sto andando a dormire.

* * *

Iris chiama Luciano *Bellodemamma*, tutto attaccato, perché dice che è un figlioccio, abituato a troppe comodità, cicciobello, bambolotto, faccia d'angelo. Ride quando le dico che a me fa innervosire le volte in cui ripete sempre le stesse frasi, gli intercalari che usa – non hai capito, ci metto X, lo sbrago – quando chiama tutti zio e zia, quando se gli si sgualcisce la camicia urla al disordine del creato.

Una storia prevede una trama, dei personaggi, qualcosa da raccontare, eppure io non ho molto da dire su me e Luciano se non che il mio fastidio è proporzionale alla sua insignificanza, ai regali come quello dello scorso Natale, scelti alla rinfusa, di nessun valore, alle ore che perde a discutere dei giocatori della Roma, alla sciarpa che piega sempre e mette nello zaino, come fosse reliquia, ai denti davanti che sono bianchissimi ma opachi, paiono scartavetrati e pieni di tagli.

Ci sono periodi, anche mesi, in cui neanche ci parliamo, le telefonate a casa si diradano, gli incontri a scuola vengono centellinati, ci nascondiamo l'uno all'altra con volontà, non emettiamo mai però la sentenza finale, la chiusura pubblica di quello scambio tra diversi e non affini: come acaro lui mi resta addosso la notte senza che io lo veda. Poi ricominciamo le nostre conversazioni su una ampia gamma di futilità, i voti a scuola e i desideri inesauditi, i ciao ciao e le finte gelosie, su quelle lui è campione di beffa. Trova motivi inventati per arrabbiarsi e insiste, insiste su persone a cui neanche ho rivolto parola, le anima di fatti mai capitati e occhiate che non ho ricevuto, si finge testardo e costernato.

Io appaio e scompaio, alle sue richieste di attenzione spesso mi sottraggo, non ingaggio discussioni su possibili tradimenti o menzogne, provo un netto disinteresse per la coppia che lui vorrebbe allestire.

Inizio a pensare che sia così che si sta insieme: come ombre.

Fare l'amore è una espressione ridicola, è teatro, è inganno, quello che spartiamo io e lui come esseri umani nudi e senzienti è sempre mediocre, già dalle prime volte io non sono riuscita a convertire la vicinanza in sensazioni umide, sono rimasta sotto le sue spinte, il corpo in silenzio e la testa altrove. La lampada accesa sul comodino che proietta la luce sulle nostre facce, l'aria che entra da una finestra rimasta socchiusa, i piedi che sono troppo freddi e pungono, l'alito che sa di liquirizia già digerita, i rumori del giardino, il cane del vicino che ulula e morde la siepe: mi distrae la vita che crepita, la vita che non siamo noi.

Non subisco, ma neanche agisco volentieri, mi sento asettica, demotivata, seppur cosciente e vigile, non capisco come quel rituale possa essere stato tramandato per secoli, considerato essenziale.

Di solito è sempre Luciano a chiedere di iniziare e io affronto l'inizio come un bagno nella vasca, mi spoglio, poso i vestiti con cura, controllo l'acqua, spargo il sapone e mi infilo, sprofondo, immergo le orecchie sott'acqua.

Non ho mai chiesto a Iris cosa ne pensi, non ho fatto raffronti tra la mia intimità e quella delle mie amiche, dando per scontato che fosse giusto così, che ogni nostro fallimento restasse privato; non ho neanche mai domandato a Luciano quali altre esperienze abbia avuto, non ho chiesto voti o classifiche, rigidamente lo incontro e rigidamente lo abbandono.

Bellodemamma fa vari tentativi per apparire succulento, animare il mio desiderio, dimostrarsi amante esperto e coltivatore di sensualità; io cerco di assecondarlo quanto basta e poi torno ai miei pensieri, alle ante dell'armadio dietro cui potrebbero nascondersi scheletri, al bottone dei jeans che sbatacchia in lavatrice, alla televisione tenuta a tutto volume al piano di sopra:

sua madre sta vedendo un film dove si spara, un film dove alla fine rimane in vita solo un licantropo.

Un pomeriggio di primavera Luciano mi accompagna alla stazione dopo scuola, cammina lungo la banchina sempre più giù fino alla fine, dove le locomotive non arrivano quando fanno la fermata, sceglie quel luogo per attaccare briga e lamentela.

Tira fuori dallo zaino un foglietto, una lettera di una ragazza più grande di noi che fa l'ultimo anno e che vorrebbe tanto conoscerlo, con grafia sottile ha espresso il suo interesse di smalti e rubini, io afferro il foglio e lo leggo, poi glielo ridò con sempre la stessa espressione facciale, sto pensando che il treno a breve passerà e io rischio di perderlo.

Lui è infelice della mia mancata risposta e allora mi dà di nuovo la lettera, mi dice di leggerla ancora, io la riapro e la richiudo e dico che ho letto e ho capito, quindi?

Allora inizia una filippica sul mio mancato amore, la lunga discettazione sulla cattiva condotta che sto tenendo, perché dovrei invece arrabbiarmi, urlare contro quella minaccia al nostro profondo legame, alla nostra vita insieme, dovrei saltare in piedi e grondare di lacrime e sudore, se non lo faccio vuol dire che ho sentimenti per un altro e quest'altro chi è, dove vive, sta in paese, abita vicino a te, è uno degli amici con cui esci, quello col nome da animale, anzi no, quello che viene dalla Turchia, o era la Grecia, non ricordo, quello che ti porta in motorino, uno di quei contadini che vanno a cavallo la domenica, un porcaro.

Il treno annuncia la sua presenza con un fischio meccanico e io lo vedo arrivare, il muso verde smeraldo, le strisce bianche e la scritta FS, i fanali rotondi e il conducente col suo berretto e la divisa scura.

Devo andare, dico a Luciano ignorando la foga con cui mi tiene un braccio e si affanna.

Lui stringe ma senza crudeltà, dice che prenderò quello dopo, dobbiamo parlare e lui deve sapere. Il treno intanto frena e sibila e io mi slancio provando a levarmelo di torno, eppure Bellodemamma resta appeso come fossi un gancio da prosciutto e dice per favore, ripete per favore.

Agata urla il mio nome, mi fa segno di sbrigarmi e salire, vedo la sua coda bionda oscillare sulla banchina, Luciano non molla e ripete per favore, per favore, allora mi fermo e lo guardo, ho le guance calde, la fronte spettinata, le gambe tremano per il nerveo.

Cosa devi dirmi, ti vuoi sbrigare? gli grido in faccia.

Lui ripete che gli servono cinque minuti e dobbiamo capirci, è passato molto tempo e lui non ce la fa, non è in grado di interpretarmi, comprendermi, ho insistito tanto per vederlo, ho detto che eravamo anime gemelle – tutti lo dicono, a nessuno importa – e ho anche chiesto attenzioni e mi sono lamentata di non riceverne, ho sostato a casa sua pomeriggi interi, ho dormito con lui e mi sono spogliata eppure eccomi qui: non do peso a questo amarsi, né consistenza, né colore.

Sento il segnale che fa la locomotiva quando le porte automatiche stanno per chiudersi e stringo i pugni, sul tabellone il pallino accanto all'orario sta lampeggiando e così anche io, mi accendo e mi spengo, mi accendo e mi spengo dalla rabbia.

Il treno parte e ci passa a fianco, alza i miei capelli, gonfia la sua camicia e io penso alle mie amiche che mi guardano dai finestrini, sedute dove di solito mi siedo io che preferisco osservare fuori dal treno piuttosto che posare gli occhi sulla gente. Dal vagone ho visto case di lamiera nascoste tra i tubi della fogna, campetti di calcio di una scuola privata, cantieri edili tra le colline, ho contato le gocce di pioggia. Se fisso le mie pupille riflesse mentre il treno è in corsa queste ballano, vanno a destra e a sinistra, sinistra e destra, destra e sinistra.

Luciano non ha assolto a nessuno dei suoi compiti, è stato pallido, silente, morente, non mi ha dato lustro se non di rado, non ha innalzato il mio status, non m'ha coinvolta nella sua ricchezza, sono rimasta dove ero per tutto questo tempo, né un millimetro avanti né uno indietro e ha anche il coraggio di lamentarsi di me, che senza urti o strappi gli sono rimasta accanto, nonostante lui fosse così ordinario.

Tutta questa scena, a guardarla da fuori, gronda banalità, come il suicidio, il sasso sul vetro dell'automobile, le liti in discoteca, le lezioni di latino, storia, geografia, educazione fisica, tutto è identico, tutto andrebbe buttato via, siamo animali futili, valiamo meno dei virus, non siamo niente di fronte ai cetacei, alle ostriche, ai pachidermi.

Mi dici a cosa servi? gli domando quando lo vedo vacillare e perdere forma, sciogliersi.

Lui si arrabbia e dichiara che quella che non serve a niente sono io: vivo nel mio mondo-fortezza, nel mio gomitolo di lana, dove non sento parole, non vedo altri al di fuori di me. E lui invece piace alle persone, eccome se piace, infatti io credo di essere l'unica ma non lo sono, lui vede molte ragazze e sono quasi tutte più belle di me – quasi – e sono quelle che vanno in vacanza a Porto Cervo e indossano prendisole sulle barche ormeggiate.

A me va benissimo, dichiaro con disprezzo.

Sento salire dalle cosce la vergogna per le nostre nudità che già si ritraggono da noi, svaniscono, per le mie distrazioni e dappocaggini, per aver creduto di poterci ricavare qualcosa, quando è evidente che il mondo non ha niente per me.

È così sottile la distanza tra me e Carlotta, per la prima volta, nell'elenco delle altre ragazze di Luciano, dei corpi più abbronzati di me, dei sederi più sodi del mio, dei bikini indossati con più arrendevolezza, trovo un luogo che appartiene a entrambe, un anfratto debole e freddo, la grotta dei nostri cristalli, la voglia di essere apprezzate, di non deludere, di apparire.

Non sopporto questo accostamento, la vicinanza a una persona che è morta e non dovrebbe più esistere, né nei pensieri, né nei ricordi, né nelle cattive abitudini, né nei sogni. Vorrei gridare che lei è morta e non aveva niente in comune con me.

La mia mano prende vita da sé, la allungo e afferro i capelli di Luciano, tiro con forza un ciuffo di quella acconciatura perfetta, l'oggetto di infinite sue attenzioni.

Non mi frega niente di te. Hai capito? Nessuno mi tradisce, tanto meno tu, glielo grido nell'orecchio sinistro.

Lui s'è piegato su un fianco, non ha previsto il mio gesto e per qualche secondo lo subisce, incapace di comprendere perché stia accadendo, perché voglia ferirlo, grida che sono pazza, gli faccio male e mi spinge via, confessa che era una bugia, voleva vedermi reagire e preoccuparmi, ma non così, mi comporto come un animale, sono da tenere in gabbia, mettere alla catena.

Io guardo la mia mano aperta, i suoi capelli cadono dalle mie dita e il vento li spazza via insieme al mio primo amore.

* * *

La nostra, in verità, è la terra dei due laghi. Antichi crateri vulcanici che tra di loro si comportano come fratelli senza più legami d'affetto, non hanno immissari in comune né falde, né rivoli. Ognuno è responsabile della propria acqua e di quella soltanto.

Il secondo lago è piccolo, puoi andare da una riva all'altra con il pedalò e negli anni è diventato parco naturale, lo si può raggiungere infatti solo a piedi dopo aver attraversato la campagna. Le automobili vengono lasciate in alto tra i covoni di fieno e la legna accatastata e poi una discesa sterrata conduce fino alle sponde, a scendere c'è il rischio di scivolare, a salire quello di far saltare il cuore dal petto.

Il lago minore si chiama Martignano ed è il ritrovo dei giovani di paese per Pasquetta, la Liberazione e la Festa dei lavoratori. Si va in gruppi con gli zaini sulle spalle, alcuni portano intere casse di birra, altri solo teli colorati, altri qualcosa da mangiare, panini, acqua, sigarette, fumo, i più arditi si fermano fino alla notte, scendono con le tende e si accampano nei punti più isolati.

La sabbia si mischia con l'erba e con i sassi, nera e argillosa, l'acqua diventa profonda molto presto e al centro del lago le correnti sono forti, i mulinelli possono trascinarti verso il fondo.

Sulla riva il mio punto preferito è quello del salice piangente, lì sotto la luce filtra solo tra un refolo d'aria e l'altro e se chiudo gli occhi, al di là del vociare delle persone, riesco ad ascoltare le mucche al pascolo, quello scampanare tipico di quando si mettono in movimento.

È là che Cristiano dice di avermi vista e aver capito chi ero, il primo maggio dell'anno precedente, lo stesso giorno in cui avevo conosciuto Iris.

Eravamo stesi al sole, noi futuri amici, e indossavamo occhiali di plastica senza protezione dai raggi UV; era la prima volta che i nostri corpi venivano mostrati nel loro pallore invernale, nelle occhiaie viola e nelle vene blu a decorare il dorso dei piedi.

Le chiacchiere erano state imbarazzate e tronche, non ci conoscevamo e chiedevamo a turno qualcosa all'altro, ci eravamo così raccontati per dettagli insignificanti e confrontati su temi comuni: la scuola, il paese, le vacanze di Pasqua appena trascorse, i progetti per l'estate.

Accanto a noi si era materializzato un gruppo piuttosto nutrito di poche femmine e molti maschi, alcuni della nostra età, altri più grandi, tutti del paese, dopo un paio di ore erano ubriachi e avevano finito le casse di birra, giocavano a calcio sulla spiaggia lanciando il pallone addosso alle persone, ridevano e poi bestemmiavano, si buttavano a terra e rotolavano verso l'acqua, facevano versi e parlavano in dialetto stretto tra loro e contro di noi.

I loro sentimenti presto cambiarono, da goliardici si fecero aggressivi, si urlavano addosso insulti e si tiravano le lattine vuote, alcuni vomitavano sui tronchi degli alberi, e le famiglie con bambini s'alzarono una dopo l'altra per spostarsi o tornare a casa. Due di loro, amici per la pelle e compagni di scuola, erano entrati in conflitto, nessuno seppe mai perché, ma dalle risate sguaiate nacquero i rimproveri e da quelli le occhiate assassine, dopo si accapigliarono gettandosi l'uno sull'altro come cani feroci.

I loro amici, alticci e dondolanti, provarono a fermarli prendendoli dalle spalle e incitando alla calma, alcuni pensarono quello scontro come un gioco e formarono un cerchio intorno ai contendenti esortandoli al massacro reciproco. Si raggruppò così un capannello di gente e anche io andai a vedere: i due si picchiavano con drammatica irruenza, sul corpo avevano già i segni dei pugni che s'erano dati.

Quando arrivò il sangue io mi feci largo nella cerchia delle persone e osservai i loro visi coperti di rosso, il naso di uno era stato colpito, il labbro dell'altro s'era spaccato.

S'alzarono urla di preoccupazione, le fidanzate dei due rimasero a distanza senza intervenire, ma piansero appoggiate alle amiche, impaurite dal male che era esploso e ora nessuno sapeva come arginare: gli adulti s'erano dileguati, eravamo rimasti soli con la nostra messinscena tragica.

Più loro si distruggevano più io mi avvicinavo, e rimasi lì finché i due non crollarono a terra, stremati per la rissa e per l'alcol, avevano le facce irriconoscibili, gli occhi chiusi, i capelli sudati e coperti di sangue.

Gli amici li soccorsero a fine combattimento, tirandoli su per le braccia e le gambe e solo allora io m'accorsi di essere l'unica femmina lì intorno. Le mie amiche s'erano allontanate, avevano raccolto i teli e gli zaini e con Orso e il Greco s'erano andate a rifugiare oltre il salice, mettendo distanza tra loro e la lotta.

Guardai in giro cercandoli e sentii addosso occhi sconosciuti e curiosi, chissà se qualcuno m'aveva riconosciuta: quella che sa sparare, la figlia di Antonia la Rossa, la ragazza che ama la mattanza, il sangue sparso e le ferite.

Poi Orso mi raggiunse alle spalle e mi prese per il polso portandomi via: Sono dei cretini, solo dei cretini, disse tenendo la mano aperta sulla mia schiena quasi nuda.

C'ero anche io quel giorno, confessa Cristiano, uno dei due era mio fratello. Gli è scoppiato un capillare e ha battuto un po' la testa, ma niente di che, sta benissimo, mi dice e con le unghie corte cerca di grattare lo sporco dalle manopole del motorino.

Mi sono sempre chiesto che sei rimasta a fare, domanda alzando gli occhi su di me.

A guardare, come tutti, rispondo io e appoggio un piede sulla ruota davanti, la spingo come a volergli far perdere l'equilibrio, lui si riassesta e mette il cavalletto.

Non come tutti, precisa Cristiano e stiamo un attimo zitti, si sentono in sottofondo alcuni ragazzi giocare a pallone, siamo vicini alla stazione e dietro alla chiesa.

Che siamo venuti a fare qui? domando e levo il piede.

Ti devo chiedere una cosa.

E chiedila.

Ho scoperto da poco che questa è la chiesa dei funerali, ci si sposa in cima al paese, ci si dice addio nella parte più bassa e più lontana dal lago. Si è felici tra gli stucchi e gli affreschi, gli altari di legno antico e l'odore sacro delle pietre, ben vestiti e profumati; e si piange davanti alle vetrate moderne a rombi e l'aria tossica di una fede consumata, le panche a semicerchio, il prete che pare presiedere a un convegno, lo stesso entusiasmo di una sala conferenze. Si muore sempre dove fa più schifo, dove si è miseri, sciatti e scoloriti, si sparisce mentre il prete sbaglia il nome e neanche la faccia di Cristo sembra più la stessa.

Mi serve una informazione, dice Cristiano facendosi serio, scende dal motorino e s'avvicina, parla a voce più bassa.

Mi chiede se è vero che frequento una scuola di ricchi e io annuisco, poi se ho amici che abitano nelle zone più residenziali alla fine della Cassia e io dico che non ne ho di amici lì, lui domanda se però conosco qualcuno, se ho visto le loro case e io dico forse, può essere, allora lui domanda quale casa e io gli dico quale casa, lui chiede dentro cosa ci sta? Televisori al plasma? Gioielli? Borse di marca? Io rispondo sì, due televisori, uno al piano terra, uno nella taverna con PlayStation nuova, gli armadi con le borse sono al primo piano, camera da letto a destra, c'è una cassaforte ma non so come si apre, lui chiede se ci sono allarmi secondo me o cani da guardia, io dico non credo, hanno solo un cane di piccola taglia, però quello del vicino abbaia sempre, lui tira fuori un foglietto dalla tasca e una penna, mi chiede di scriverci sopra l'indirizzo e gli orari che so, io prendo il foglietto e me lo rigiro tra le dita, penso a quali orari so, scrivo l'ora in cui più o meno escono di casa la mattina, il lavoro della madre dov'è, il lavoro del padre dov'è, quando rientrano, so che va una donna delle pulizie, è filippina, arriva alle dieci e va via dopo pranzo, ci sono tre ore vuote, gliele sottolineo: dalle sette alle dieci della mattina, ma prima di dargli il foglio gli chiedo io che ci guadagno e cosa rischio.

Cristiano risponde che non rischio niente e che ci guadagno quello che voglio, cos'è che voglio?

È la prima volta che qualcuno mi fa questa domanda: cos'è che voglio? Nessuno finora s'è proposto d'esaudire un mio desiderio, tutti hanno dato per scontato che io fossi contenta così, che non avessi niente da domandare, niente da aggiungere alla mia vita. Ci penso per un minuto intero e poi dico che voglio una cosa: un cellulare, uno qualsiasi, ma mi serve che qualcuno faccia l'abbonamento per me, non posso chiederlo a mia madre.

Cristiano risponde che posso averlo, sono sicura di volere solo questo?

Potrei dirgli che voglio tutto, tutto quello che è contenuto in quella casa e nella casa a fianco, tutte le macchine parcheggiate sulla via, tutti i motorini nei garage, tutte le antenne per la televisione, i frullatori, i forni elettrici, le borse a tracolla, i minipimer, i cuscini sui divani, i tappetini del bagno, le ante della credenza, i vasi di gerani sul retro, le tegole del tetto; ma rispondo che sì voglio solo quello e gli consegno il foglietto, aggiungo che non conosco altre case, quindi non venissero a chiedere ancora.

Lui risponde che va bene, non è qualcosa che fanno spesso, ma ora hanno bisogno di soldi e io non mi informo di chi siano loro e del perché siano a corto di finanze, do per scontato che non siano affari miei.

Nell'armadio del seminterrato ci sono almeno venti maglioncini blu della Ralph Lauren, se ti piacciono o li vuoi rivendere, aggiungo e infilo il casco. Ora riportami a casa, domani ho compito di latino.

Lui annuisce e si rimette in sella, leva il cavalletto con un colpo di reni e mi fa salire.

Due settimane dopo la notizia si sparge a scuola, sono entrati a casa di Luciano e hanno portato via ogni cosa, ripetono ogni cosa come se fosse un sacrilegio – ogni cosa, ogni cosa, ogni cosa – nessuno ha visto niente, non si sa come fossero al corrente che la casa era vuota a quell'ora, forse li hanno osservati facendo le poste fuori del cancello, forse li seguivano da mesi nascosti dentro a un furgone, nel dubbio la donna delle pulizie è stata licenziata in tronco perché non ci si può fidare di questi filippini, sembrano a modo, sembrano brava gente, sembrano voler lavorare, ma sono come gli altri.

Agata dice che non dorme bene, da quando ha saputo la notizia teme che qualcuno possa entrare anche in casa loro, ha notato una macchina ferma sulla via un paio di volte, era rossa e aveva una targa non italiana ma di qualche posto come la Bulgaria, la Moldavia, la Russia.

Io le dico: Hai ragione, sarà stato uno di quelli, meglio stare attenti.

9.
VIETATO AI MINORI

Quello che ho fatto per anni è stato segnare i numeri nella rubrica, scegliere soprannomi, schiacciare i tasti per comporre le lettere, scrivere messaggi in piena notte, svegliarmi da incubi – uno squalo meccanico tra tanti decideva di mangiare proprio me – perché vibrava il cellulare sotto al cuscino, aprirlo come si apre una conchiglia e farlo risplendere, il mio Motorola che è già passato di moda, perché non è a colori, non ha Internet, non scatta foto in alta definizione. Il mio Motorola che ho cercato di nascondere tra le cosce a mia madre e che lei ha scoperto e ha insultato e ha voluto sapere da dove arrivasse e perché, a cosa servisse, alla mia età, e io l'ho dovuto chiamare prestito e poi regalo, e poi nasconderlo meglio, chiuderlo nelle scatole delle scarpe.

Quello che ho fatto per anni è stato prendere il treno, direzione Viterbo, direzione Roma Ostiense, correre per non perderlo, aprire e chiudere i posacenere, graffiare il tessuto dei sedili, bloccare le porte col corpo quando stanno per chiudersi, spintonare chi si fa troppo vicino, guardare senza amore una donna svenuta nei bagni per colpa del caldo, insultare chi s'è sentito male a due scompartimenti da me – siamo fermi per colpa sua tra Olgiata e La Storta, siamo fermi e aspettiamo i soccorsi – odiare quel dipendente a cui hanno chiuso l'azienda e che s'è suicidato alla fermata di Balduina.

Quello che ho fatto per anni è stato studiare e ripetere, sottolineare, appuntare, disegnare, trascrivere, enunciare, essere interrogata, ricevere voti, ricevere rimproveri, ricevere elogi, trascinare vocabolari, tradurre dal greco, dal latino, dall'inglese, dall'italiano antico, fare parafrasi, fare analisi logica, fare analisi grammaticale, imparare a memoria poesie, declinazioni e pronomi, riempire quaderni di mappe concettuali e appunti, freccette e punti interrogativi, mettere in ordine i compiti per il giorno dopo, urlare che ho bisogno di silenzio in casa per studiare, silenzio.

Quello che ho fatto per anni è stato andare in biblioteca, portare dentro e fuori libri, nascondere i ritardi, le macchie, le orecchie fatte alle pagine senza pensarci, detestare, convivere, ritrovare personaggi, ambienti, mobilie, costringermi a imparare, saltare le pagine che non capisco, trascinare letture impossibili e nemiche, conservare liste su quello che ho letto per non dimenticarlo, fantasticare sul giorno in cui avrò letto tutto e proprio tutto e allora non potranno venirmi a dire che non merito ricompensa per questo, onori, accortezze.

Quello che ho fatto per anni è stato mentire, discutere, litigare, esprimermi senza parole, fare capricci, fare ammenda solo per finta, incaponirmi, sentirmi derisa, combattere ogni detrattore, ogni infamia, ogni mancata attenzione, trovare e perdere legami, recuperarli, perderli ancora, dimenticare i miei errori, amare i miei errori, ripetermi che sono addolorata e subisco affronti continui, tutti devono rispettarmi, contenermi, tollerarmi.

Quello che ho fatto per anni è stato coprirmi, evitare la nudità, non sopportare le esibizioni, allontanare i corpi degli altri, non perché sono brava, non c'è bravura in me, niente di casto o pio, niente di incontaminato, ma perché mi mettono ansia le persone nude, il doverle accontentare, il non saperle avvicinare, gli odori che hanno, gli odori che ho io, la bocca che schiudono, le labbra che inumidiscono, le parole soffiate che dicono.

Quello che ho fatto per anni è stato uscire la sera e andare sempre nei medesimi posti, dove ciondolano i medesimi corpi e si sorridono o si disprezzano le medesime facce, salire sulla macchina di qualcuno conosciuto da poco, finire in una discoteca di campagna verso Viterbo, odiare le luci violacee che ti proiettano addosso lamine livide, capitare su una strada semisterrata in una Audi che corre troppo e poi va fuori strada, si infila in un granaio e lo butta giù, gettarmi nell'acqua del lago, di testa, di schiena, a candela, a bomba, dalle spalle di qualcuno, dai piloni del molo, dalla pedana di un pedalò, graffiarmi le dita con i vetri rotti di una bottiglia lasciata in spiaggia, riempirmi di bolle sui polpacci per colpa dei detersivi scaricati da chissà chi in chissà quale fogna o canale.

Quello che ho fatto per anni è stato pedalare in discesa, in salita, su curve a gomito, fino al supermercato, fino alla posta, fino a dove lavora mia madre, fino alla scuola dei gemelli, fino al tabaccaio, fino alla pasticceria, fino al mercato di frutta e verdura, fino alla stazione, fino alla biblioteca, fino all'incrocio, fino al lago.

Quello che ho fatto per anni è stato fare il palo mentre qualcuno ruba i guadagni delle slot machine di un bar estivo, rovinare con la punta di una chiave la vernice di qualche automobile, usare una bomboletta spray per scrivere il nome di un professore e accanto BOIA solo perché m'ha messo sette invece che nove al compito di scienze, usare il casco di un motorino per colpire in faccia un cretino che vuole costringermi a bere una birra con lui, fargli uscire il sangue dal naso.

Quello che ho fatto per anni è stato vestirmi, svestirmi, provare disgusto per la mia pelle, tenere a cuore i miei capelli, salvare le ossa del bacino, mettere alla gogna le mie orecchie, i miei piedi troppo lunghi, tirare i capezzoli sperando così di farmi crescere il seno, sanzionarmi se mangio troppo, vergognarmi se non mangio per niente, saltare la colazione, pulire bene le orecchie col getto dell'acqua calda, mettere lo smalto alle unghie delle mani, finire il mascara, far cadere il fondotinta nel lavandino, pulire tutto con la carta igienica, verificare che non si veda neanche una mia lentiggine, scottarmi d'estate al primo sole, farmi venire l'eritema sul petto, fare il bagno con la maglietta.

Quello che ho fatto per anni è stato ascoltare alla radio di rapine, omicidi, pluriomicidi, attentati, valanghe, terremoti, vincite al superenalotto, vincite del campionato di calcio, processi ai mafiosi, governi caduti, bambini accoltellati, caldo eccessivo, freddo eccessivo, studentesse fuori sede stuprate, soldati in partenza, convogli della polizia, dati bancari hackerati, silenzi stampa, festival della canzone.

Quello che ho fatto per anni è stato stare a sentire le chiacchiere sul bidello della scuola che fissa le studentesse, sulle gemelle brutte e baffute che camminano sempre in coppia e si spartiscono il fidanzato albanese, sul benzinaio che annacqua la benzina e così la vende a meno, sulla ragazza che ha studiato diritto internazionale all'estero ma porta sfortuna ed è l'amante di un uomo sposato, sul ragazzo che mette incinta le pischelle poi le lascia e non sa neanche i nomi dei suoi figli, sulla cameriera del bar che è diventata anoressica e le si vedono le ossa degli zigomi, sui due adolescenti morti in motorino e senza casco in un giorno di pioggia, su quanto è ingrassata quella che una volta era la più bella del paese – le sposi e allora svaccano, mettono dieci chili tutti sul culo – sulla mia amica morta che s'è strozzata, s'è strozzata, s'è strozzata, l'amica tua, l'amica tua morta che s'è strozzata, sperando di non essere io la prossima.

Quello che ho fatto per anni è stato aspettare rivoluzioni, slavine, reazioni a catena che portassero come ultimo effetto alla mia ascesa, al dischiudersi di infinite possibilità.

Quello che ho fatto per anni è stato rimanere dove ero, stesso posto, stessa ora, stesso ruolo, stessa faccia, ad attendere i miei diciotto anni come s'aspetta una profezia, l'arrivo di una tempesta, il crollo di un muro.

* * *

C'è un uomo e deve bruciare, è fatto di paglia, ha addosso una camicia di jeans, un paio di pantaloni di fustagno.

Lo hanno tirato giù dal furgone, uno lo teneva per la testa e l'altro per i piedi, il fieno infilato in due stivali di gomma, porta fortuna dicono, è l'anno che passa, l'anno finito che va a fuoco.

Io indosso un vestito pieno di lustrini, è di Agata, mi sta troppo corto e mentre cammino nel piazzale si alza, arriva quasi alle mutande e allora continuo a tirarlo giù dai bordi e quello si alza di nuovo, io lo tiro e lui si alza, lo tiro e lui si alza, il mio giubbotto è aperto e il freddo mi sale alla testa: i ragazzi hanno preso la benzina.

Quella serata è colpa mia, l'ho voluta io, quando due settimane prima Agata m'ha chiesto che facevo per Capodanno, io ho detto: Penso niente, siamo io e Iris, e allora lei ci ha invitate a trascorrerlo in un locale sfitto, di proprietà del padre del suo ragazzo, è il negozio dove presto trasferiranno l'attività di famiglia, ma per adesso è vuoto e possiamo usarlo per festeggiare.

Iris era dubbiosa all'inizio, non conosciamo nessuno, ha detto. Potremmo chiamare Orso e sentire che fanno, ha aggiunto, e io le ho risposto che non vediamo Orso da mesi, quell'amicizia – estiva, sincera, reale – è finita come solo ciò che è vero sa finire, siamo distanti adesso, per un motivo o per l'altro, senza discussioni o strappi precisi, ci siamo allontanati. Siamo rimaste io e lei, e il nostro spazio è l'unico in cui so abitare, il nostro perimetro è bunker e rifugio antiatomico, fuori passano le guerre e le conquiste, i raggi gamma, le inondazioni.

Così l'ho convinta ad andare alla festa perché mi dava nausea l'idea di procurarci un invito iniziando un giro di telefonate e questuando attenzioni.

Cristiano è partito, insieme ai fratelli e ai suoi amici hanno affittato un casale in Toscana e sono andati lì in branco, portando rifornimenti alcolici, pasta in grandi quantità e sugo già pronto, un pacco di lenticchie da consumare dopo la mezzanotte e tre cotechini.

Noi non siamo state invitate.

Tre ore prima della festa ci siamo viste con Agata a casa sua, nella sua camera mansardata dalle pareti gialle senape e il letto a una piazza e mezzo, l'armadio a muro pieno zeppo di vestiti e uno specchio a figura intera accanto al comò. Agata e Iris si sono incontrate a volte, però di rado, i binari di queste due amicizie non si sono mai veramente toccati, ma sempre paralleli hanno attraversato la mia vita. Fino a stasera.

Le ho guardate scegliere gli abiti da indossare – camicette, top, pantaloncini, gonne – e prestarsi i trucchi cavandoli da astucci colorati, acconciarsi i capelli a vicenda col ferro caldo e mostrare entusiaste i perizoma rossi che avrebbero messo sotto ai vestiti, passarsi sulle palpebre i glitter, esagerare col lucidalabbra, accennare a qualche balletto alzando il volume dello stereo di Agata, chiacchierare come se da sempre avessero avuto molti argomenti da condividere.

Iris ama i cavalli e va tre volte a settimana a un maneggio fuori dal paese, non può permettersi un cavallo suo né le lezioni costose del maestro, quindi per poter montare e seguire l'allenamento aiuta a domare i cavalli bizzosi, li striglia e li pettina, controlla che abbiano il cibo e che i loro box siano puliti, fa lezione per i bambini e organizza scampagnate per ricche signore americane, gente a cavallo che passeggia tra i boschi verso Martignano.

Agata viene da una famiglia contadina, per quanto lei cerchi di dimenticarlo e provi a staccarsi a tutti i costi dalle loro pratiche agresti, queste le restano appiccicate addosso perché tutti conoscono il padre e hanno ben chiaro quale sarà il suo futuro: seguire la contabilità dell'azienda di famiglia, smetterla di atteggiarsi a ricca borghese, tornare alle radici. Questa sera però Agata ha modo di vantarsi di quell'eredità famigliare: i cavalli che di solito montano nel fine settimana tra i campi, il tipo di selle che usano, loro non amano il dressage e il salto a ostacoli, come Iris, ma preferiscono la monta all'americana e la vita da ranch, mescolano maiali, oche e giumente.

Io mi sono allontanata presto dalla conversazione, dai loro abiti luccicanti e dallo smalto che passavano sulle unghie, mi sono sentita microscopica, senza pregi, puro tramite per quello che già appariva come un innegabile sodalizio. Ho covato così per tutta la sera questa sensazione straniera, uno strappo intercostale, un buco alla milza, la insaziabile voglia di ricominciare tutto da capo, ripartire da quella richiesta sul Capodanno e cambiarla, dire a Iris che saremmo state da sole, io e lei, a casa mia, con mio padre che festeggia ubriacandosi una volta l'anno e mia madre che indossa un maglione rosso e balla con i gemelli nella cucina e sembrano divertiti e spensierati e vivi e io non li sopporto.

Le briglie, il cap, il tipo di stivali, quanti cavalli ci sono al maneggio, a che altezza salti, ogni quanto fate le vostre passeggiate, hai mai provato a montare a pelle senza la sella, perché potremmo andare insieme, per esempio sabato prossimo.

Io intanto continuavo a ripassare l'eyeliner sugli occhi, ogni tocco uno sbaffo, a ben guardarmi nello specchio sembravo un personaggio di contorno che strepita per essere notato, non c'era niente del mio viso che si riconoscesse, avevo persino le labbra gonfie a forza di aggiungere rossetto e i capelli nodosi ed enfi come gengive infette. Sulla mia faccia pareva scoppiato un meteorite.

Facciamo tardi, siamo qui da due ore e non siete pronte, ho detto con voce nevrastenica e invidiosa, raccogliendo i miei vestiti dimessi e buttandoli nello zaino nero di Mariano, io non so niente di animali, né gatti né cani né papere né aironi né fenicotteri né giraffe né cavalli, mi danno tormento persino nei libri.

Quella foto è terribile, ho aggiunto poi indicando la cornice su una mensola.

Io, Agata e Carlotta sedute sulla panchina della stazione, la foto scattata con una macchinetta usa e getta, e così sembriamo noi: utilizzate e buttate via, stropicciate, consumate, pronte al riciclo.

Ci sono almeno due persone morte là dentro e una sono io, penso, la mia controfigura dodicenne che odia le sue orecchie, detesta fare il bagno in piscina ed è perseguitata da un ragazzino dai capelli ricci, quella a cui ancora devono tagliare le corde della racchetta, quella che ancora deve diventare maligna, per lei provo pena e ribrezzo, da lei mi separano viaggi interstellari, vagabondaggi da qui a Saturno.

A me piace, siamo venute bene, ha provato a dire lei e poi ha cambiato argomento, ci ha agitato davanti quattro o cinque profumi, si è proposta di sceglierne uno per ognuna, le boccette hanno fatto *tic toc* e io le ho guardate come se contenessero pesticida.

Adesso sono qui, con quel profumo addosso che sa di panna e caramelle, mentre l'uomo di paglia brucia e con lui il nostro 2005 e di certo quello che sta per arrivare sarà un anno fortunato, lo dicono gli astrologi, lo dichiarano le stelle, un anno d'amore e salute, lo strepitoso, il bellissimo, l'indimenticabile 2006.

Abbiamo cenato con pizza e patatine fritte su un tavolo improvvisato e bevuto un misto di birre Peroni e vini trafugati dalle cantine delle nostre famiglie, io ho portato in dotazione un cartone di Tavernello, che ha fatto inorridire tutti.

Il fidanzato di Agata è il figlio del fioraio, ha la mascella squadrata, il viso troppo grande, la pelle sempre abbronzata, sta imparando a fare le composizioni, come tagliare i gambi con precisione, quale tulle scegliere per la confezione, in che modo cercare di convincere i clienti a comprare le rose che costano di più.

Mi sono così ritrovata a mangiare con almeno altre dieci persone che conosco solo di vista e che ho sempre catalogato tra quelli con cui avrei gradito non spartire nulla, tre di loro hanno passato la sera a fissarmi.

Ma te sei la ragazza di Scherani?

E ho risposto di no, che io e Cristiano non siamo fidanzati e non siamo amici, non siamo nulla e adesso lui è in Toscana e m'ha mollata qui a questa bellissima festicciola in cui si parla di fiori primaverili, cavalli al galoppo e quanta cocaina sniffare nel bagno dopo la mezzanotte.

L'uomo di paglia è stato appoggiato su una catasta di legna, si regge appena e continua a cadere su un fianco, ci hanno messo mezz'ora per trovargli la posizione giusta, poi l'hanno imbevuto con una tanica grigia, dopo hanno detto a tutti di stare a distanza ed è iniziato il conto alla rovescia.

Iris mi si è avvicinata sorridendo e stringendosi le mani sotto le ascelle per il freddo, vuole farmi gli auguri per prima dice, e io rispondo che non vedo l'ora finisca tutto, l'anno e noi e questa parata di pagliacci e canaglie.

Ora è distante e malefica, mi pungola il suo sguardo, quelle moine che all'improvviso mi danno malanno, sono io la prima a ritrarmi e a interporre antipatie, proprio quando la nostra amicizia è in pericolo e qualcuno di più seducente di me la sta per irretire, io non so farmi piacevole, non so camuffarmi da santa protettrice, ma sputo fiamme e alzo muraglia.

Si sentono i botti dei fuochi d'artificio accesi nella campagna e sul lago, l'uomo di paglia prende fuoco e lo guardiamo bruciare ed estinguersi, la camicia, i pantaloni, la gomma degli stivali. Alcuni gli girano intorno e ballano, nel rito pagano della rinascita, strafatti di marijuana e qualche pasticca, saltellano sulle gambe e agitano le braccia al cielo nero, fanno scoppiare i tappi delle bottiglie di prosecco e lo sparano in aria, le ragazze corrono via per non venire bagnate dall'alcol, emettono suoni da criceti.

I miei capelli si inzuppano sul lato sinistro perché rimango ferma e osservo assorta quel fuoco, nel piazzale ci siamo solo noi, uno dei ragazzi è sdraiato a terra, si fa fotografare con una macchinetta compatta mentre da solo si scola tutta una bottiglia, Iris non è più al mio fianco ma è andata a fare cin cin con Agata e le altre ragazze, si guardano negli occhi mentre schioccano baci e brindisi.

Prendo il cellulare dalla tasca del giubbotto, Cristiano mi ha fatto gli auguri di buon anno, leggo il messaggio, non rispondo e penso che deve crepare, deve crepare, deve sparire.

Poi il telefono vibra ancora e spunta un altro messaggio con scritto: Auguri, ti penso.

Non conosco il numero del mittente e immagino sia uno scherzo, quindi scrivo: Chi sei?

Il cellulare resta zitto qualche minuto, poi arriva un altro messaggio: Andrea.

Osservo il nome comparire e penso che voglio andare via da lì, dall'uomo di paglia, da Iris e Agata che ridono, dai ragazzi che sono già rientrati e stanno sistemando la cocaina in strisce perfette sul tavolo dove prima abbiamo mangiato, un tiro a testa porta cuccagna, successo e ricchezza.

Scrivo: Sono al parcheggio davanti alle poste, la serata fa schifo, mi passi a prendere?

E lui risponde di sì, dieci minuti e arriva, allora guardo Iris coi suoi capelli neri e gli stivaletti a punta, il bicchiere di plastica in mano, e la sento lontana, una silhouette in un banco di nebbia.

* * *

Mia madre vuole estendere il suo dominio dalla mia minorità all'età adulta. Per settimane ho ripetuto che no, non voglio affatto che questo passaggio di soglia si festeggi, non voglio agghindarmi per la resurrezione, farmi fotografare a trasformazione compiuta.

Visto che i diciotto anni di Mariano non sono mai stati festeggiati dalla famiglia, Antonia pensa di salvare la propria anima e farsi riabilitare nell'olimpo delle buone madri organizzando baldoria contro il mio volere e a danno della mia persona.

Massimo vive con nervosismo crescente la messa in pratica del piano di lei, perché include, scellerato, che anche lui vi prenda parte, che venga vestito e pettinato a dovere, che smetta di tossicchiare e scatarrare appena ne ha l'occasione, che lasci sul comodino il tubetto dell'ossido di zinco con cui curiamo le sue piaghe e la sua immobilità, che indossi le scarpe e non le pantofole, che sia mostrato quale capofamiglia, issato di forza nell'ascensore, trascinato sulla strada, dove la luce del mondo può illuminarlo.

Mio padre si muove per la casa, i giorni prima, con lentezza e mi pare faccia cigolare apposta le ruote della sedia, apra le porte con fatica atavica, non sappia come raggiungere il lavandino o il posacenere, il suo trascinarsi è spettrale.

In ogni modo ho detto e ripetuto che non c'è nulla di peggio che una festa gestita da una madre e a cui un padre si senta in dovere di presenziare, ma Antonia ha represso i miei lamenti in giochi di sguardi ed entusiasmo sibillino.

Ha tirato fuori dall'armadio un vecchio completo buono scoprendo con rauca insoddisfazione che le va troppo stretto sui fianchi, allora per lei e per me è iniziata la squalificante corsa all'abito da festa.

Io mi sono dichiarata inerte, incapace di valutare tessuti, asole, colori, taglie, spacchi sulle cosce, trincerata nella mia camera, sotto l'ombra protettiva del mio orso rosa – custode della mia adolescenza – ho rispedito al mittente ogni tentativo di coinvolgimento.

Non è servito: sul mio letto è apparso un abito corto e rosso, di un materiale infiammabile e leggero, da grandi magazzini, senza spalline, ma con le cuciture di una sfumatura di rosso più chiara, visibili e goffe.

Quello è stato il regalo di Antonia, il vestito per il mio ultimo giorno da bambina, lo sfarzo da indossare per dire addio a tutto ciò che è vietato ai minori.

Non è bellissimo? mi chiede appoggiata alla porta e io rispondo di no, che una ragazza coi capelli rossi non può indossare un vestito rosso, mi farà sembrare una torcia, un pompiere.

Lei non abbandona quella gioia primordiale e incurabile e mi gira intorno, lo prende e me lo appoggia addosso, fa versi di goduria e chiama i gemelli a vedere, testimoni della mia maschera.

Maicol e Roberto, dall'alto della loro bontà e semplicità, dichiarano che mi starebbe molto bene e come spesso sono soliti si spalleggiano, uno dice bene e l'altro ripete bene bene, uno mi guarda e sorride, l'altro annuisce e batte le mani: il rosso è proprio il mio colore.

Io non sopporto la loro comunione di intenti, come riescono a sposare ogni iniziativa di mia madre quale necessaria, tutti e due cominciano ad avere i brufoli sulla faccia e la stessa educata pacatezza dei giorni primaverili.

Papà non è costretto a venire, dico guardando il muro perché non ho uno specchio in camera da letto e i loro occhi sono gli unici giudici.

Certo che viene, risponde Antonia e mi incita a provare le scarpe, sono dentro a una scatola, hanno un tacco medio di quelli che solo le madri comprerebbero alle figlie, tondo e adatto al charleston, le occhieggio depressa e scanso la scatola col piede.

Io voglio essere felice, voglio essere felice, fatemi essere dannatamente felice, mi sento di gridare, ma non ci riesco e li faccio uscire dalla stanza, metto il vestito rosso e le scarpe che sono troppo strette sulla punta del piede destro, non c'è nulla in cui nascondersi, niente che copra la mia disgrazia.

Mia madre rientra e si dice proprio soddisfatta, sembro una del cinema e io ribatto che al cinema non va mai, non credo sappia come sono o non sono quelle che stanno nei film.

La festa si tiene in una delle sale della palestra vicino casa nostra, mia madre a volte ha coperto i turni della signora che fa le pulizie là ed è diventata amica del proprietario, lui le ha lasciato usare quella sala gratuitamente purché sia lei a pulirla il giorno dopo, la stanza puzza di sudore e calzini di spugna, le luci colorate sono state appese agli angoli, c'è un tavolo addossato al muro con bicchieri di plastica verdi, piattini, forchette e

201

panini, qualche bottiglia di vino, molta Fanta, succo all'ananas, un signore pelato fa da DJ per la serata, è il padre di una mia vicina di casa, ha deciso di iniziare dai balli latinoamericani.

Se non sapessi d'essere io la festeggiata cercherei un modo per fuggire.

In tre hanno dovuto prendere la sedia di mio padre e farlo scendere fin dentro la palestra perché non ci sono rampe d'accesso per disabili, lui ha avuto due attacchi di panico: il primo in ascensore, il secondo quando ha scoperto che esiste un universo, c'è la vita fuori dalla porta di casa, le persone camminano, le persone respirano.

Non ho ancora capito mia madre come abbia fatto gli inviti, è qui la maggior parte della gente che conosco, quasi tutti i ragazzi e le ragazze della mia età.

Mi dicono ciao ciao e auguri, mi baciano sulle guance e fanno i complimenti per il vestito e per il trucco, respirano al mio orecchio che sono diventata grande e la cosa li mette di buonumore.

Ci sono quattro signore vicino al tavolo del buffet: la parrucchiera con la permanente in testa dal lontano '86 che versa le bibite, la cassiera dell'alimentari preferito di Antonia che distribuisce piattini, la madre del pescivendolo che mesce gamberi in salsa rosa agli invitati, la proprietaria del bar alla stazione con addosso tre quintali di lacca che ha piegato i tovaglioli in origami, sono piccoli aironi, li condivide giuliva con gli ospiti.

Antonia brilla e abbraccia, la scopro bella una volta che è truccata e ha indossato un vestito nero, si nota bene il seno, penso abbia delle caviglie raffinate: lei rinasce, mentre io appassisco.

Massimo ha trovato un angolo nascosto dove imbarazzarsi e intrattenere brevi conversazioni con tutti coloro i quali sentono di doverlo salutare piegandosi in avanti o inginocchiandosi al suo cospetto, spera nessuno noti il suo pappagallo dove dovrà fare pipì e tenerla con sé fino a fine serata.

Sono le nove e la notte estiva è arrivata da poco.

Iris ha quel vestito giallo che le ho visto addosso la prima volta, ha legato i capelli in una coda alta, come quella di Agata, si muovono insieme verso di me e io non so distinguere più passato e presente, provo il dolore fisico di uno schiaffo, una bionda e una mora, bilanciate e seducenti, hanno sui loro corpi i colori giusti, sanno camminare sui tacchi più alti dei miei e si sono messe lo stesso rossetto color pesca.

Scopro presto che sono state loro ad aiutare mia madre, hanno invitato chi conosciamo, si sono prodigate perché tutti venissero, hanno concordato il menu, detto di sì alla musica, hanno passato al vaglio il vestito e le scarpe reputandoli idonei, hanno preparato insieme la torta alla crema pasticcera, come piace a me, ore e ore di sotterfugi alle mie spalle, hanno anche fatto un cartellone, quando tutti entrano nella stanza, lo tirano fuori, è arancione e sopra sono incollate delle fotografie: molte di me e Iris o me e Agata in fasi diverse della mia vita, altre dove sono sola, lì c'è una me piccina, con gli occhi grandi, il volto sporco di sugo, la maglietta di mio fratello addosso, i piedi poggiati sul cemento del piazzale della prima casa.

Le mie aguzzine indicano le foto prescelte e le scritte che hanno tracciato per me, poesie sull'amicizia, frasi celebri, citazioni famose, parole d'altri, cercate su Internet e inserite nel collage delle nostre finzioni. Iris ha gli occhi lucidi mentre mi elenca i motivi per cui mi vuole bene, ha compilato una lista – in basso a destra – dice che sono intelligente, affidabile, fedele e coraggiosa.

Proprio l'ultima parola mi colpisce come sputo sulla fronte, rende il nostro legame nullo, le mie confessioni silenzi. Io non voglio essere nessuna di queste cose, non voglio aggettivi per me, non voglio lacrime, non voglio feste o cartelloni: le mie parentesi quadre sono vuote, non ho radici latine, sanscrite, francesi, non ho prefissi o suffissi, sono una definizione mancata.

Le guardo senza sapere che dire, le persone stanno applaudendo e tutti commentano che è un gesto tenero e gentile, io dico grazie e le abbraccio rigida, sento l'acciaio in pancia, le articolazioni durissime, sorrido con la stessa fatica con cui attraverserei la città a piedi.

Desidererei bruciare quel cartellone, vederlo sparire, poter tornare a casa e tagliarlo con le forbici, farne pezzi ingeribili.

Altre persone si avvicinano e mi consegnano alcuni regali, biglietti, e io mi guardo intorno alla ricerca di mio fratello, convinta che arriverà, spegnerà la musica, tirerà a tutti le orecchie e farà capire che mi stanno facendo del male, ma Mariano non arriva, la gente cambia, i regali si ammucchiano tra le mie mani.

Ma', dov'è Mariano? chiedo a mia madre con occhi da preda, e lei risponde che non l'ha invitato.

La musica è alta, le mie amiche mi dicono di lasciare i regali da una parte e venire a ballare, ci sono anche Ramona, Marta e Dafne, ci sono le compagne di equitazione di Iris, tutta la squadra delle majorette, i figli dei tipi da cui lavora mia madre, alcuni miei compagni di classe nelle loro camicie di lino a maniche corte, la sorella di Carlotta, che si avvicina e mi bacia una guancia dicendomi che questo è da parte di Carly, lei avrebbe voluto esserci, ne è sicura e le viene da piangere.

No, lei non avrebbe voluto, e infatti non c'è, guardati intorno, ti pare ci sia? Ti pare sia qui? Ho voglia di gridare, ma sono sopraffatta dalla consapevolezza che nessuno lì dentro si sia preso la briga di capire cosa fosse adatto fare e cosa no, che nessuno abbia pensato a ciò che io volessi davvero, ognuno ha recitato il proprio ruolo, seguendo il copione delle feste dei diciotto anni piene di buoni propositi, addii alla gioventù e rinnovate promesse.

Nulla di quello che sta accadendo lì dentro mi sembra legale e legittimo.

Le mie amiche lanciano un gridolino di gioia indicando qualcuno alle mie spalle, mentre io respiro a stento e ho intenzione di buttarmi a terra e chiudere gli occhi. Allora mi giro, incitata dalle loro occhiate e i loro sorrisi enormi, le bocche larghe del loro entusiasmo: è entrato Andrea nella stanza, ha messo dei pantaloni eleganti e una camicia, porta in braccio un mazzo di rose.

Ha il viso sbarbato, si è sistemato i capelli e penso che la sua bellezza sia un ulteriore malessere, il modo in cui incede, la solennità del gesto, le rose così fresche che porta, senza nessun imbarazzo si avvicina e mi bacia, sento le labbra umide del nostro passato sulla mia bocca spezzata, c'è chi applaude ancora, c'è mia madre che sospira di felicità; un così bravo ragazzo, un così caro e giusto ragazzo.

Capisco allora perché neanche Cristiano è qui: nessuno gli ha detto di venire, anzi, è probabile che gli sia stato espressamente chiesto di non farsi vedere, perché non gradito da mia madre e dalle mie amiche, che lo reputano inadatto alla mia nuova vita, quella maggiore, più santa.

Il messaggio mi appare allora lapalissiano: deve esserci una nuova me, la vecchia ragazzina di qualche scorribanda, di qualche incoscienza, quella che fa violenza, che fa sceneggiata è da archivio, era una concessione alla mia giovane età, da oggi mi devo ripulire, indossare i miei sorrisi migliori.

Prendo le rose, le appoggio al petto, guardo Andrea in viso e mi rendo conto che non c'è nessuno qui che sappia chi sono.

Nessuno oltre a me che sappia di quella notte, del sasso che io ho buttato sulla macchina di suo padre, prima di andare in discoteca, per dirgli che nulla era stato dimenticato e che avrebbe continuato a pagare.

Dovrei proprio dirgli che l'ha ammazzata lui Carlotta, lui e quelli come lui, quelli che si sono ripuliti la coscienza andando al funerale, ma che se lei gli chiedeva di uscire a prendere un gelato si vergognavano, quelli degli stanzini e dei pertugi e dei dietro le quinte, quelli del toccami ma stammi alle spalle, la faccia tua non la voglio vedere.

Andrea mi stringe un fianco e dice di posare un attimo i fiori: è arrivato il momento di ballare come solo gli adulti sanno fare.

* * *

La professoressa di italiano mi guarda dal basso, indossa un cappottino leopardato che le arriva quasi alle caviglie, il caschetto a scodella non si muove neanche quando starnutisce, mi chiede cosa farò della mia vita, andrò a lavorare, giusto? Ripete il mio cognome due volte come se non le stessi davanti e domanda di nuovo. Potresti fare un corso di formazione, che ne pensi di grafica e comunicazione, che ne pensi di entrare nell'esercito, che ne pensi di tre anni per diventare infermiera, in ospedale ti pagano subito, oppure potresti fare l'estetista, la segretaria in uno studio d'avvocati. Non ti vedo capace nell'atletica, nel nuoto, nella corsa, hai un talento tu?

Tira fuori una caramella all'anice dalla tasca per ciucciarla con gusto, poi le rimane attaccata ai denti, la stacca con un dito, usando l'unghia.

Io rispondo che non lo so, ancora devo pensarci e lei stringe le guance e strizza la faccia.

Manca un mese alla maturità e sto studiando anche mentre gli altri dormono, di giorno sono presenza evanescente, tengo gli occhi sgranati e rossi fissi sulla lavagna, sottolineo i libri quasi fino a ferire le pagine.

Persino Antonia crede che stia esagerando, bussa contro la porta del bagno quando mi addormento seduta nella vasca, un libro sulle cosce, e mi intima che chiamerà i vigili del fuoco.

Anche lei sta iniziando a colpirmi, s'è messa a parlare di medicina, di chimica, di astrofisica, dice che col cervello come il mio potrei fare l'astronauta, occuparmi di minerali.

Ho creato un calendario, su ogni giorno della settimana c'è segnato quello che devo ripassare, da ciò che abbiamo studiato al primo anno fino all'ultimo, dai Babilonesi a Hitler, dal capoluogo del Molise alle regole del DNA, dall'aoristo a Carducci, non deve esserci falla, spiraglio, a qualsiasi cosa mi verrà chiesta dovrò trovare risposta.

All'imbrunire sono civetta, passo le ore a ripetere a memoria i versi greci e mi esercito sulla metrica – il trimetro giambico, l'esametro dattilico, l'anapesto – cerco di educare la mia memoria scarsa e permeabile, voglio che sia d'acciaio e alluminio, che tenga al riparo date, re e regine, rime e melodie, guerre, epidemie, formule algebriche, geometrie, capitelli e dipinti.

Iris chiama a volte e chiede se sono arrabbiata, se ho delle preoccupazioni.

Io le rispondo di no, devo studiare, studiare, studiare.

Mi domanda se può aiutarmi, se voglio che ci vediamo con lei e Agata per parlare delle nostre tesine e per ripetere insieme, ma io declino l'invito, caparbia e rocciosa, non torno indietro e continuo a scavare la trincea della nostra separazione.

Andrea dice che gli esami di maturità non importano davvero a nessuno e che mi sto facendo consumare da un nonnulla, lui ormai è al secondo anno di economia e ha già dato almeno sei esami, i miei borbottii assomigliano alle sue orecchie al miagolio frustrante d'un micetto affamato.

Mi sta prestando il suo computer, vado a casa sua a scrivere la tesina, ma tengo clandestino l'argomento e non sopporto che lui stia nella stanza mentre scrivo, a ciondolare o a giocare con il cellulare, a leggere o ascoltare la musica con le cuffie, il suo solo respiro mi rapina e turba, quindi lo spedisco in salotto e lo chiudo fuori dalla sua stanza, giro due volte la chiave.

Per rientrare deve bussare, io gli apro, lui porta pane e prosciutto e un bicchiere di succo alla pera, siede con me sul letto e dice stai calma, ripete stai calma e si attorciglia i miei capelli intorno a un dito, io rispondo che ho già dimenticato, ho già smesso di ricordare i tre quarti di quello che ho studiato finora e non capisco la fine della storia in Hegel, non capisco, non capisco cos'è che è finito.

Lui risponde che sono molto bella vestita di bianco.

Io arrossisco e guardo il vestito che indosso, ha le spalline fini e la gonna ampia, è tra quelli che tollero meno, ma era uno dei pochi rimasti appesi nell'armadio: studio troppo, sudo molto, cambio abiti continuamente e mia madre mi odia per questo.

Adesso non c'entra niente, dico nascondendo la gonna tra le cosce.

Dovremmo andare a ballare e tu dovresti legarti i capelli, propone lui e mi tira su le ciocche con entrambe le mani, li stringe piano in una coda alta, dichiarando che così mi si vedrebbe meglio il viso.

Io sento il calore sulle guance e sulle orecchie che ora sono nude, presenti nel mondo, gigantesche e anomale, cerco di coprirle subito con le mani e gli dico che deve smetterla.

Perché? chiede. Stai bene così, a me piaci.

Allora resto immobile, le sue mani che pettinano la coda, le mie che tappano le orecchie, vedo che mi guarda e sorride, come se ammirasse un cerchio perfetto.

Mi sembra di essere entrata in un luogo, una stanza, anche uno sgabuzzino, dove rivedo il pomeriggio delle macchine a scontro, quando non mi guardava e io avevo i piedi freddi per l'emozione, e tutto girava, aveva gravità per lui, e lo sento alle mie spalle mentre alzo la pistola e sparo, e colpisco e colpisco e vinco, e non c'è un prima o un dopo, c'è quel luogo – un corridoio, un balcone, un sottopassaggio – dove siamo soli.

Possiamo andare a ballare se vuoi, dico alla fine e levo le mani dai miei padiglioni e lui fa uno chignon con i miei capelli, lo tiene fermo nelle sue mani come un mazzo di tulipani.

Il corpo di Andrea è magro e quando siamo soli, infilati sotto le lenzuola del suo letto, io perdo la differenza tra nord e sud, mi stacco dai pensieri più asfissianti, dalle mie continue paturnie, dai draghi con cui combatto e di cui non parlo – i denti, le ginocchia e l'ombelico – c'è qualcosa in lui che appartiene alle cose, che richiede attenzione, non sento più fruscii in corridoio, rami che sbattono sulle finestre, non ho udito per le automobili che passano in strada. Andrea quando siamo soli parla a voce molto bassa e io non odo mai cosa dice, ma è come se lo sapessi, se quella cantilena mi tornasse in mente.

Lunedì iniziano le prove scritte della maturità, ma è ancora sabato sera e mi faccio convincere ad andare a ballare. Andrea insiste perché tenga addosso quel vestito che gli piace tanto e allora io chiudo i quaderni, spengo il PC, metto via la tesina, mi pettino i capelli raccogliendoli in cima alla testa: lui sembra soddisfatto, io sembro una persona che non esiste.

Ceniamo mangiando una pizza da asporto seduti in macchina, lui mette la radio e continua a cambiare canale, sento pezzi e morsi di canzoni, mi pulisco la faccia dal sugo col dorso della mano.

Il posto dove andiamo a ballare si chiama Movida, è un locale sotto al castello di Bracciano, che come molti altri sulle rive del lago viene aperto solo d'estate, ha una spiaggetta attrezzata, un campo da beach volley, una colata di cemento dove ballare, un piccolo molo di ferro.

Arriviamo quando già c'è gente ma non troppa, è la serata a tema hawaiano e qualcuno ci regala delle finte ghirlande di fiori, io indosso la mia sopra al vestito bianco, coprendo una macchia di pomodoro che si è formata all'altezza del seno.

Seguo Andrea tra i suoi amici seduti ai tavolini intorno a dove si balla, la musica è una cacofonia assordante, si prendono a pugni i classici anni ottanta e novanta remixati senza garbo, i dj gridano al microfono incitamenti sgraziati, non hanno mai molta fantasia o capacità, e le canzoni, anche se i locali cambiano, sono sempre le stesse, nei mesi negli anni nei secoli, quelle canzoni ci definiscono, sono la colonna sonora della nostra provincia.

Saluto chi conosco e poi aspetto che lui prenda da bere, per me una caipiroska alla fragola, per lui un angelo azzurro, intorno a noi un miscuglio di facce che vengono da tutti i paesi del lago e che si ritrovano a ogni serata perché non c'è molto da scegliere, i locali neanche si fanno concorrenza, ce ne sono tre: uno per il giovedì, uno per il venerdì e uno per il sabato. Noi ruotiamo come satelliti e loro restano fermi, sono l'universo e i nostri pianeti.

Iris mi vede e mi viene incontro, mi abbraccia stupita, chiede come mai alla fine sono uscita e perché non le ho detto che venivo, ci saremmo potute preparare insieme: io ho la faccia di un persico all'amo, le ciabattine da mare ai piedi, le formule della trigonometria stampate sulla fronte – seno, coseno e tangente – lei ha ciglia lunghissime e colme di mascara, un rossetto rosso che le dona molto, un vestitino più corto del solito che riconosco essere di Agata. Infatti eccola, poco dopo appare anche lei, sono praticamente vestite e truccate uguali, cambia qualche sfumatura di colore, uno o due accessori. Appaiono plasmate col medesimo stampo, prodotte in serie e vendute sul mercato in scatole appariscenti e con le scritte in rilievo.

Rispondo che abbiamo deciso all'ultimo, Andrea voleva farmi smettere di studiare per una sera e loro commentano che è proprio carino da parte sua e che sto bene con i capelli legati. Iris in particolare insiste su questo dettaglio, spende cinque minuti a girarmi intorno e continua a favoleggiare sulla lunghezza del mio collo e sulla bellezza della nuca, dice proprio così: Hai una bella nuca.

Hai consegnato venerdì la tesina? mi chiede Agata coccolandosi la punta dei capelli che ha lisciato con la piastra e che sembrano oro e brillanti.

Sì, e tu?

No, la porto direttamente lunedì, la professoressa ha detto che posso farlo.

E su cos'è? mi chiede Iris con cui non ho condiviso alcuna informazione circa i miei studi.

Su Amore e Psiche, il mito, la statua e tante altre cose, butto lì senza scendere nei particolari.

Ma lei continua a chiedere, perché vorrebbe sapere che libri ho inserito e quali citazioni, come è fatta la mappa concettuale, quali sono i rami dei miei ragionamenti, come se ancora fosse l'estate delle letture e di Batman e dei tuffi dal pontile, ma non è così, questa è una nuova estate dove lei svetta su tacchi lucidi e io ho il mal di testa a forza di pensare a Schopenhauer, ad Apuleio, a Canova e a come la professoressa di italiano mastica le sue caramelle, a quando mi ha chiesto se pensavo fosse il caso di mandare un curriculum a un supermercato, perché sì ho degli ottimi voti, ma guardiamo in faccia la realtà, con una famiglia come la mia, è il caso che cominci a lavorare, proprio il caso, sì, che cominci a lavorare, lavorare, lavorare.

Andrea torna e le saluta, io butto giù in pochi sorsi il mio drink e non accenno un sorriso, le persone stanno aumentando, Iris e Agata iniziano a ballare l'una sull'altra, si strusciano e lanciano occhiate ai maschi che le circondano. Da quando Agata si è lasciata col figlio del fioraio, amano uscire insieme e rendersi appetibili, giocano coi vestiti e le smorfie, ma detestano essere avvicinate troppo, ballano da sole, avvinghiate, al centro della pista, pescando sguardi come pesci rossi e lasciando insoddisfatto ogni desiderio di conquista.

Io non so fare quello che fanno loro, non seduco, non ammalio, non riesco a propormi, mai l'ho saputo fare, le guardo danzare, sorridersi e bere, loro mi invitano più volte a raggiungerle, sei una di noi vogliono simulare, sei opportuna e benvoluta, ma io vedo menzogna in quegli sguardi, perché non c'è mai stato un luogo per me, un mio stare al posto adatto.

Anche Andrea dice che dovrei divertirmi, che siamo venuti per questo e mi tira dal polso e balla muovendo i piedi in avanti senza alcun senso del ritmo, ride di se stesso, e urla che se prova a ballare persino lui, devo farlo per forza anche io.

Sento intanto un cappio al collo, lo spazio aperto di quel giardino, l'aria fresca e umida che sale dall'acqua del lago, il sibilo delle onde piccole che sciabordano mi dà claustrofobia, mi vedo in una scatola di latta, senza buchi per respirare, appiattita sotto una pressa da cantiere.

Tutti intorno ruotano i polsi e le caviglie, si prendono a spallate e si passano bicchieri di plastica pieni di ghiaccio, lasciano cadere a terra le cannucce nere, c'è chi si guarda male, chi si allontana tenendosi per mano, chi si bacia in mezzo agli altri, per dichiarare amore impudico e pubblico.

Non dovevo venire, dico ad Andrea ma lui non sente, continua a sorridere.

E le mie amiche cantano cercando di superare il frastuono della musica, gridano e si guardano negli occhi come se tra loro passasse corrente elettrica. Io non riesco in alcun modo a sintonizzarmi sulla loro frequenza, di chi festeggia la fine del liceo, di chi non ha paura del futuro, di chi pensa di poter scegliere, di chi ha una casa con o senza mutuo e un padre con o senza cravatta, di chi ha una madre che cucina crostate e guarda i quiz alla TV, di chi ha un fratello che non rischia il carcere e che viene invitato alle feste di compleanno.

Passano i minuti, le persone aumentano e aumentano, sembrano un corpo solo e grasso, la pelle unta dal sudore, i capelli profumati dal gel, le scarpe sporche per l'erba, si passano le sigarette e buttano per terra le cicche e i pacchetti vuoti, lasciano dondolare sul pelo dell'acqua tutti i loro rifiuti, le scorie che producono, come se potessero sparire o affondare per sempre.

Andrea mi ha detto una volta ti amo, eravamo seduti in spiaggia, volevamo fare la gara a chi contava più stelle cadenti nel cielo, anche se non era la notte delle stelle cadenti e non ne era caduta neanche una, eravamo rimasti a zero entrambi, nessun desiderio da realizzare, e lui aveva finito la bottiglia di vino rosso e poi aveva parlato, io avevo tossito forte, come quando mio padre si lamenta ai pasti perché non apprezza i condimenti, avevo raschiato la gola e finto raucedine, per coprire quello che sembrava un danno, il calcolo sbagliato di una equazione.

Dico che vorrei andare via, ma Andrea sottolinea che la serata è appena iniziata e che se c'è qualcosa che non va posso parlarne con lui, ma io non mi confesso e non verrò assolta, resto muta, i capelli legati mi hanno fatto venire prurito alla cute, boccheggio e butto il bicchiere vuoto in un cestino stracolmo di altri bicchieri, di altre vite e altri pensieri, non posso dirgli i miei, non li capirebbe, ne sono certa, non ci sarebbe alcun modo per non apparire ai suoi occhi ridicola e cattiva. Come si dice la gelosia, come si dice la paura, come si dice la perdita, come si dice il futuro che non si realizzerà.

Quando lui si distrae in chiacchiere con un amico, io mi allontano, passo tra i corpi, sento addosso le loro umidità e speranze.

Non c'è un modo per andarsene davvero, perché il lungolago di Bracciano è staccato dal paese e non ci sono navette, non ci sono autobus o mezzi di fortuna, si arriva in macchina o in motorino e con quelli si torna a casa, ma a me non importa, inizio a camminare sul ciglio della strada, passando tra le auto posteggiate in doppia fila, il vociare di chi deve decidere se entrare al locale o meno, chi vomita la cena contro un pioppo vero o una palma finta, chi sta scartando i preservativi in spiaggia.

Cammino e continuo passando davanti ai ristoranti chiusi, ai pub dalle porte sbarrate, alle strutture di legno bianco che di giorno vengono usate per vendere le bibite e le granite, c'è solo il rumore del lago con me, un suono che non ha niente a che vedere col mare, perché è raro, occasionale, l'acqua infatti di solito non produce melodie, è acqua stagnante, ferma, lucida e specchiata, solo il vento a volte la muove e la fa cantare.

Mi sento un punto bianco nel nulla di una notte pesta, disadatta alle cromie e alle composizioni, i miei capelli legati, l'abito cresimale e quella falsa corolla di fiori al collo, il sugo al pomodoro, il sudore sotto le ascelle, le ciabatte che fanno *ciac ciac*.

Poi un motorino mi si ferma davanti e Cristiano si leva il casco integrale, dice che sono matta, è notte fonda e non posso andare in giro da sola, è un brutto vizio il mio.

Io rispondo che non è affar suo e che non deve seguirmi.

Lui dice che non mi stava seguendo, stava andando a prendere una sua amica su al paese e mi ha vista per strada, con le mie gambe lunghe e quegli strani capelli, non sembro neanche io.

Io lo guardo, ha una camicia nuova ma stropicciata sul colletto e un profumo addosso dolciastro, che puzza e fa clamore, gli occhi rossi di chi ha fumato troppo, le scarpe slacciate, e sono contenta di vederlo, perché penso che funzioni così tra persone sbagliate, si è felici quando ci si incontra.

Lo sai che quello con cui stavo, Luciano, te lo ricordi? Gli avete rubato a casa. Be', m'ha mandato un messaggio oggi per farmi gli auguri per l'esame di lunedì. Sul cellulare che mi sono fatta coi soldi suoi, gli dico e mi avvicino.

Lui ride e a me anche viene da ridere.

Te l'avevo detto che è un cretino, nell'armadio abbiamo trovato un orsacchiotto bianco e ancora le mutande che portava all'asilo, Cristiano mi fa posto sulla sella e mi dà il casco.

Io salgo sistemando come posso quella gonna ingombrante e tediosa, allora lui parte subito e corre al suo solito modo, rapido e famelico, e poi risale verso la via principale, quella che non è illuminata, ma che costeggia l'acqua, il bosco e i campeggi, ha l'odore delle piante, degli aghi di pino caduti.

La strada della nostra vita, la strada che sappiamo a memoria da cui il lago si vede solo in lontananza ma per intero, da sponda a sponda, una macchia più scura nell'oscurità, la strada del Museo dell'Aeronautica, dello swing club chiuso negli anni settanta e mai più aperto, del vivaio con le statuette a forma d'angelo, delle ville arroccate, delle volpi che se non stai attento si gettano sotto la macchina.

Io stringo le mani intorno alla sua vita perché ho freddo e perché è giusto.

Lui dopo un po' chiede: Sei pronta?
Io capisco a cosa devo o non devo essere pronta e rispondo: Sì.
Allora Cristiano accelera e spegne le luci.
Così, ci buttiamo nel buio.

10.
L'INCENDIO

1. Il modo in cui ti sei mimetizzata, tramutata, trasformata nella copia di Agata alla quale, secondo me, mai e poi mai potrai assomigliare.

2. I tentativi irritanti con cui hai provato a coinvolgermi in uscite, passeggiate, discussioni a tre nonostante fosse palese che non mi interessassero.

3. La troppa cura con cui hai organizzato la mia festa dei diciotto anni senza che questa corrispondesse in nulla ai miei desideri.

4. L'indifferenza dimostrata a più riprese verso la nostra amicizia, nostra di noi due, non nostra da mettere in comune a ogni costo con una terza o quarta persona.

5. L'utilizzo su quel famigerato cartellone, che ho piegato e gettato nell'armadio, insieme ad altri oggetti che non gradisco vedere ogni giorno, dell'aggettivo coraggiosa, che io ti avevo spiegato non appartenermi.

6. Le serate in discoteca in cui sono stata esclusa in quanto fidanzata con Andrea e non capace di strofinarmi a chiunque di sesso maschile passasse nell'area limitrofa.

7. Le telefonate a casa che si sono diradate, anzi sono scomparse, gli squilli serali che erano un nostro codice, un nostro segreto, ecco ti rinfaccio soprattutto la scomparsa dei segreti.

8. I messaggi sul cellulare solleciti e cordiali, quando di persona i nostri rapporti si sono fatti freddi e distaccati.

9. Il mio esame di maturità a cui tu non sei venuta, certo perché io ti avevo detto di non farlo, ma era un divieto da infrangere e tu non lo hai capito, e poi il tuo esame di maturità a cui è stata invitata anche Agata e la dedica finale "alle mie amiche", con quel plurale osceno in cui mi hai incastrata.

10. L'idea che, visti i miei trascorsi, tu potessi posizionarti tutta a sinistra per disegnare un nuovo triangolo scaleno. Io odio i triangoli, sono per le linee rette, le linee che collegano due punti e vanno sempre dritte.

Ho scritto, sotto richiesta, una lista per Iris in cui le ho elencato tutte le sue malvagità compiute nei miei confronti negli ultimi anni. Alla consegna della lista, scritta su carta e recapitata a casa in bicicletta, sono seguite alcune settimane di silenzio.

Adesso sono a casa di Andrea, è pomeriggio ed è già buio, le villette sono compatte, le pitture sono arancioni e gialle, i cancelli sono automatici, i bordi delle siepi sono ombre e noi nudi siamo sotto le lenzuola del letto di Andrea e ci nascondiamo, lui dice fingi che siamo spariti, che nessuno ci può trovare, ma che ci accade insieme; i respiri sotto il cotone sono caldi, i corpi sono molli, i capelli rossi sono un ingombro, si infilano nella bocca e sotto le ascelle, cascano sugli occhi e mi accecano. Eppure penso che forse questo spazio piccolo e angusto che è un letto, che sono i corpi vicini – il pube, la clavicola, le dita dei piedi – possa piacere a quasi tutte le me che sono, dalla molesta alla manesca, dalla ansiosa alla spavalda, dalla disperata alla incivile.

Guardo Andrea alla breve distanza e so che mi interessano i suoi difetti fisici, li cerco da vicino, come il neo che ha su una narice del naso, la cicatrice sul labbro, le orecchie appuntite, il pomo d'Adamo che si è ingrossato e si nota quando deglutisce, le ossa che in alcuni periodi spuntano troppo, i muscoli che non sono curati e visibili, il pallore che lo aggredisce anche l'estate e le mani dalle dita lunghe, da femmina, le unghie che si taglia spesso troppo corte, come non sa alzare la voce se si arrabbia, i punti neri che ha dietro la schiena, la pelle secca delle ginocchia. Cerco sbagli silenziosi che giustifichino la sua scelta, il fatto che sia qui con me.

La sua camera ha un letto a due piazze e un balconcino, le camicie stirate dalla madre sono posate sulla scrivania e le pareti sono azzurre e compatte, hanno il colore dei cieli di settembre, e io sbircio il suo universo ansimando e stringendo il corpo al suo, per mimetizzarmi, fare in modo di venir assorbita come punto di sutura interno, di quelli che chiudono le ferite profonde e l'organismo è costretto ad assorbirli, metterli in circolo.

Il mio cellulare vibra e ricevo alcuni messaggi, ma non li leggo, perché in quel momento non ci sono, siamo spariti, come ha detto Andrea, e non possono trovarci neanche gridando i nostri nomi.

Una volta fuori da casa sua ho le labbra gonfie e le gambe calde, guardo il telefono, trovo le parole di Iris, che ha letto la mia lista e che vuole scusarsi, perché ha capito di avermi procurato dolore, dice che ha lasciato nella mia buca delle lettere i dieci punti che secondo lei servono per ricominciare.

Io resto ferma davanti alla bicicletta, sotto a un lampione con la luce che sfarfalla, e ho l'impressione di averli entrambi di nuovo per me, di averli conquistati e custoditi nonostante le numerose incursioni e aggressioni di terzi che tutto hanno tentato per il nostro allontanamento.

Ho la pancia colma di questa certezza, di questa vanità, salgo in sella e mi metto a pedalare, non poso le mani sul manubrio ma canticchio una canzone ascoltata alla radio, dice: Vado punto e a capo così, spegnerò le luci e da qui sparirai, pochi attimi, oltre questa nebbia, oltre il temporale, c'è una notte lunga e limpida, finirà, ma è la tenerezza, che ci fa paura.

* * *

Mi sono iscritta a filosofia per ripicca, per danno, per malaugurio, per sfida, col mio diploma e la mia lode, coi miei capelli ormai lunghissimi, le mie sopracciglia imbiondite dall'estate, i fianchi sempre più stretti, il seno sempre meno pronunciato. Mi ha guidata lì quella parte di me che deve convincere gli altri del proprio valore. Loro dicono corso di formazione, medicina, chirurgia, ufficio e io dico Martin Heidegger.

Era troppo semplice iscriversi a lingue, a lettere, a scienze politiche, bisognava trovare flagello, eccedere, pescare dal mare il pesce con più spine e ingoiarlo a bocca aperta. Ora ho tra i denti il sapore ferroso della masticazione violenta e i resti di un pasto cattivo che non so se sputare nell'erba o buttar giù con un litro d'aranciata.

Al telefono ho detto a Mariano: Studierò Marx e saprò cos'è il capitalismo.

Lui si è messo a ridere.

Il mio studio è compatto al modo di un container senza finestre, un parallelepipedo sostanzioso, una costruzione ausiliaria ma che nessuno trasformerà mai in palazzo, dal nulla ho dovuto creare nuovi spazi d'emergenza per sostenere i miei sforzi d'intelletto. Per farlo ho stabilito riti e scadenze, ritmi e calendari.

Spesso mi ritrovo a studiare nella mia stanza, che non si è mai evoluta, ma ogni anno diventa meno vivace, più impersonale, sembra la camera di due bambini partiti per le vacanze che hanno lasciato il pallone da basket in un angolo, le lenzuola con le meduse e le stelle marine tutte stropicciate nei letti.

Ho appeso al muro davanti all'armadio l'orario delle lezioni, la lista dei libri da studiare, la lista dei libri da approfondire, la lista dei libri da fotocopiare, la lista dei già fotocopiati, la lista di quelli che ho trovato, la lista di quelli che non ho trovato, la lista di quelli che già odio, la lista di quelli troppo lunghi per essere fotocopiati e che andranno consultati in biblioteca, la lista di quelli illeggibili, la lista di quelli su cui ho sfogato rabbia, la lista di quelli a cui mancano le pagine, la lista delle pagine mancanti.

Per studiare, memorizzare, capire devo scrivere, non c'è altra maniera, quindi inondo quaderni e quadernini con note, punti interrogativi, punti di sospensione, frasi a metà, cognomi celebri scritti male, frecce che collegano date ed eventi, titoli tra virgolette, citazioni prese di corsa e tutte sbaffate, per arrivare a collegare i concetti devo concentrarmi, fare vuoto intorno a me, strizzare e mungere tutte le mie cellule cerebrali.

Io mi sdoppio, una me è sul treno, una me è sulla banchina e sta piovendo, piove e l'acqua è fiume in piena, e la me sulla banchina si ripara come può sotto alla pensilina che gocciola e gronda e la me sul treno sta passando in quel momento, il treno non si ferma, ha deciso di saltare quella stazione, la me della banchina rimane ferma e non sa come arrivare a casa, mentre la me sul treno guarda la me sulla banchina, distratta dal finestrino rigato dall'acqua, arrivano due fulmini, uno colpisce la punta del treno e uno la coda e la me della banchina vede i fulmini toccare il treno insieme, nello stesso momento, e la me sul treno? Cosa vede la me sul treno? È una vita che vede cose la me sul treno, non sa più neanche il senso del non vedere il mondo passare dietro a un vetro nella sequenza ordinaria dei luoghi dove non ha mai messo piede, ma che le sono familiari nelle loro apparizioni e sparizioni.

Mentre ci penso, si accende un coro di voci nel salotto, mia madre e i gemelli rumoreggiano e mio padre fa il controcanto con dei versi intermittenti, sembra starnazzare, non capisco se stiano litigando o siano incredibilmente felici, ma immagino la prima, perché la felicità incredibile non ha mai abitato al nostro secondo piano.

Esco dalla stanza nervosa, perché mi hanno distratta e perché studiare fisica per filosofi mi pare una canzonatura, intanto io non ho scelto filosofia per occuparmi di fisica ma ancora meno per farne una versione ridotta, una summa di, il bignami della fisica per povere menti incapaci, mi affaccio e grido: Io sto studiando la relatività di Einstein, se per favore...

Poi ammutolisco, c'è un oggetto sul tavolo della cucina, un oggetto nero, ha lo schermo liscio, ha i buchi per la corrente e l'antenna, ha il pulsante per spegnerlo e accenderlo.

La signora Festa voleva buttarlo, mi comunica mia madre come a giustificare quella presenza, quella mostruosità, il passo ceduto all'ordinario che nessuno di noi attendeva.

Mio padre muove la sedia su e giù, la fa sbattere contro il tavolo e tremano per l'urto le sue gambette fine, scalpita e si agita, quella che si sta compiendo nella cucina è la sarabanda della sua vita, il cambiamento epocale che non osava chiedere e la benedizione che nessun santo gli aveva concesso.

I gemelli hanno già il telecomando in mano, lo osservano e ne studiano le funzioni, quella è una televisione vecchia, avrà più di cinque anni, per gli altri è immondizia, per noi è manna.

Non dico nulla e resto distante dal tavolo, non è la prima volta che vedo un televisore, tanti ne ho visti nelle case altrui, tanti ne ho sbirciati dentro le vetrine dei negozi di elettrodomestici,

222

tanti ne ho guardati appesi in alto dentro ai pub o ai bar, tanti ne ho ammirati, detestati, adorati, dimenticati e voluti.

Non avere il televisore era la nostra sciagura e la nostra bizzarria, potevamo dirlo ad alta voce e fare gli insolenti: io non ce l'ho, io questa cosa non la so, io non ho idea di cosa stiate parlando.

Per tanto tempo siamo stati ai margini dei discorsi, abbiamo con affanno tentato di recuperare il senso delle conversazioni altrui che riguardavano qualcosa che ci era impossibile, ecco, abbiamo avuto esperienza dell'impossibile, perché una cosa o la possiedi o non la possiedi, o puoi toccarla, leccarla, spolverarla, romperla o non puoi, e il non avere è stato il mio avamposto.

La semplicità con cui mia madre ci sta comunicando questo sgarro alle sue regole, questo incontro con il superfluo, con l'ingiusto, mi confonde, come bambola dai boccoli e i pizzi sulla gonna mi siedo al tavolo mentre loro armeggiano e mio padre fa *toc toc* con la sedia contro la gamba in legno e la cucina sembra un buco nero, ci risucchia, il suo campo gravitazionale non ci dà scampo.

Dopo un po' di lavoro manuale, una serie di imprecazioni, lo spostamento dei mobili alla ricerca del buco dove inserire il cavo dell'antenna, la rimodulazione dei nostri bisogni e la creazione di un altarino, la televisione viene posta in salotto contro il muro, sopra a due cassette della frutta che mia madre di solito usa per tenere le patate e le cipolle e che ora, con rapidi gesti, ha legato tra loro grazie a del fil di ferro, già le immagina decorate, le riempirà di fiorellini e vinavil.

I gemelli si sistemano sul divano e hanno occhi grandi, eccitati, mio padre finalmente si sgancia dal tavolo e va di là, si orienta segnando un semicerchio a terra e mia madre siede su uno dei braccioli, il divano è piccolo, non è mai stato pensato per contenerci tutti insieme, non avevamo motivo di occupare quella zona della casa simultaneamente, perché contro il muro non c'era nulla da guardare e tra noi c'era poco da dire.

La televisione viene accesa e così ci sintonizziamo, abbassiamo le difese immunitarie, io resto seduta al tavolo della cucina e vedo dalla porta aperta le loro quattro nuche che oscillano, i colli lunghi e protesi, ascolto i commenti, ascolto come iniziano a litigare perché sono già in disaccordo e come per colpa di un tragico destino le loro opinioni discordi finiscano riflesse sullo schermo.

In breve tempo discutono sulle discussioni degli altri e discutono sull'utilità o meno di discuterne e discutono sul fatto che dopo mezz'ora di televisione già discutono e discutono sulla presenza della televisione e discutono sull'assenza della televisione, sul loro essere ineducati all'osservazione silenziosa del palinsesto nazionale.

Io mi alzo e non vengo notata, ho fame, ma chissà la cena quando arriverà, torno in camera e guardo il foglio dove ho disegnato un treno, guardo il punto A del primo fulmine e il punto B del secondo fulmine e la freccia che rappresenta il moto del treno e il punto M che sono io – io sul treno, io sulla banchina – e so per certo che la me sul treno è quella spacciata, perché se un treno in corsa viene colpito da due fulmini di sicuro non arriva a destinazione.

* * *

Un pomeriggio di giugno scendo fino al lago portandomi i libri da studiare – il circolo ermeneutico, lo scetticismo di Montaigne, il processo a Galileo – preparo tre o quattro esami insieme, esoneri, preappelli, tesine da compilare, la brezza del lago non ha sapidità, io immergo i piedi sulla riva.

Sono finiti i mesi delle vacanze liceali e degli spruzzi, dei lunghi pomeriggi e delle pigre ore del meriggio, sono ingabbiata in questa nuova villeggiatura, così corta da risultare fulminea, insufficiente. L'estate è diventata breve, al tramonto il lago è una tigre, la luce si spezza in strisce gialle e nere dove il sole sta cadendo mentre dall'altro lato si affaccia la notte. Quando porto i libri con me e sto seduta sulla spiaggia vicino al borgo antico, guardo il cielo dalla riva e vedo la luce sparire dalle case un poco alla volta, anche quando non ci sono nubi una foschia s'addensa e nasconde.

Mi volto per tornare al mio asciugamano e vedo una ragazza, a pochi metri da me, mi sta guardando e ha un cane di piccola taglia al guinzaglio. Il guinzaglio è blu, la ragazza è gialla, lei si avvicina con un sorriso vigoroso e si presenta: mi chiamo Elena. L'ho già vista in paese, a distanza, mi è sempre sembrata misurata, opportuna, piena di amiche. Nessuno però ci ha mai introdotte, eppure so già alcune cose di lei: il liceo che ha frequentato, i fidanzati che ha avuto, so di quella notte in cui ha bevuto troppo ed è andata ai Cigni, la discoteca di Viterbo, ballando il vestitino nero che indossava le è sceso dal grande seno, e più di uno giura di averle visto il capezzolo sinistro.

Io dico il mio nome a voce piccola, non ho nessuna voglia di conversare, ma i miei pensieri sono orientati allo studio, il lago doveva essere un compagno e non un diversivo, in mezzo alla settimana non ci sono molti bagnanti persino d'estate e nel punto in cui siamo noi, quasi sotto la curva del pizzo, sono ancora meno.

Elena risponde che sa chi sono, mi ha vista in giro sempre con quella mia amica che sembra un'attrice e io le spiego che si chiama Iris. Così Elena si siede sul mio asciugamano, libera il cane che va verso l'acqua e annusa i sassi, e inizia a parlare, a dirmi tante cose che la riguardano, dove vive, come mai nessuno ci ha mai presentate, pensa che le nostre vite si siano sfiorate finora, fa un elenco delle coincidenze, sta studiando per diventare giornalista di moda e non sa se prenderà mai buoni voti, legge libri d'avventura, le piace viaggiare, ha fatto danza classica da bambina, ma ha i piedi storti e non tiene bene l'equilibrio.

Non sono interessata a quello che mi sta dicendo, vorrei tirare fuori i libri, riprendere dal punto esatto in cui ho lasciato i miei ragionamenti, mi maledico per essere uscita di casa, avrei dovuto chiudermi a chiave in stanza e portare il ventilatore accanto alla scrivania.

Lei mostra un entusiasmo per quell'incontro fortuito che non riesco a comprendere né so dove collocare, appare cortese, disin-volta, per nulla ombrosa, riesce a scherzare con abilità e penso sia assai bella, ha le gambe abbronzate ma non molto lunghe, il seno grosso e la vita piccola, da vicino mi accorgo che i capelli però sono tinti, lei infatti mi confessa che la madre fa la parrucchiera e mi invita ad andarle a trovare, ha il negozio davanti alla chiesa di San Francesco, io le rispondo che è mia madre a tagliarmi i capelli, non lo fa per professione ma perché serve che lo faccia.

Elena allora mi propone di passare lo stesso, può mettermi lo smalto semipermanente alle unghie – nero, argentato, grigio, sembro proprio una tipa da grigio – come regalo e poi potremmo bere qualcosa insieme all'ora dell'aperitivo.

Io rispondo che non so, vedremo, non faccio particolare attenzione agli smalti o al vino frizzante.

Ci scambiamo comunque i numeri di telefono e lei mi lascia studiare, si alza e spolvera con la mano il vestitino a pois e ri-chiama il cane che si chiama Gin, lei mi dice come il gin tonic e sorride, la vedo allontanarsi e ancheggiare, Gin è di nuovo al guinzaglio e loro sono di nuovo gialli e blu.

Da quel giorno Elena scrive spesso, non è pressante, non è fastidiosa ma continuativa, dice che può passarmi a prendere con la sua macchina – bianca e nuovissima, simile a un taxi di città – che sarebbe bello andare al mare a Fregene, che al lago lei conosce un circolo velico privato dove non va mai nessuno e l'acqua è più pulita, ci sono le barche e il prato sempre tosato, ha letto una ricetta online e le piacerebbe molto una volta provare a fare il ketchup a casa e poi inzupparci dentro i nachos e le patatine.

Le sue attenzioni mi fanno sentire presto preziosa dopo vari anni in cui ho patito la poca considerazione di Iris, e quindi mi lascio coinvolgere senza troppe remore nelle sue iniziative, mi ritrovo così ad accantonare i libri per alcune ore e vado al mare e a bere margarita in spiaggia, fingo di saper cucinare e improvviso una salsa guacamole, guardo la TV con suo padre, che è avvocato e culturista, e suo fratello minore che ama la montagna e fa fotografie a stambecchi e capre selvatiche.

Insieme vediamo *Colazione da Tiffany* e *Sabrina*, che sono i suoi film preferiti, e dormiamo una sera nel suo letto, custodite dalla sua camera alle cui pareti sono appesi poster di moda in bianco e nero, ritagli di Cindy Crawford e Naomi Campbell e i palazzi di New York, suo grande sogno infatti è vivere a Manhattan, ma anche la California e Hollywood e tutto quello che si affaccia sull'acqua, dice che i moli negli USA si chiamano *piers* e sono lunghissimi, non come il nostro che è corto e viscido e non serve a niente, gli americani vicino ai *piers* hanno i luna park e le spiagge sono così larghe che puoi giocarci a tennis.

Quando siamo stese sul lettino a strisce di quel circolo velico, sorseggiando aranciata, le racconto qualcosa di me, della mia casa afosa e dannosa, una casa che mangia tutte le cose e le persone, una casa assassina, di mia madre e mio padre, della mancanza di mio fratello, della presenza dell'orso rosa che Iris ha soprannominato Babol come le gomme che masticavamo da bambine, dei gemelli e della loro inguaribile generosità.

Riesco a comporre frasi di senso compiuto e dichiarazioni su Andrea, a grandi linee mi lamento del nostro passato, elogio il presente, cerco per la prima volta di elaborare ad alta voce ciò in cui ho vissuto finora, non arrivo fino al racconto delle notti a fari spenti con Cristiano, ma circumnavigo gli eventi, provando ad apparire interessante e misteriosa, dico spesso eh sapessi quante ne ho fatte oppure lascia stare, io a volte perdo la testa e la perdo davvero questa testa matta. Così sembra all'improvviso giusto e opportuno che io sia un po' mela marcia, un po' ragazza dagli occhi criptici, mi rende conturbante, difficile.

Infine aggiungo che anche io vorrei avere un luogo lontano dove vivere, come il Congo o il Giappone o la Polinesia, e che anche io ogni mattina non disdegnerei una colazione davanti alla vetrina di una gioielleria, l'occasione di sostare lì davanti e contemplare collane e orecchini che non posso avere.

Appare così intimo e naturale trascorrere tempo con Elena che lei sembra arrivata già durante la mia infanzia e abbia sempre vissuto nei pressi delle mie giornate, con lei si materializzano eventi prima inavvicinabili. Elena trova infiniti modi per pagare il meno possibile ma divertirsi, non si lamenta mai se devo portarmi dietro i libri e studiare, e ha già istituito alcuni nostri rituali come quello di andare con la macchina a vedere il tramonto sul lago quando torniamo dal mare, quel tramonto che è sempre una fine e quell'acqua in cui il sole non può tuffarsi, ma che solo ne riflette i raggi moribondi.

Noi diciamo: Ciao sole, addio sole; e scoppiamo a ridere.

Iris non è felice di questa mia nuova conoscenza, continua a ripetermi di non fidarmi e io credo lo dica per gelosia e rimorso, perché ora, che non mi vede più sola o terzo incomodo, teme che io possa preferire qualcun'altra a lei, questo nuovo potere, la capacità di indispettirla e denutrire la sua speranza, mi elettrizza e fa gongolare: la vita gira, la vita restituisce quello che coltivi, quello che sbagli.

Elena non ha un fidanzato, ma si è lasciata da poco dopo una storia molto lunga, quasi sei anni e ci tiene a raccontarmi ogni cosa di Alessio, il suo passato amore, dal colore dei capelli, a quante volte si asciugava il ventre con le lenzuola dopo un amplesso, e allora anche io parlo di corpi e di addii e di peripezie amorose e mi riesce con insolita, incredibile semplicità, accade e basta che io mi racconti.

La sessione degli esami passa e io riesco a non rimanere indietro, ho preso due trenta, un ventotto e un venticinque che mi ha fatta piangere, ho strappato due quaderni e ho pensato di consumare a morsi quattro pacchi di fotocopie, avevo studiato, mi ero impegnata, come gufo, come faina, come animale che si aggira nelle ore notturne e vuole sopravvivere.

Elena invece ha dato un esame solo e sembra lieta di potersi godere i prossimi mesi senza preoccupazioni, mi convince a festeggiare e dice di portare anche Andrea con qualche suo amico, io acconsento decisa ad archiviare lo studio e i miei quaderni di appunti per almeno un mese e così si crea un altro gruppo estivo che dal nulla appare e chissà quando scomparirà, una nuova cometa.

Per sfoggiare la mia recente amicizia, invito anche Iris, a quel festeggiamento, e ci troviamo tutti davanti a uno stabilimento che ha chiuso i lettini e ritirato gli ombrelloni, abbiamo tre bottiglie di vino bianco e caldo e della musica grazie alle casse di un'auto tenuta a finestrini abbassati, e io bevo, bevo, bevo e rido e mi appoggio a Elena con svenevolezza, calco affettuose movenze e la trascino a farsi un bagno. Andrea si butta con noi e altri lo seguono. Iris resta a riva, i capelli asciutti, il viso allungato, l'aria da corvo.

Quella sua tristezza è motivo d'euforia, saltello nell'acqua e sciolgo i capelli, li agito, ho le cosce sode, ho i polpacci minuti, sono pallida e la criniera rossa sembra una macchia di sangue contro il cielo, ho nelle arterie tutta questa inattesa bellezza, la gioia di aver ottenuto ciò che volevo senza neanche dovermi contorcere, senza malmenare, senza spingere e sgomitare, ora ho esattamente qualcosa di cui fare vanto e la sicurezza che io piaccio, piaccio molto a chiunque mi guardi.

Rido beata e brilla, salgo in braccio ad Andrea e lo bacio nell'acqua, sembra un serpente e io un polpo, la musica è lieve ma tintinna nell'aria e chi passa col motorino lungo la strada suona il clacson come a dire che facciamo bene, che siamo bravi e liberi e maturi.

Ora mi sento così, cresciuta come un impasto tenuto coperto da un panno, sono lievitata, ho incorporato aria, sono gonfia e tronfia dei miei successi: gli esami sono passati, Andrea mi ama – certo che mi ama – Iris si è pentita di quel coraggiosa, di quei dieci motivi per farsi odiare, Elena è un proiettile in fuga, lo slancio verso il futuro, è evidente adesso che io posso agire ed essere ogni cosa.

Faccio un verso di gola, il richiamo per qualche uccello lacustre, mimo le sembianze di una specie protetta, e mi muovo quale anguilla, immagino di avere le zampe palmate dei gabbiani, trattengo l'aria e compio una capriola sotto la superficie, ho dovuto faticare e distruggere, ma eccomi qui: anche a me è dovuta la beatitudine.

Bevo un sorso d'acqua di lago e mi viene da ghignare: è dolce, è zuccherina, questa acqua, questo pantano, ha il sapore delle ciliegie, della marmellata di clementine, dei marshmallow, l'acqua del lago è sempre dolce, urlo con tutta la voce che ho.

Ancora: l'acqua del lago è sempre dolce.
Urlo con tutta la voce che ho.

* * *

Cristia', mi serve un favore. Ho bisogno che mi vieni a prendere, porta due caschi integrali e due taniche di benzina, copri la targa del motorino.

Chiudo la chiamata e la mano trema, balla, se avessi tra le dita una tazza piena di caffè lo rovescerei a terra. Sono in mutande e ho il fiato breve, guardo i miei piedi, anche questi si muovono, vibrano, allora prendo un reggiseno nero e di pizzo, me lo aggancio sulla pancia e poi lo giro sistemando le coppe, strizzo i seni e sistemo le spalline, mi infilo i jeans neri appoggiati alla sedia e poi le scarpe da ginnastica, cerco una felpa, ma vedo doppio, vedo triplo.

Sono passate cinque ore e non ho trovato requie, non mi è possibile star seduta né appoggiata al muro, ho già fatto pipì dieci volte e perso liquidi che non erano in eccesso, mi sto sciogliendo.

La telefonata è arrivata mentre mangiavo una mela in pigiama, la stavo sbucciando con perizia, tenevo il coltello in modo da non ferirmi e levavo pelle al frutto senza staccare mai lo sguardo.

Qualcuno al telefono ha riso, ma non ho saputo riconoscere la risata o la voce, la persona mi ha detto che Andrea aveva fatto qualcosa, volevo sapere cosa?

Avevo risposto di no e avevo attaccato, il numero era sconosciuto, poco dopo mi è arrivato un messaggio da Andrea, c'era scritto: Scusami, ti prego, non è successo niente, ti giuro, ero venuto per prendere un caffè.

Io ho mirato e rimirato il Motorola – l'antico, l'onesto, l'indistruttibile – e ho sperato esplodesse con tutti i messaggi e la rubrica, le tracce dei mesi e delle settimane.

Mi hanno telefonato ancora col numero privato e allora ho risposto: il tuo ragazzo si vede con la tua amica, siamo fuori casa di lei, lui è dentro ed è già la terza volta che citofoniamo, non vuole uscire.

Io ho mosso la testa di qua e di là, scrollandomi di dosso l'impossibile, ho sentito ridere di nuovo – ridere ridere ridere di me – poi hanno attaccato.

Ho telefonato ad Andrea ma non ha risposto, ho telefonato la seconda volta e non ha risposto, ho telefonato tre quattro cinque volte e non ha risposto; allora ho corso con le dita sulla rubrica e ho chiamato Iris.

Andrea sta con te? le ho domandato subito.

Con me? No, sono da nonna a Monterosi, perché? Che succede?

Dicono che Andrea è a casa di una mia amica.

Non sono io.

Ho ascoltato in sottofondo i rumori della cucina, la televisione accesa, il TG regionale, lo sbattere dei piatti nel lavello e ho riagganciato.

Mi sono sentita strozzata, arpionata alla gola, sul punto di perdere sensi e sensibilità, ho cominciato a camminare per la stanza, di qua e di là, su e giù, ho aperto la finestra, fuori stavano passando le automobili, i cani venivano portati al guinzaglio per la passeggiata serale, in un punto visibile c'era l'albero da cui Orso mi aveva aiutata a staccare un ramo.

Ho riprovato a telefonare ad Andrea e lui ha risposto agitato, ha farfugliato cose inesatte, pentimenti, ricostruzioni, informazioni tardive, ha detto che era stato per puro caso, che loro si sentivano ma in amicizia e che quella sera non sa come mai qualcuno lo abbia seguito fin lì, lui voleva chiacchierare.

Ho detto: Non ho capito di cosa parli.

Lui ha ripetuto che casa di Elena era libera quella sera e volevano parlare, poi qualcosa è cambiato, ma lui voleva dirmelo, lui sapeva che non andava bene e adesso è disperato, ha detto esattamente DISPERATO e a quel punto io mi sono risvegliata, ho spalancato gli occhi sulla stanza e su di me, ho staccato il cellulare.

Ora apro l'anta dell'armadio e infilo le mani nella parte piena di impicci e garbugli, abiti rotti, calze spaiate, righelli, squadre, quaderni logori, la racchetta delle medie, il cartellone dei diciotto anni e la trovo, la afferro e la tiro fuori.

Scuoto la maglietta con la esse di Superman, una due tre volte, e poi me la infilo dalla testa, faccio passare le braccia, recupero anche la felpa nera e la indosso, chiudo la zip fino in cima e tiro su il cappuccio, nascondo i capelli.

Dico a mia madre che esco e lei risponde che esco sempre e troppo e che questa sera non andrò da nessuna parte, io sono già per le scale e scendo in strada.

Non sa più come convincermi con la sottrazione, non ha il potere di levarmi nulla, non può legarmi le mani dietro la schiena se le uso male, non può togliermi il piatto a cena se non obbedisco, non può lasciare sporche le mie mutande se torno tardi la sera, io ho fatto come ha chiesto: sono rimasta con lei e ho studiato, ho studiato fino a svenire. Vorrei urlarle: È finito quel tempo, ma', quando tu potevi dire se uscivo o meno, quando tu sedevi sull'uscio di casa e io e Mariano correvamo nello spiazzo di cemento, dove non c'erano più siringhe, dove avevi ammazzato i *bacarozzi* e le malattie. Io sto mutando come biscia al sole, perdo ingenuità come pelle morta e lei pare sempre uguale a se stessa, scolpita nel marmo della sua maternità.

Cristiano ha un casco infilato sul gomito e due taniche in equilibrio sulla pedana del motorino, io mi avvicino e prendo uno dei caschi, lo indosso e tiro giù la visiera.

Lui non ha bisogno di chiedere: cinque ore sono un tempo sufficiente per il paese, tutti adesso sanno già quanto c'è da sapere. Cristiano non contesta la mia scelleratezza perché la trova appropriata ed è per questo che ho chiamato lui, perché conosce cosa è giusto.

Prendo una delle taniche che lui ha riempito al benzinaio e, una volta salita alle sue spalle sul motorino, la tengo schiacciata tra me e lui, e così, con questi bambini tra le braccia e tra le gambe, partiamo.

Io gli urlo a che via deve andare e lui va, guida esasperando la nostra corsa contro un tempo che non sta ticchettando, ma batte solo nella mia testa e nella sua.

La strada è deserta, è passata da un pezzo l'ora di cena, fuori dalla bifamiliare di Andrea Coletta ci sono solo le macchine parcheggiate e allora io scendo, vedo la sua targata AZ, l'antenna della radio, i sedili verdognoli, è una macchina diversa da quella del padre, quella dove avevo scagliato la mia ira la prima volta, adesso ad aspettarmi c'è proprio la sua, il suo mezzo di locomozione privato di cui ha scelto lo stereo e apprezza l'aria condizionata. Cristiano intanto lascia il motorino all'angolo e osserva le ombre sotto ai lampioni. Abbiamo ancora i caschi in testa e una tanica in mano ognuno, le stringiamo con gusto e sentimento, lui mi guarda come a chiedere se sono sicura, se deve procedere e io annuisco con vigore, muovo il casco in avanti e faccio sì, iniziamo il passo a due, la scena madre, il coup de théâtre.

Allora apro la mia tanica levando il tappo nero e occhieggio le forme e le dimensioni che mi circondano, i detestabili volumi, mi avvicino e butto benzina sulle gomme e sul cofano, come se fossero gambe, braccia e spina dorsale del mio nemico. Cristiano sta per fare lo stesso ma io gli indico le altre macchine, ce ne sono almeno cinque in fila, allora lui annuisce, gli sembra una ottima trovata, una macchina sola fa chiasso, cinque creano panico e paura, quindi esegue. Le bagniamo tutte e cinque, inzuppate meglio dei savoiardi, del pan di spagna, delle spugne sotto la doccia, sui vetri, sui tergicristalli, sui fanali e i finestrini.

Io respiro forte nel casco, ingoio rabbia, tutta quella che ho tenuto celata, quella che ho travestito per le grandi occasioni, quella che ho guardato ballare a distanza, quella che m'hanno vietato e che invece mi appartiene e voglio coltivare, sento il collo appesantito, le mani calde, doloranti. Buttiamo le taniche vicino alle macchine, e Cristiano tira fuori dalla tasca una scatola di fiammiferi, sono lunghi e dalle punte azzurre, ne accende cinque e tre li passa a me.

Osservo le punte infuocate, si consumano sotto i miei sguardi e ricordo il messaggio del Capodanno – ti penso – e sei bella vestita di bianco e poi quel noi non ci siamo, nessuno ci può trovare qui sotto, l'odore delle lenzuola, del dopobarba, dei profilattici appoggiati sul comodino, e l'asciugamano in vita, la porta dello spogliatoio che si apre di nuovo, Andrea esce da lì, Carlotta dice eccomi, e io sono fradicia, grondo acqua, sudore, isolamento.

Butto un fiammifero alla volta sulle automobili e la benzina prende fuoco, si alza presto il fumo della combustione.

Cristiano mi intima di andare subito e risale sul motorino. Urla in dialetto: Dobbiamo correre.

E io sono ferma davanti alle macchine in fiamme perché mi attrae ed è favola per me ciò che guasta e sbrana, ciò che disfa, sminuzza, fa deperire. È questo adesso il mio superpotere: guardare gli oggetti, le case, le persone mentre patiscono.

* * *

Ho gli occhi aperti, ho gli occhi rei, pedalo lungo le curve d'asfalto, passo accanto alle pareti di quello che molto tempo fa era un vulcano, perché questo è il nostro lago: il risultato di una implosione.

È calato il sole e non ho un fanalino sulla mia bicicletta, la strada non è ben illuminata ma devo affidarmi ai ricordi e alle luci fuori dalle case, non alzo il braccio a destra ma mi sposto direttamente, imbocco la stradina che porta al lungolago delle Muse, dove ci sono i locali e gli stabilimenti, lo stesso lato del lago dove ho passato la prima estate con Iris, la notte in discoteca quando ho conosciuto Cristiano, i festeggiamenti per la fine degli esami pochi mesi prima, mentre ero ubriaca e pensavo ci fosse solo meraviglia per me.

Alla fine vado di nuovo a destra, dove la strada diventa sterrata e c'è un unico stabilimento già chiuso, intravedo una struttura in legno sulla spiaggia corvina, la torretta del bagnino ormai inagibile perché il legno è marcito e a salirci sopra si rischia di farla crollare.

Noto anche l'automobile bianca come un taxi di città e allora accosto e butto la bicicletta addosso alla rete del bar che adesso ha le serrande tirate giù.

Elena è seduta in spiaggia, illuminata dalla lucentezza lunare e da un fioco lampione, non c'è nessun altro nei dintorni.

Ho ricevuto un suo lungo messaggio qualche ora prima in cui raccontava le peripezie del suo cuore lacerato e la lotta contro il proprio volere e una serie di raffazzonate giustificazioni, proponeva un luogo in cui vederci e un'ora e mi pregava di andare a incontrarla per un'ultima volta, perché solo di persona avrebbe potuto spiegare. La punteggiatura era tutta sbagliata, c'erano maiuscole casuali, accenti al posto di apostrofi e qualche *k* dove sarebbe stato opportuno mettere un *ch*, questa sciatteria mi ha indispettita fino al midollo, dentro le ossa, non ha avuto neanche la cura di rileggersi, ha vomitato quelle sue meste scuse, quegli squittii da sorcio, senza degnarsi di farlo con dignità, con il rispetto che si deve almeno alle parole.

Quando mi vede si alza subito e noto sul suo volto lo smarrimento di chi pensa di avere davanti uno sconosciuto, io le vado incontro a passi lunghi, faccio affondare le scarpe da ginnastica nella sabbia.

Elena indossa un'aria contrita e poi spalanca gli occhi innocenti, dichiara che questo errore non era previsto e che è capitato, come capitano le giornate, i vasi in balcone, le farfalle sulle grondaie, i noccioli nelle pesche, un accidente tra tanti sul nostro pianeta terra sovrappopolato ed esausto.

Dice che è stata una settimana terribile per lei, ha pianto tutte le notti – io non ho pianto mai, neanche una o mezza o un quarto di notte – e poi quel disastro sulla via in cui abita Andrea, hanno preso fuoco gli alberi nei giardini, c'era un fumo nerissimo anche il mattino dopo che ancora s'alzava dalle carcasse delle automobili, si sono affumicati i muretti di tufo e sono scoppiati i vetri, la via è un cimitero di lamiere e l'unico odore è quello della stoffa, della plastica, della resina bruciate.

Io annuisco come se comprendessi l'entità della disgrazia, che certo avrà portato danni e turbamenti e difficoltà, e l'idea mi aggrada, mi conforta, perché non era un gesto destinato a perdonare, a lenire o a spargere delicatezza; mi delizia questo mondo residuo di incendi.

Le due voci sono partite quasi insieme, come veleni iniettati a piccola distanza l'uno dall'altro, prima il tradimento di Andrea e poi il rogo a Residenza Claudia, dove i villini sono vicini vicini e i giardini hanno lo spazio per le bouganvillee e gli ulivi. Ora la gente non parla d'altro, si rotola tra le ipotesi e le congetture, nuota nella melma di questo stagno senza grilli e senza rane, fa a gara a chi indovina prima, a chi ha più notizie da fornire al resto della plebe: siamo un corpo a terra e loro sono i cani, vogliono carne fresca, hanno iniziato a mangiarci dalla punta dei gomiti.

Elena non ha il coraggio di chiedere se sono stata io, perché non ha gli strumenti sufficienti per capire come e con chi, non sa completare il puzzle dei miei umori, dei miei momenti schizoidi, delle mie imprevedibili ma cadenzate reazioni esagerate, e quindi peggiora la situazione e si mette a parlare di noi.

Dice che a lei Andrea piace molto, ne è innamorata, ci tiene a far capire la forza di questo amore perché altrimenti il suo voltafaccia non si comprenderebbe, rimarrebbe una marachella, un gesto inconsulto, ma quando c'è l'amore, che dire, ogni azione è lecita e significante, ogni azione è poesia.

La loro lunga conoscenza, che è iniziata neanche due mesi fa, ha scavato nel suo intimo, tra le budella, germinando una sensazione di reciproca appartenenza, ed è stato mostruoso e straziante doversi trattenere dal rispondere al richiamo del sentimento, non sono certa abbia detto proprio richiamo del sentimento allora le chiedo.

Il richiamo di cosa?

Del sentimento.

Torno ad annuire con insistenza, faccio sì sì con la testa e il mento, con tutto il corpo partecipo alla sua confessione.

Cristiano anni fa mi ha raccontato una storia sul nostro lago: sorgeva, in passato, al centro una città di nome Sabazia, era una città florida, il commercio era fiorente, l'agricoltura nelle terre limitrofe non vedeva siccità o pericoli, c'era abbondanza al mercato, lungo le vie, ma la sua gente era contrita, velenosa, acre, non c'era nessuno che possedesse qualità. Così la città e i suoi abitanti vennero puniti da Dio che decise di far piovere molta acqua sulle case, sulle mura, nei cortili, sui panni stesi ai fili e sulle aie dove venivano governati i maiali, sopra alle stalle dei cavalli, l'acqua scese e scese, tanto da portare una inondazione che coprì Sabazia. Solo una fanciulla si salvò perché un giovane misterioso le consigliò di correre via con lui. La ragazza chiese perdono a Dio e si rifugiò in una chiesa, lontana dal paese, lì dichiarò che sarebbe per sempre stata lodevole, santa.

Guardo il lago, è tornato cupo ai miei occhi, immobile, non emette alcun suono, sembra moribondo, caduto in un sonno insalubre.

Mi sono persa cosa sta dicendo Elena che ora ha cominciato a piangere, la vedo che prende un fazzoletto dalla tasca, già consumato, e si tampona le ciglia, poi aggiunge, a un discorso inascoltato, che per lei sono cara e vitale e non aveva previsto di fare quello che ha fatto.

È capitato, dico io come a lasciare intendere che ho capito, sto ascoltando, sono qui.

Lei annuisce e mi guarda, risponde: Esatto, quasi fosse una ovvietà fatta di lettere, tutto pare tornare, tutto ha un suo inizio e una fine.

Mi è chiaro, solo ora con assoluta certezza, che al centro del lago non c'è alcuna città Sabazia, come non c'è un presepe sotto il molo, come non ci sono fantasmi al Castello Odescalchi o streghe che si aggirano tra le dune di sabbia quando il sole cala, questi paesi vivono di narrazioni posticce, hanno creato mitologia sui sassi e le pietre vulcaniche, con la loro leggenda volevano esorcizzare i bruti e gli svergognati, punirli, sciacquarne via i peccati, ma le storie non bastano, non raccontano tutte le verità, ed è evidente che non c'è stata conversione, non è esistita nessuna donna superstite, nessuna donna benedetta; esistono solo le donne di sangue, come me.

Elena allora parla della nostra amicizia, perché c'è, è viva, senza dubbio, lei ha riconosciuto in me qualcosa di se stessa, noi ci siamo trovate e ora allontanarci sembra un taglio operato col bisturi, come faremo senza questa nostra amistà e perché mai dovremmo lasciare che un singolo momento, un errore sempliciotto, rovini l'affiatamento, il legame a doppia corda.

Mi torna in mente una frase che Iris e Agata avevano scritto sul cartellone dei miei diciotto anni: l'amicizia nasce nel momento in cui una persona dice a un'altra: Cosa? Anche tu? Credevo di essere l'unica.

È a questo punto che io mi avvicino ancora e le do un calcio all'altezza della rotula, con tutta la pianta del piede, una zampata da ciuco, lo zoccolo di una mucca, e lei urla e si piega in avanti, si tocca la gamba che di sicuro le fa male, molto male, io intanto con entrambe le mani afferro i suoi capelli biondi, hanno le radici più scure e le punte schiarite dall'estate, e tiro come se lei fosse busta da scaricare al porto, scarto di fabbrica con cui inquinare l'acqua del mare, la trascino sulla sabbia nera, il suo peso crea un solco e la sua impronta si fa evidente, sulla riva lascia i suoi germi, la sua saliva.

Elena prova a divincolarsi, scalcia coi piedi, muove le mani e mi colpisce e io ricevo i colpi senza subirli, mi sento una sfera di cemento armato, non ho falle, non ho rughe, non ho crepe in cui infilarsi, non c'è niente ora che possa farmi smettere di tirare, così la trascino: la sua quarta abbondante, i suoi fianchi taglia S, il suo sedere adatto alle mutande alla brasiliana, il suo naso un po' grosso sulla punta, i suoi piedi da ballerina mancata, quando arrivo all'acqua le tiro un altro paio di calci e le prendo la testa, la immergo nel liquido e le salgo sopra, la tengo ferma, la tengo sedata.

Non è semplice evitare che prenda aria, perché continua a dibattersi, pare pesce vivo e preso all'amo da poco, tira su il capo e respira, poi torna sotto, poi scalcia, poi graffia, poi urla, piange e la sua voce fa *glu glu*, io mi bagno le scarpe e i jeans almeno fino alla coscia e continuo ad avanzare nell'acqua e a imprimere la mia forza su quel corpo come fosse un mucchio di panni da sciacquare per eliminare il sapone, togliere una macchia di sugo rosso su un vestito bianco.

I cartoni della pizza sono aperti sulle nostre gambe, la crosta è croccante, il sugo cola e sporca e Andrea dice: Andiamo a ballare.

Ho la testa matta, non sai se la perdo cosa succede, mi ripeto e prendo energia da questa immagine di me, la temuta, la rispettata, la feroce, al suo fianco combatto le risate di quella telefonata, la scusa del prendere un caffè alla sera, l'irruenza con cui mi è stata strappata – mentre sbucciavo una mela – la sensazione di gioia che avevo provato e creduto, innaffiato, curato, alimentato, il modo in cui ho sempre detto importante, una storia importante quella con Andrea, per me destinata all'infinito vano di chi è giovane.

Questa vita, che ho tra le ginocchia, nelle mani, come grappolo d'uva, come lampada e libro, deve finire, perché così funziona il ciclo delle ere, degli animali, delle stagioni, capita che qualcosa finisca.

Elena risponde con sempre meno efficacia al mio attacco, al mio omicidio, e flebili si fanno le bolle nell'acqua, piccoli gli spasmi, minute le contrazioni, mancano pochi secondi, manca il tempo di un ciao, di un arrivederci e di un ti amo prima che lei non ci sia più.

Poi sento due persone parlare sulla spiaggia, sono un uomo e una donna, la donna dice che sono cinquanta euro per tutto e lui dice cinquanta euro mi pare troppo, si stanno avvicinando, camminano sulla sabbia e ci vorrà poco prima che vedano: io accucciata nell'acqua, lei sommersa.

Allora sono costretta a lasciare, ad abbandonare la mia furia, ed Elena alza il capo, cianotica, sperduta, ha gli occhi sbarrati di chi sta soffocando in una busta, prende con tutti i polmoni l'ossigeno umido che arriva dal lago, e io inizio a correre verso la strada e verso la bicicletta, non mi volto e penso che ci vorrà poco prima che lei cominci a strillare e mi insegua con la sua automobile e mi investa sulla strada del ritorno, oppure chiami aiuto e arrivino le volanti della polizia sotto la finestra di Antonia.

Il carabiniere che le è amico, con accento siciliano, le dirà: Io t'avevo avvertita di tenerla d'occhio, tua figlia è da galera, ha quasi ammazzato qualcuno, ma cosa altro ti aspettavi da una donna rossa, cresciuta in una famiglia così?

11.
LA LUNA È CADUTA STANOTTE

Nella faggeta non si vedono né terra né erba, solo foglie secche senza sfumature, un mantile di sottili e croccanti piccole foglie, zucchero caramellato e mandorle. Cristiano dice che la faggeta di Oriolo Romano è diversa dalle altre perché è cresciuta a bassa quota, dice che le faggete sono i posti nel mondo più longevi, sono rimaste identiche a loro stesse per milioni di anni, da dopo l'era glaciale a oggi, o forse meno, ma se anche fosse meno io guardo quei tronchi lunghi e stretti come se fossero miei antenati, li vedo nudi, hanno braccia e mani e dita e tra loro si sfiorano soltanto, accendono fuochi nelle caverne quando nessuno li guarda.

Questa è la mia festa per la laurea e non ce ne saranno altre, perché le ho vietate.

Cristiano cammina davanti a me, si è vestito di tutte le tonalità del sottobosco e ha un cappellino di lana scuro calcato sulla nuca, la barba che spunta sul mento, una pettorina arancione. Ha le spalle larghe, è più alto di me, mentre cammina si sistema spesso i pantaloni come se stessero calando, mentre non è così, li ha legati con la cintura. Non vedo i suoi occhi piccoli e vicini, le pupille che a me sembrano sempre o troppo larghe o troppo strette, non so mai se reagiscono alla luce e al buio, se sono sintetiche, se sono disegnate con un pennarello scuro.

Ti dovevi mettere qualcosa di colorato, mi dice e continua a camminare.

Ho i capelli rossi, bastano quelli, nessuno mi scambierà per un coniglio, rispondo e lo seguo.

Secondo me non ci fai niente con questa laurea, proprio niente, dichiara e il suo fucile passeggia con lui, accanto alla coscia fino al ginocchio.

Farò la domanda per il dottorato, sto preparando già il progetto, mi prenderanno e continuerò a studiare, rispondo io con certezza e stringo il manico, mi guardo intorno, controllo spostamenti bassi, macchie scure, rumori da bestie.

Perché è evidente che andrà così, io so solo studiare e ripetere e archiviare e non possono che farmi continuare, è il mio posto nella società, essere una ricercatrice, diventare assistente di un professore, tenere duro perché verrò pagata pochissimo, fare il concorso da professoressa associata e diventare insegnante universitaria, scrivere tomi, essere link cliccabile, voce consultabile nell'elenco docenti.

Con questa ci ammazzano anche i lupi, mi ha detto Cristiano della sua lupara, ci ha tenuto a narrarmi le storie di quella lupara e della mia, e delle lupare tutte, la genealogia delle lupare.

Io ho pensato che vorrei ci fossero i lupi nella faggeta, per confrontarmi con una caccia vera, la caccia a qualcosa di maligno, di dannoso, qualcosa che può mangiarti, la cui ombra dorme sul fondo della pancia di ogni bambina, e invece dovrò accontentarmi di tordi e cinghiali, creature senza nobiltà fiabesca.

Cacciare nella faggeta è proibito e comunque né io né Cristiano abbiamo la tessera venatoria, ma lui conosce gli orari migliori e i punti meno battuti dal guardiacaccia, e quanto tempo ci vuole per caricare la carcassa di un animale dal centro del bosco al furgone.

Non abbiamo i cani con noi perché fanno troppo baccano e attirano attenzione, quindi la nostra è una caccia lenta e sfortunata, dobbiamo attendere che gli animali si muovano da soli o per colpa dei nostri passi. Dopo un lungo cammino fatto di silenzi e storie da bosco – racconti di Cristiano sul nonno e sul bisnonno e su cosa succede nelle casupole ai bordi della faggeta, quelle che sembrano vuote, ma sono piene di vita, di irrazionalità, di sventure – io vedo un cinghiale, la sua testa da porco, il suo corpo grasso.

Sta fermo accanto a una roccia, morde la terra, sarebbe troppo facile sparargli così, non c'è gusto o sapore nelle cose semplici, nelle sfide da poco, allora dico a Cristiano di tenersi pronto perché ne arriverà uno, alzo la mia lupara dall'anima liscia, prendo la mira e sparo contro l'albero per metterlo in fuga. Quello allora fugge, le sue zampe corte raschiano il terreno, la sua mole è dichiarazione di presenza, prova a muoversi tra i tronchi e la sterpaglia, galoppa sopra alle foglie secchissime e grugnisce tutta la sua preoccupazione. Cristiano spara nella sua direzione, spara due volte e non lo prende, l'animale si contorce nella fuga, si inabissa, cerca il fegato, la milza del bosco, il punto scuro dove le ombre sono pronte a raccoglierlo.

Cristia', prendilo, gli dico io.

Lui inizia a correre in direzione della bestia e poi si ferma e spara ancora, spara e spara e non prende niente, e io penso che se ci fosse stato un lupo arrabbiato lo avrebbe già morso alla faccia, alla gola, all'altezza del mento, allora mi avvicino e lo supero, cerco il cinghiale come se cercassi me stessa.

Mi vedo a quattro zampe nel bosco, che tento la fuga dalle responsabilità dei miei quasi delitti, dalle male parole, dai gesti furibondi, dalle dolcezze che non ho saputo dare, dalla tenerezza che non ho potuto ricevere, dal mio futuro, sono io che arranco e mi accuccio e ho il pelo irto e duro, una corazza di animalità coriacea, io grugnisco, io annuso, io non voglio che nessuno mi fermi, mi processi, mi accusi, poi alzo il fucile, che è corpo per me, oggetto vivo, capacità, e prendo la mira, una delle poche cose che so fare e che saprò sempre fare.

Ricordo me e Mariano che portiamo a casa Babol, dalla testa e dalle zampe, e lo sistemiamo e mio fratello si mette a ridere; e poi Andrea che dice: Vuoi sparare? E tira fuori dei soldi dalla tasca dei jeans, perché sta parlando con me.

Sento il colpo che parte e poi il rinculo, grazie a Cristiano so che la lupara era dei partigiani come dei mafiosi, dei cacciatori come dei combattenti, la lupara apre la carne del cinghiale in uno spasmo e le sue urla sono alte, la ferita è stata precisa, come quelle da grande schermo e da applausi, da festa in ghingheri, e l'animale, zanne e unghie e muscoli e fibre, si accascia, fa delle mosse con le cosce, col ventre, con la testa, non capisce cosa e come l'abbia colpito, non può saperlo, e sta tutta lì la fine della sua vita, nel non sapere.

Penso a me stessa, alla fine del mio percorso di studi, a tutto quello che so che mi attende, a tutto quello che mi sembra ovvio accada e a tutto quello che non mi chiedo se sia necessario o vitale per me. Non ho fatto nessun lavoretto estivo, a differenza delle mie amiche, non ho messo soldi da parte con cui mi sarei potuta liberare dal fiato materno, mi sono concentrata solo sugli esami e i libri, ho seguito il filo rosso che mi sono ritrovata tra le dita, per anni, per lunghi mesi e ore, l'ho seguito scrupolosamente, quando l'ho perso di vista l'ho rimpianto, me ne sono rammaricata, e adesso sono fuori dal labirinto, ho la testa del Minotauro in una mano e mi guardo intorno: sono pronta, indosso la mia corazza da eroe, qualcuno dovrà notarmi, qualcuno mi preparerà un cantuccio nel mondo, troverà un luogo adatto al mio scintillio, alle mie gesta e ai miei duelli vinti.

Un quarto d'ora dopo stiamo trascinando il cinghiale sulla via del ritorno e camminiamo veloci, lui le zampe davanti, io quelle dietro, le abbiamo legate con la corda, lo teniamo sospeso e ogni tanto ci fermiamo, senza Cristiano non potrei portare questo peso, neanche per poco, neanche per pazzia, lui mi aiuta, scuro in volto perché ha fallito e io cerco di parlargli di spezzatini e di vino rosso e di ragù e lui annuisce con gli occhi che vanno dritti e non si spostano.

Era il tuo regalo, puoi farci quello che vuoi, mi dice issando l'animale sul furgone e si sente il botto che fa il suo corpo sul metallo. Cristiano sale e copre il cadavere con delle buste nere dell'immondizia, asciuga il sangue che cola. A me fanno terribilmente male le braccia.

Non affretta troppo quei gesti, ma sistema i fucili, si prende cura di quel corpo morto e dei suoi liquidi con pacata freddezza, la sua dote che preferisco, l'asetticità con cui reagisce al mondo e ai suoi affronti, se c'è da fare lui lo fa. Cristiano è compatto, certo, omogeneo, ha comprato con una piccola eredità della nonna una fattoria fuori dal paese e la sta sistemando, lavora tutto il giorno ad aggiustare le stalle, a tirare su le recinzioni, a stuccare i muri, lui è nato in questi luoghi ed è questi luoghi, è la sua famiglia, è il lago, è come appare, trasparente, evidente.

Io sono la donna spezzata e opaca, quella che si rifrange sulle superfici e la vedi sempre a metà.

* * *

Cos'è quella faccia da cane preso a calci, quel becco da uccello?

Mia madre entra e mi trova poggiata al tavolo della cucina, ho gli occhi di vetro, le labbra di carta stropicciata. Lei posa la spesa, le patate, i carciofi, il latte scremato, io dondolo con un piede sulla gamba del tavolo, oscillo.

Niente, sono solo nervosa.

Hai parlato col professore per il dottorato? chiede lei, e io ricordo il viso lungo di quell'uomo, gli occhialetti calcati sul naso tondo e le mani, le dita nel naso, ravanare, pulire, tirare fuori e ricominciare, esplorare, scavare, e parlare e scavare ancora e dichiarare che no, quel progetto è troppo letterario, la figura dell'idiota è detta e ridetta, non importa più a nessuno. *Come parlano i mal amati?* è un titolo fragile, qui si tratta di ricerca e io non conosco neanche il tedesco, dove vado? Cosa pretendo? L'università non è il cortile delle anime tristi.

Ci ho parlato.

Cosa ha detto?

Ha detto che in quanto direttore lui non appoggia proprie studentesse, per correttezza, che dovrei provare a Tor Vergata, senza borsa, rispondo e la finestra è aperta, l'aria riporta alla mente quella nel cortile della facoltà dove la fatica ruzzola a valle e le mosche coprono i muri l'estate e tutto è fermo e niente ti salva.

Senza soldi non lo puoi fare, te l'ho già detto, cosa pensano? Con che campiamo mentre te lavori gratis per loro?

Antonia assume il tono dei comizi e della bagarre, dei rimproveri e delle lotte sociali, i carciofi scivolano nel lavandino, vengono sommersi d'acqua, i vicini ascoltano musica latino-americana e forse canticchiano, mio padre guarda *Beautiful* aspettando *CentoVetrine* su Canale Cinque, la televisione pompa nei polmoni di Massimo la sua aria pulita, ossigeno necessario: i capelli biondi e lucidi, le spalline bombate, i morti che risorgono, i tradimenti svelati, le madri nocive, i silenzi d'amore.

Non cominciare, ma', non cominciare.

E chi comincia se non comincio io? Ti stanno offrendo solo cose che non pagano, dopo tutti questi anni, ci siamo massacrati per farti studiare, coi tuoi voti, con tutto quello che sai, adesso non serve a niente... Tor Vergata, dovrei andare io a parlare con quel signore.

Non ho dodici anni, ci ho già parlato.

Non ci hai parlato bene, come si deve, altrimenti non ci fregava così, lui non è il capo lì? E ti dice di fare richiesta a un'altra università? Se lui non può prendere i suoi studenti e chi li prende? Chi li prende? Lo Spirito Santo?

Vabbe', taglio corto io.

No, non va bene, devi iniziare a prepararti per insegnare nelle scuole allora, informati su come si fa, vai a chiedere.

Non ho fatto gli esami che servono.

Che vuol dire?

Non ho i crediti nelle materie che servono come le materie storiche.

E perché?

Perché non mi piacciono e non voglio insegnare, ma'.

Ma stiamo scherzando? Stiamo perdendo la testa? Antonia lascia le verdure e le ricette, le buste della spesa sono aperte, i gemelli sono a scuola e torneranno presto, non troveranno il pranzo e aspetteranno quieti, si parleranno all'orecchio raccontandosi le loro confidenze che nessuno di noi deve sapere.

Non mi affiderei un bambino manco in tempo di guerra, dichiaro e smetto di spingere col piede sul legno, lo batto a terra, una, due, tre volte, il piede fa *toc toc* e disturba il ritmo dei nostri capricci.

Non hai fatto gli esami che servivano per insegnare e cosa hai fatto? Falli adesso.

Costano duecento euro l'uno fuori corso.

Cosa ci fai con questa laurea? Cosa ci fai?

Niente.

Niente? Non esiste niente, con ogni cosa se ne fa un'altra, ora cerchi un modo, vai alla segreteria, vai dove devi andare, stai là finché non hai risolto.

Non vado da nessuna parte, li odio tutti, rispondo e rivedo gli annunci affissi, i seminari, i numeri di telefono per l'affittacamere, gli schedari della biblioteca, i computer sempre occupati, le aule a semicerchio, i banchi estraibili che si incastrano, la carta igienica caduta nel cesso e bagnata, i *roar* delle centraline sul retro e mi ricordo una frase di quel matto di Samuele che per qualche motivo non ho mai dimenticato: il mondo sta per finire, la luna è caduta stanotte. In poche parole, non c'è niente da fare, ci si arrende, è la disfatta, ci hanno beffati.

Ha ragione Marco, il figlio dei Festa, ha ragione lui che mi dovrei preoccupare per te, io ci ho riso, non c'è niente da ridere, che stai facendo? Che stai facendo con la tua vita, con te stessa.

Ma chi è questo Marco, mai sentito, fingo io che so benissimo chi è.

Era persino al mio diciottesimo con una camicia a righe, col mento sporco di crema dopo aver mangiato la torta, era andato in giro un po' brillo con quella crema sul viso senza accorgersene. Mi fa orrore e disgusto quell'essere pallido e lungo e tutti i suoi scarti, la bicicletta, le magliette, i pantaloni da aggiustare, i giochi da tavolo a cui mancano i pezzi, la televisione vecchia di cinque anni, da sempre ci nutriamo dei suoi avanzi, se mi guardo intorno la casa è questo che mi sembra: la discarica dei ricchi tediati dalle cose.

Lo hai sentito e risentito, lo hai anche visto mille volte, ti dico da tempo che lo dovresti conoscere meglio, è un bravo ragazzo, fa medicina.

Vorrei ridere in modo acuto, fischiare dal ridere ma non mi viene, sono tesissima e ho la pancia gonfia, potrei farne vanto di gravidanza.

È un ragazzo perbene non come quel Cristiano con cui esci, quel folle.

Non sai niente di Cristiano.

Ti piace perché è carino? Eccomi qui, anche io mi sono sposata il belloccio di turno e guarda che fine, è caduto mentre faceva il suo lavoro di merda e mo' me lo porto pure nella tomba.

Sta qua, ti sente. È mio padre, non una pianta, le dico con un sibilo.

E Massimo neanche muove la testa o le orecchie, non cambia postura, gli occhi fissi sullo schermo, il bacino appoggiato alla sedia, le gambe sempre più corte, stuzzicadenti, e il suo viso con la barba rada da bell'uomo che indossa tute sformate e calzini antichi, una bellissima larva, un'ottima fioriera.

Che sentisse tutto, tanto non fa mai niente. Stiamo finendo nelle fogne.

Troverò qualcosa.

No, tu non troverai qualcosa, tu troverai il lavoro per quanto hai studiato, non andrai al fioraio, al bar, al ristorante, a prendere soldi in nero, senza assicurazione, senza ferie...

La conosco già questa storia.

La conosci? Non è una storia ma la nostra vita.

La tua vita.

La tua vita è la mia.

Calano su di noi alcuni attimi di silenzio che mi ingoiano, la sua frase mi mangia, la sento azzannarmi, devo reagire e porre distanza. La mia vita non è la sua, la mia vita è mia, la mia vita mi compete, la costruisco io e io la distruggo, allora reagisco, come burattino inghiottito dalla balena insieme al plancton io salto e scalcio per uscire e tornare nel mare, affiorare, navigare a vista, non sarò pasto di questa asserzione, non cadrò nella sua gola di fonemi e parole. La guardo furibonda e mi alzo dalla sedia come se m'avessero punta tra le cosce, il pizzicore sale e s'infila nelle mutande, stringo i glutei e cerco di cacciarlo via, ma quel fastidio è già dentro, imbastisce un nido di vespe: la nostra vita, la nostra condizione, il nostro tetto, le nostre stoviglie, il nostro futuro, il nostro investimento, la nostra spesa per il pranzo, il nostro denaro che non c'è.

La mia vita non è la tua, urlo con la voce alta, urlo dalle mie fondamenta, dalla piccola me, dalle viscere umide e sento la nostra terra aprirsi, gli alberi cadere – smottamenti e tonfi – ho la faccia calda, i capelli elettrici, le gambe prudono e c'è una creatura dentro di me, furente, ignobile, che non ne può più delle misure di contenimento.

Massimo gira il volto, lentissimo, come se gli fosse impossibile, e ha pietà per le mura, la lavatrice, l'immondizia sotto al lavello, lo scarico che bisogna tirarlo fino a quattro volte, i panni caduti per strada, i tappi dei detersivi riciclati come portaforcine e forse anche per me.

Io lascio la cucina e mia madre che è silente come non è mai stata, il mio grido selvaggio l'ha ammutolita, vado in camera e mi chiudo a chiave.

Perché sempre si oppone? Si erge come diga. Perché non si fa vicina? Come tutte le madri, o almeno la madre che io vorrei, e non bacia, non accarezza, non pettina i capelli, non rassicura, non incoraggia, ma solo giudica e pretende, ma solo mortifica con parole e accuse, e sottolinea la fine dei sogni e delle speranze.

Mi fa sentire molto da meno, un fallimento, una caduta, un ingranaggio spezzato, un pendolo fermo alle sei del mattino quando ormai è notte fonda: fuori fase, balorda, non so dove cercherò, non so a chi chiederò, come mi arrangerò, perché non so arrangiarmi, io so attendere che mia madre arrangi.

Mi tornano in mente con chiarezza le caramelle che succhiava la mia professoressa di italiano, l'odore d'anice e i consigli per trovare lavoro, perché a quello dovevo mirare, invece di perdere tempo e farfugliare e scimmiottare una vita non mia, una carriera intoccabile, che miserevole, che poverina, senza borse di studio, senza sostentamenti, senza artifici resto solo io che valgo assai poco.

Mi guardo intorno e voglio esplodere, fare boom: i quaderni, le fotocopie, i libri, gli schemi, i riassunti, gli appunti, i calendari, le date, le scadenze, i moduli di richiesta, il mio nome ritagliato e appeso all'armadio – un nome che non mi si addice, che detesto venga detto ad alta voce – l'universalismo delle differenze, la retorica del riconoscimento, il libro gamma di Aristotele, la biopolitica, il messianesimo, la secolarizzazione, il Leviatano, il secondo sesso, l'io nomade, lo scetticismo, la redenzione, la soglia urbana, lo spettro dei colori, il linguaggio egocentrico, il sadismo, la nausea di Sartre, tiro giù ogni cosa dalle mensole e dal muro, tutto viene colpito e squadernato, tutto finisce a terra e io lo calpesto.

Poi lo vedo, è dritto e robusto, il mio dizionario, se ne sta lì placido, non teme giudizi o cattiverie, allora lo assalto, perché è stato lui il primo a mentirmi, a farmi credere che con le parole avrei cambiato la mia vita, l'avrei riscritta, narrata in prima persona e invece no, sono sempre gli altri a raccontarci, sono loro che trovano le nostre definizioni, le nostre parentesi quadre, le radici da cui proveniamo.

Il dizionario è a terra e io gli sono sopra, lo sbatto contro il pavimento come piantassi un chiodo, aspetto che risponda, che si difenda, ma lui non ha voce e nel silenzio si fa aggredire, i libri hanno di certo una qualità che fa per me: sono inermi e come materia inerte subiscono.

Anche il melologo ha fallito, lo sappiamo tutti, l'universo non pare averne alcun bisogno, è nella cantina dei termini inservibili con nocchiero e palandrana, con calamaio e ghette, con i proverbi e i dialetti stretti, con gli aneddoti e i soprannomi, e tutto quello che abbiamo dimenticato.

Babol è sempre seduto nel suo angolo, ma ha perso lucentezza e assiste opaco alla mia furia banale, al mio disastro.

* * *

1. Insegnami a tuffarmi dal molo con coraggio.
2. Prova a salire su un cavallo per seguirmi nel bosco.
3. Visitiamo la tomba di Batman per cantargli una canzone stupida.
4. Parliamo delle nostre paure.
5. Scriviamoci una lettera.
6. Torniamo a Martignano a prendere un pedalò, pedaliamo insieme verso l'altra sponda.
7. Andiamo a Vicarello, perché lì c'è il tramonto migliore.
8. Discutiamo ad alta voce e arrabbiamoci.
9. Ripristiniamo l'abitudine degli squilli dal telefono di casa quando rientriamo e siamo al sicuro.
10. Perdoniamoci.

Trovo la lista di Iris nel cassetto della scrivania sotto alla mia carta d'identità dove ho la faccia da monella, alle caramelle mou avariate, al pacco di assorbenti senza ali e alle forbicine per tagliare le unghie. La mia camera è un campo di battaglia tra me e me, tra me, mia madre e la casa, tra chi ero e in cosa mi sono evoluta, a quale specie appartengo adesso? Sono forse lince, sono forse anguilla, sono forse dinosauro, vengo dal passato e per questo il presente mi va stretto, non pare avere spazio per me.

Di quei dieci comandamenti – volontà di tregua e pace perpetua – io non ne ho rispettato nessuno, ho avuto mesi e anni per mettermi in pari, recuperare gli errori commessi, ma ho procrastinato gli eventi, ogni giorno poteva essere quello dopo, ogni tramonto lo avremmo potuto guardare la sera seguente, ogni perdono poteva restare implicito, nessuno avrebbe prosciugato il lago o avrebbe sradicato il molo, e il coniglio era morto da tempo e tale sarebbe rimasto: morto e sepolto nel giardino sul retro, tra le lattughe e qualche melanzana.

Iris ha subito i miei ritardi cumulativi, le mie distrazioni e sparizioni, ma ha continuato a invitarmi a casa sua a fare i muffin insieme, a vedere un telefilm sui vampiri, a camminare nell'orto, si è proposta di prendere parte alla mia discussione di laurea e mi ha invitata alla sua – entrambe cose che ho rifiutato – è venuta sotto casa mia con la sua automobile usata per farmi vedere che aveva imparato a guidare, ha scritto messaggi fino a notte fonda e fatto squilli dal telefono di casa a cui io non ho risposto, tanto che mia madre ha iniziato a staccarlo, così il telefono ha dato occupato, perché in effetti io ero occupata a creare trincea ai miei confini.

In tutto questo tempo mi sono crogiolata nelle conversazioni più futili e passeggere, non le ho raccontato alcuna paura, né alcuna vergogna, né alcuna difficoltà, non ho più condiviso i litigi con mia madre, la fatica scolastica, il fatto che dopo la storia di Andrea mi sentissi secca, anestetizzata ai sentimenti; non le ho narrato della mia scarsa autostima, la coriacea voglia di offendere e affondare, come se ognuno fosse un pesce e io la mano stretta intorno al suo corpo liscio dentro la grande fontana che è una vita qualunque.

Lei ha sempre custodito, nella sua memoria emotiva, la me fantastica e valorosa, la me affabile e sorridente, la me che è vittima e non fa pezzi dei corpi altrui, quella che canta a gola aperta in macchina e legge i libri al fresco dell'ombra, una me fugace, durata il tempo di una stagione, una immagine evanescente, un viso sott'acqua durante una gara di apnee.

Quando ha saputo di Elena e Andrea, Iris ha preso subito le mie difese, con ardore e piglio guerresco, si è imposta quale messaggera tra me e il mio ex ragazzo e gli ha recapitato l'addio definitivo e la cancellazione: tu sei finito, tu sei diventato un punto dopo l'ultima parola, tu sei la conclusione.

Tutto il paese saprà che gente sono, è stata la frase con cui più spesso mi ha confortata, la certezza che ci sarebbe stato un altare e un boia per loro, che sarebbe caduta con accelerazione gravitazionale la scure sulle loro teste, spezzando i colli bianchi da gallina e pollo, tanto da impormi la domanda: dove vanno a finire le teste tagliate? Potrò mai farne collezione? Dalla mensola sono spariti i libri e ora posso fare spazio a tutte le teste recise dei miei nemici, le spolvererò, le mirerò, le accarezzerò in segno di scherno e compassione, è merito mio se sono cadute. Tutto il paese saprà che gente sono e la loro reputazione verrà calata nell'olio bollente, friggerà troppo a lungo e non sarà digeribile.

Iris non ha mai creduto che potessi essere stata io ad appiccare il fuoco alle macchine a Residenza Claudia, per lei quella ipotesi apparteneva all'apocalisse e all'universo del mai accadrà. Lei non mi ha vista coi pantaloni bagnati fino alle cosce, immersa in un tentativo di omicidio.

Quando la voce ha corso in paese, quando l'aggressione è stata dichiarata, lei ha seguito la versione in mia difesa, quella che parlava di litigio e botte tra due ragazze del borgo, che si sono prese a calci, a schiaffi, a pugni per un ragazzo, una semplice pena d'amore. E tale racconto di quella notte, nuovo, improvvisato, ha attirato l'attenzione generale e portato tutti a credere di aver ascoltato l'epilogo ovvio di una comune farsa, di un contenzioso tra gioventù, una di quelle scaramucce che poi dopo tre anni ti incontri di nuovo e ne ridi, perché da lontano ogni gravità sembra piuma.

Iris ha considerato certa la mia innocenza perché altrimenti non poteva essere e perché Elena aveva già dato prova di bugia, tra le due era l'altra a meritare di non essere creduta.

Anche il paese ha condannato e ha assolto e ha mormorato e ha seguito le voci che erano partite da Cristiano per primo e poi s'erano sparse e avevano corso sulle labbra di chi era al mercato o al centro scommesse, di chi sedeva fuori dal bar della piazza, di chi camminava a braccetto lungo la passeggiata dei Soldati: due ragazze si sono picchiate, erano amiche una volta, ma quella bionda è andata col fidanzato di quella rossa e quella rossa s'è arrabbiata e quella bionda anche e hanno alzato le mani e quella bionda è inaffidabile e quella rossa ha fatto bene, je avrei menato anche io a quella cagna.

Iris pure ha annuito e ha detto certo, è andata così, nella sua immaginazione si è aperto il sipario su quella scena illuminata dalla luna, dove io ricevevo pizzichi e urla e la mia rivale cadeva a terra e dal basso, non paga del danno che mi aveva inferto, continuava a ingiuriarmi e a cercare modi per fare di me poltiglia, un'aggressione nell'aggressione, biasimo su biasimo, condanna su condanna.

Iris ha dichiarato che dal suo Facebook tiene d'occhio Elena Corsi e che sa perfettamente chi veda e dove sia, così se mai spunterà una foto con Andrea noi lo sapremo e potremo tornare all'attacco, ricominciare la rappresaglia, rimettere in circolo le voci peggiori, che fanno tagli più profondi delle lame.

Io le ho detto va bene, controlla tu, perché io i social non li ho, lo sguardo sulle vite mi terrorizza, è come l'occhio della webcam nella camera di Carlotta che fruga e spia e commenta e condivide le nostre esistenze spoglie, le nostre mutande da letto, le nostre assenze di lenzuola, le nostre cartelle sul desktop con sopra scritta la parola AMORE.

Iris ha continuato a dirmi che il misfatto non era mio, io m'ero fidata, io ero la buona, la ingenua, la martire e come tale sarei stata premiata, le colpe girano e tornano, girano e tornano, girano e tornano da chi è colpevole.

Guardo la lista e intuisco che queste stanno per smettere di essere le dieci cose che io e Iris prima o poi faremo per tornare quelle che siamo state, ma stanno diventando le dieci cose che non faremo mai, le dieci cose che ho perduto, le dieci cose da rimpiangere, e io mi sento al centro della faggeta, ho gambe tozze e pelose, ho orecchie allungate, ho naso da porco e grufolo, ho gli zoccoli sporchi di bosco e lo stomaco colmo di ghiande, insetti, larve, uova, bacche e funghi, annuso l'aria e poi parte il colpo: qualcuno è venuto a spararmi.

* * *

L'estate arriva sul lago, porta con sé le granite all'arancia, le dita unte per colpa delle patatine, gli ombrelloni sottobraccio, le sdraio in fila, i giochi col pallone sulla riva e il ronzio dell'elicottero dei vigili del fuoco che cala e raccoglie con un grosso secchio l'acqua che servirà a spegnere qualche incendio, ci sono fiamme sulle colline e i pascoli, sulle centraline elettriche.

Da almeno tre mesi Iris resta chiusa in casa e risponde solo ai messaggi e non alle telefonate, mi scrive che guarda alla TV programmi di cucina – parlano di salmoni d'allevamento, cicoria selvatica, formaggi alpini – e una infermiera viene a farle una flebo la mattina, ma non vuole dirmi perché, a cosa servono le cure, quale è la malattia, allora non insisto per qualche tempo, compilo messaggi pallidi e svogliati sulle mie ricerche d'occupazione, su mia madre che mi ha sottratto le parole, sul tempo che scorre e non porta a nessuna risoluzione, ad alcun miglioramento, passano i compleanni, gli anniversari, le feste e io invio curriculum anche alle macellerie, perché non si sa mai la mia laurea possa essere utile per pesare a dovere i quarti di bue.

Il riassunto della mia vita occupa una pagina e basta, non ho esperienze lavorative, non ho corsi di formazione, non ho livelli di lingua, non ho fatto altro che studiare e non so come spiegare a chi lo leggerà che questo mio piegarmi sui libri è stato un atto di abnegazione e che ho rispettato il patto sociale senza distrazioni, è stato l'ordine a volermi studente, io non ho anticipato nulla né ritardato, ligia ho eseguito i passi dovuti della mia formazione e adesso che sono formata è come se fossi tornata massa senza dimensioni o profondità, inutile agglomerato di nozioni, si attende da me esperienza che è difficile qualcuno decida d'offrirmi, sono crema pasticcera, sono gelato sciolto.

L'estate bussa col suo caldo e il suo richiamo lacustre, le piazzette e i vicoli si popolano fino a tarda notte, i bar allungano l'orario, i chioschi in legno fanno i caffè fin dalla mattina, si accalcano in villeggiatura da Roma quelli che non sono abbastanza ricchi per la casa al mare, sono cresciute le alghe fino alla riva in inverno e i proprietari degli stabilimenti le hanno tagliate da poco, via i sassi e i pesci morti dalle teste aperte, sono tornati i bagnini con addosso le loro magliette rosse e il brevetto preso alla piscina dell'albergo dove la morte della mia amicizia con Carlotta è stata accertata.

Vado con la bicicletta fuori casa di Iris e citofono, la madre mi risponde che non posso entrare, la mia amica dorme e loro hanno molto da fare, è meglio se non ripasso, quando starà meglio mi chiamerà, io le dico che ho portato un sacchetto di limoni, mia madre li ha raccolti all'albero dei Festa, sono profumati e vanno bene per condire il pesce o mettere la scorza nei dolci, lei risponde che posso lasciarli lì, scenderanno a prenderli, io allora abbandono il mio sacchetto al sole e mi domando perché di tante cose che potevo portare ho scelto proprio qualcosa di così aspro.

Passano i giorni e io telefono ad Agata, il mio Motorola ha lo schermo squarciato, una macchia violacea lo attraversa, per leggere i messaggi e i numeri di telefono devo tenerlo inclinato, e tutti gli altri hanno abbonamenti a Internet e con WhatsApp si scrivono quindici volte al giorno. Agata risponde sorpresa, perché da anni non la chiamo, dalla fine del liceo l'ho vista sempre meno e con mancanza di argomenti, lei lavora per l'azienda di famiglia come prescritto, si è comprata una borsa di Louis Vuitton con cui sfila durante le serate al molo e ha sempre le unghie ricostruite color amaranto, turchese, blu, con gli strass, con le perline, con sopra disegnate le ali delle farfalle.

Agata dice che non sente Iris da un bel po', il loro rapporto negli anni si è raffreddato molto, se le scrive non risponde e ha cancellato il suo profilo Facebook, da una settimana all'altra è come scomparsa, si è eclissata e ha negato l'accesso a chiunque di noi. Io penso che sia un suo modo per punirci, ché siamo state amiche troppo superficiali e piene di vizi, nessuna di noi due le è stata accanto come avrebbe dovuto e ora ci ha chiuse fuori per impartirci una lezione. Prendo per evidenza la calma apparente di quel suo silenzio, non sta succedendo qualcosa di grave, lei è solo ferma ed è solo malata, adesso e per poco, passerà il suo malanno come passano le nuvole o i temporali, come scorre via la nebbia e si scioglie la brina.

Dopo la telefonata con Agata inizio a pensare agli indizi lasciati da Iris, rimugino su quando ha detto di avere mal di pancia, quando si è rifiutata di mangiare un'altra fetta di anguria, quando ha parlato di gambe gonfie e ventre duro, quando ha fatto intendere che il suo peso fosse diminuito e il suo corpo stesse diventando tanto piccolo da entrare in una mano. Nulla però mi porta a immaginarla stesa sul letto o sul divano, accanto al telecomando, lontana dal sole, dal maneggio, dall'orto, da me.

Cerco di accelerare il recupero del terreno che ho perso, la tempesto di sorrisetti e cuori, orribili cuori minore di tre, faccio liste di attività a cui ci dedicheremo una volta che lei sarà guarita e le aggiungo alle dieci che lei aveva pensato per noi, diventano venti, trenta, cinquantadue, alla fine sono esattamente cinquantadue le cose che potremo fare quando lei sarà guarita, e gliele elenco in una serie infinita di messaggi che scaricano il mio credito, lei a questo elenco folle e dannato risponde con un sorriso.

Io trovo colpevole questo nostro comunicare a distanza, questo pigiare tasti e numeri, la sinfonia di un allontanamento coatto, allora comincio a girare in bicicletta al bar, al pescivendolo, in piazza, al negozio di vestiti che frequenta la madre, interrogo i manichini, i cartelli AFFITTASI, i vicoli e la Collegiata, le statue piene di croste agli angoli dei palazzi e le fontane che spruzzano acqua e muschio, chiedo loro cosa sta accadendo a Iris, cosa la tiene intrappolata, perché sono certa che il paese lo sappia e stia complottando per non dirmelo, affinché io sia l'unica a rimanere all'oscuro, per farmi patire e rimordere.

Dopo una settimana passo di nuovo sotto casa sua e la busta dei limoni è ancora lì, si sono cotti al sole, ben affogati nella loro melma, c'è odore rancido e puzza di carogna, li prendo e li butto nel cassonetto.

In casa mia c'è un regime di non belligeranza e indifferenza reciproca, io sono diventata la figlia a carico che non produce, non moltiplica, non incassa, non cucina e non ha tesori o dispense, la figlia mai cacciata e mai tornata, la statua di sale che a tutti tocca vedere all'ora di cena, eppure vorrei interrogare mia madre, chiederle cosa dovrei fare, perché lei sempre ha trovato soluzioni sul da farsi, sul mettersi in moto e risolvere, mentre io ho solo preso armi e carrarmati e ho attaccato le altrui barricate, il suo agire è progetto, il mio agire è guerra, nel primo caso l'obiettivo è noto, nel secondo ciò che si sa è solo che conviene distruggere prima che siano gli altri a pensarci.

Ho provato a parlare con Mariano di Iris, gli ho telefonato la notte, era calata persino la luna, e mi ha risposto che esiste chi non ama manifestare il proprio dolore fisico, chi ha bisogno di solitudine per la malattia e chi detesta che questo malessere diventi discorso per gli altri, come nostro zio che finché non gli è scoppiato il cuore ogni volta che aveva un giramento di testa diceva a tutti che era per il sole e che pur di non parlare di sé preferiva l'ippica, gli olmi, la costruzione delle autostrade. Io gli ho risposto che questa omertà mi stizziva e che non volevo essere testimone della malattia né cantrice del suo affaticamento, ma solo messa al corrente di ciò che esiste, insomma: voglio solo vederla, vedere che faccia ha, dare un nome alle cose.

Ma più i giorni passano più mio fratello sembra avere ragione, le comunicazioni con Iris sono a singhiozzo, io scrivo mattina, pomeriggio e sera e ricevo una risposta su dieci messaggi, in cui di solito dice sì grazie, tutto bene, no grazie, a presto.

Allora divento nervosa e cavalco la mia bici, mi aggiro – mosca sugli avanzi – intorno alla sua casa, aspetto segnali e movimenti, e penso che forse s'è rotta una gamba, forse s'è bruciata il viso, ha un occhio cieco, ha preso una botta alla testa e ora ha una grossa cicatrice sul cranio e i capelli cortissimi, ha carenze di vitamine, malassorbimenti, crampi dovuti a qualche forma di artrite precoce, si sente brutta, non vuole sfoggiare questa nuova condizione fiacca e turpe.

Ma poi la vedo che esce da casa, la madre è alla guida della sua automobile e lei è al posto del passeggero, ha i capelli tagliati, il viso incavato, bianchissimo, le spalle sporgenti, il gargarozzo carnoso, gli occhi sembrano diventati grandi e scuri e la fronte ampia, le labbra si sono sgonfiate e cadono giù dal viso, quella che vedo attraverso il parabrezza non è lei, ma una sconosciuta che se l'è mangiata.

Dico: Iris, e agito la mano senza avvicinarmi, loro fanno inversione di marcia, si allontanano dalla parte opposta, lasciandomi sola con quella visione mostruosa.

Non passa molto tempo e il paese lo sa, i medici, gli infermieri, chi l'ha vista per caso, le amiche della madre, i compagni di scampagnate col padre, qualcuno ha parlato e ora non c'è altro di cui parlare, la gente si concentra convulsamente sul perché e il per come, si fanno ipotesi, si dichiarano analisi del sangue e colonscopie, si sussurrano sbigottimenti, lacrime, si stendono al balcone i danni e le perdite, ognuno partecipa come può alla narrazione della nuova Iris, dimenticando la vecchia, dimenticando quella che era la mia unica amica.

Ti ho vista in macchina l'altro giorno, non sembravi tu.

Le scrivo e lei non risponde, allora rimando il messaggio tre volte perché pretendo risposta, ho necessità che lei mi dica: Non ero io quella, un'altra si finge me, io sono nascosta a queste coordinate, ti aspetto il giorno tale all'ora tale, non tardare perché questo rifugio è pericolante, presto scapperò altrove.

Il giorno in cui ricevo una risposta da un negozio di profumi, Cristiano mi chiama. Il negozio dice che vista la mia conoscenza di pratiche filosofiche potrei essere adatta a loro che hanno aperto da poco e si stanno specializzando in relax, cura del corpo e yoga. Cristiano respira forte al telefono e va e viene, disturbato dal segnale incerto.

Cristia' che c'è? dico e ridico e sento solo i mozzichi di ciò che parla, poi la sua voce si stabilizza.

È morta, pronuncia con calma.

Chi? chiedo io che non ho capito e sono ferma nell'incomprensione, proprio non voglio affacciarmi e farmi spiegare.

Iris, mi dispiace. Suo zio ha incontrato mio padre all'azienda.

Non è vero, ha detto una bugia.

No, stava molto male, l'hanno portata in una clinica una settimana fa per la cura del dolore, la madre ha rovesciato la stanza, non faranno il funerale, lei è in attesa della cremazione.

Chi?

Iris.

E io rispondo che sta mentendo e sono stufa dei suoi racconti, le sue leggende, i suoi inventarsi nomi e fatti, il suo chiacchierare, e attacco. Iris non è in attesa, Iris è a casa e ora le scrivo e lei mi risponderà, e così faccio: scrivo e riscrivo e squilla a vuoto il telefono.

La notte la sogno, siede sul bordo di una casa in rovina, al secondo piano, dice che aspetta lì, il mondo non è mica finito davvero, c'è la luna nel cielo.

Il giorno dopo attaccano i manifesti mortuari, sono diversi dagli altri, c'è una fotografia del suo viso e sotto data di nascita e data di morte, è morta da tre giorni e adesso il mondo me lo dice così, all'angolo dell'incrocio per Poggio dei Pini, su una superficie in ferro, la sua morte sta sopra le altre morti, prenderà la pioggia, prenderà il freddo, si consumerà, la sua morte verrà coperta con la pubblicità della Sagra del pesce, è estate e sul lungolago tutti non vedono l'ora di friggere lattarini.

12.
IL SAPORE DELLA BENZINA

Io e Iris abbiamo visto un aereo cadere, un elicottero, per non dire menzogna.

Eravamo sedute in spiaggia e dividevamo l'asciugamano, avevamo i costumi bagnati, le spalle coperte dai capelli umidi, con gli occhi seguivamo i bagnanti entrare e uscire, uscire ed entrare, Iris teneva gli occhiali da sole appoggiati sopra la fronte e leccava un Calippo alla fragola, io avevo le mani sporche di sabbia e non sopportavo gli urli dei bambini, quel loro essere cresciuti all'aperto, coccolati, rincuorati, fatti apposta per gridare.

Orso si era girato intorno alla testa l'asciugamano di Marta a mo' di turbante e con quello sfilava sul bagnasciuga, seguito da Ramona in punta di piedi, lei gli diceva: Balla un po'.

Marta aveva preso la macchina fotografica usa e getta, si era messa a fotografarli, in pose da fachiri, da top model e contorsionisti, anime da circo, li sentivo ridere e saltellare, fare a gara a chi non si brucia i piedi.

Il Greco era andato a prendere l'acqua al bar e dei panini, era tornato con le sue caviglie pelose e quei capelli incollati alla fronte, luminosi come plastica, ci aveva offerto un tramezzino e una lattina di Sprite e noi l'avevamo divisa, Iris beveva dalla parte destra io dalla sinistra, un sorso a testa, bollicine sul palato, sole a picco.

Il Greco s'era accomodato fuori dal nostro asciugamano accanto a Iris e a piccoli spostamenti aveva provato a farsi spazio, guadagnare il tessuto, starle più vicino; io me lo ero sentito addosso, quasi fosse un tafano, e gli avevo detto che Orso lo chiamava, andasse a farsi le fotografie, che poi le stampiamo, poi le appendiamo, anche Iris gli aveva detto: Vai, vai.

Lui si era alzato ed era trottato via, lanciando indietro occhiate e dispiaceri; noi c'eravamo sorrise e Iris aveva detto: Mi si strofina sempre contro la coscia.

Poi era salito un rumore dal lago, da dietro l'insenatura era spuntato l'elicottero, nero, compatto, pareva un calabrone, e ronzando e ronzando si stava prodigando in uno spettacolo, svirgolava, si alzava e si abbassava, muoveva la coda, si imbizzarriva e la gente applaudiva, pensando fosse una festa, una improvvisata per divertire i bagnanti.

Il velivolo si inclinava su un fianco e poi tentava la risalita e poi ancora tutto su un fianco e in pericolo e noi a guardare, perché di certo era pianificato, di sicuro doveva essere una esercitazione partita dal Museo dell'Aeronautica o da uno dei tanti circoli da cui si alzavano velivoli a due posti.

Poi, tra le risa, tra i bambini a occhi sgranati, lo schianto, l'elicottero aveva toccato l'acqua e si era ribaltato, era esploso, in un secondo aveva fatto *boom*.

Una fiammata, una nube, le eliche e il muso sommersi, dalla spiaggia le urla, i bagnini già in acqua a remare sui pattini con le braccia forti e le canotte scollate, dai circoli velici erano usciti in barche senza motore e avevano remato verso il danno, dagli stabilimenti il silenzio dello spavento.

Chissà chi era morto quel giorno, non l'ho mai saputo, per errore, per divertimento, per disgrazia, chi s'era sciolto nell'acqua, affumicato.

Iris si era tirata su gridando: Qualcuno lo deve salvare.

E io avevo preso l'asciugamano, la lattina di Sprite, l'ultimo morso di tramezzino e l'avevo trascinata via, non era cosa nostra salvare, rimediare, aggiustare.

Alcuni sono semplicemente spacciati, pensavo.

La squadra dei sub non aveva trovato il corpo, solo ferraglia che era stata trascinata sulle barche, il lago non era stato balneabile per giorni: sulla superficie la puzza nera della benzina.

* * *

Cara Iris,

hanno sempre detto che quando scrivo c'è qualcosa che mi tormenta e adesso chi mi tormenta sei tu.

Mi tormenta pensare alle tue scarpe col tacco e le frange e gli stivaletti lucidi e i sandali con le pietre in fila sotto alla finestra della tua camera, alle tue dita sul telecomando mentre cerchi un programma di cucina in cui un signore con la pancia grossa e la faccia buona racconta di formaggi e capre, a te che dondoli la testa per imitare il tipo del bar a Trevignano, perché ha troppi capelli e sembra che il cervello gli pesi sul collo, a come quel dondolare la testa negli anni sia diventato altro, un codice, un modo per dirci di andare a quel bar, anche se lui ormai lo avevano licenziato, a come ti vedevo sott'acqua, il tuo contorno tremulo e l'ombra del tuo viso, ai tuoi piedi che dichiaravi sempre gonfi, al modo in cui dicevi "questa non è vita" e ti mettevi a ridere, alle cose a cui hai dato nuovi nomi, alle tue paure dell'acqua troppo profonda, degli incendi, delle menzogne, alla notte del Capodanno col figlio del fioraio e alla faccia che hai fatto quando me ne sono andata come a dire "perché mi abbandoni", all'averti lasciata lì tra gente che conoscevi poco e un fantoccio in fiamme, all'aver chiesto a tua nonna di sferruzzare sciarpe e maglioni per la mia intera famiglia senza averla mai neanche ringraziata, a quando venivo a trovarti a casa e lei sedeva al piano terra dietro a una tenda e mi sorrideva, alla clinica e alla cura del dolore e al fatto che il mio di dolore non lo curerà nessuno, neanche la morfina.

Mi tormenta un giorno, un pomeriggio al maneggio, quando m'avevi invitata a guardarti fare lezione. Eravamo arrivate e tu avevi cercato subito Tampa, il tuo cavallo sbilenco, quello pieno di bizze, storto, che nessuno voleva e tu avevi curato e raddrizzato, eri l'unica che gli dava da mangiare e gli puliva la coda, eri riuscita a fargli saltare ostacoli da un metro e lo volevi preparare per un concorso. Ma quando eravamo arrivate Tampa non c'era, i box erano tutti pieni, lo avevano liberato nel campo verso le colline e aveva piovuto, non si trovava.

Io ero davanti a te mentre piangevi, con la spazzola per la sua criniera in mano, la sella appesa al gancio. Il cavallo non era tuo, tu non potevi pagare per tenerlo nel box, era solo un cavallo da passatempo e tu mi avevi detto: Tampa non è abituato a stare nel campo e non l'hanno ferrato bene, si farà male, si azzopperà; e io non avevo soluzioni o risposte, non avevo capacità di consolazione, ero rimasta a guardarti piangere e a osservare la tua disperazione, né una mano, né un dito a farti sapere che capivo quel torto che stavi subendo e l'avrei risolto, vendicato. Avrei trovato i soldi per dieci, venti cavalli, e ti avrei aperto un maneggio solo tuo, dove tu avresti dato nomi alle bestie e spiegato loro come essere eleganti e veloci. Invece ti avevo solo detto: i cavalli di solito stanno nei campi, non penso starà male, è all'aria aperta. E tu ti eri ritratta, offesa dalla mia incomprensione, che non era solo quel cavallo *e non era quel concorso, e non era non avere i soldi, era che a nessuno importava di ferirti.*

Mi avevi superata e avevi preso il cap, eri andata al campo ed eri salita su un altro cavallo, di una signora inglese che certi giorni non aveva voglia di montarlo, e con lui avevi girato e girato, a passetti, al trotto, di corsa e si vedeva sul tuo viso una maledizione. Io ero rimasta al bordo a guardarti alzare la polvere, avevo tossito e poi m'ero messa all'ombra tra le mosche e l'erbaccia.

Scoprimmo il giorno dopo che Tampa s'era azzoppato davvero e presto lo avrebbero abbattuto.

Io non t'avevo chiesto se avrei potuto accompagnarti quel giorno a salutarlo, tu non avevi espresso la voglia che ci fossi, eri andata da sola alla soppressione e i giorni dopo avevi la faccia scura. Agata per risollevarti t'aveva invitata al maneggio dove lei andava spesso per scegliere un nuovo cavallo, ce n'erano alcuni giovani e da educare e tu avevi risposto: Non è lo stesso.

Ed è questo che mi tormenta, perché no, non è lo stesso.

Non è lo stesso senza Tampa, non è lo stesso senza di te.

Questa lettera fa schifo, peggio dei miei temi a scuola. Questa lettera neanche la riceverai e neanche la spedirò, tanto vale che neanche esista.

Ma mi hai chiesto tu di scrivertela, quindi eccola questa cosa che è destinata a non servire a nulla.

Mi manchi e sono stata una pessima, pessima, pessima amica. Tua,

Gaia

* * *

Alla Sagra del pesce il lungolago è affollato da palloncini, madri in tacchi alti, teste di luccio fritte, la spiaggia è stata chiusa in attesa dei fuochi d'artificio che arriveranno a mezzanotte, in passato li ho guardati seduta sulla sabbia, ma è diventato proibito da quando un detrito ha raggiunto una signora sulla riva e il suo cappello di paglia ha preso fuoco, i bambini si sono spaventati, e noi abbiamo riso, felici di assistere al pericolo.

La gente passeggia su e giù, dal ristorante lo Chalet fino a dietro i Soldati, la gente si affolla e lecca caramelle, le ingoia, la gente si ferma ai bar a comprare pizzette tonde, si fotografa appoggiata alle ringhiere, i ragazzini si salutano strizzando gli occhi e chi in inverno non hai più visto torna nella tua vita, perché se c'è un evento a cui nessuno può mancare è questo.

Sul palco in legno si susseguono gli spettacoli amatoriali dei saggi di danza, dei cantanti improvvisati, delle ragazze in lustrini e lacca nei capelli, arriva qualche comico che strappa sorrisi unti, le sedie in prima fila restano quasi sempre vuote, alcuni si esibiscono nel frastuono del passaggio, invisibili nella festa.

Il mio posto prediletto da cui guardare i fuochi è il tetto piatto di una casa, si raggiunge scavalcando le ringhiere dei giardinetti che si trovano subito sotto il palazzo del comune.

Da lì si vede la giusta porzione di lago, senza antenne troppo alte o alberi ingombranti, il riquadro perfetto entro cui scoppiano i botti e le luci, i cuori artificiali, i salici piangenti, le stelline gialle, i boati che fanno tappare le orecchie ai bambini, le fontane luminose che si alzano nella notte, il fumo denso, i detriti di carta bruciata che rimangono sull'acqua, vengono da tutti i paesi del lago, vengono da Roma a vedere quanto sappiamo illuminarci.

Le strade sono chiuse, le macchine parcheggiate arrivano lontano, le persone procedono in fila indiana lungo gli argini dell'asfalto, coi bambini piccoli in braccio, i passeggini sotto le ascelle, le gonne tenute su con due dita per evitare l'erba e la polvere. Ci si trucca per la Sagra del pesce, si cotonano i capelli, si passa la piastra sulle frangette, si indossano sandali dai lacci fini, si comprano magliette con profondi scolli a V, si imbottiscono i reggiseni, si tengono sulla fronte gli occhiali da sole, anche se il sole non c'è.

Arrivo con la bicicletta fino al molo scendendo di corsa per la discesa della Croce, come missile piombo sulle famiglie e mi creo lo spazio per l'atterraggio, poi svolto dietro a un ristorante e lego il mio mezzo alla rinfusa, ho occhi da lupo, famelica li vedo agghindati per la loro celebrazione e penso che non c'è rispetto, non c'è sentimento, sono vestiti a colori e indossano fiori, nessuno è qui per il mio lutto.

Io non mi sono dovuta inventare niente, i miei vestiti sono quasi tutti neri, l'unica cosa che si oppone sono i miei capelli, il loro colore mi disturba nello specchio, come osano rimanere rossi, carnali, fiorenti, mentre tutto nel mio corpo si sta seccando? Chi permette loro di vivere?

Salgo dai vicoli, evitando la piazza del molo, dove capannelli di adolescenti mi ricordano con ostinazione che i miei anni sono trascorsi, quelli pigri e dormienti, quelli assoluti, basta poco e vengono inghiottiti dalla vita come la fine della stagione.

Cammino a testa bassa, punto gli occhi sui sampietrini e la mia piccola borsa a tracolla sbatte sul fianco, la gente ride, ma cosa ride, perché ride, passano due che conosco e allargano gli occhi, vedono il mio volto duro e non osano salutare, capisco dalla loro espressione che sanno tutto e li detesto per il loro sapere, la loro consapevolezza, in questo posto che non sa tenere i segreti, neanche la morte sa nascondere, occultare, neanche il dolore.

Voglio prendere le scale di pietra e salire ai giardinetti, voglio scavalcare la mia balaustra, aspettare da sola la mezzanotte che è quasi arrivata, lo voglio perché quello spazio di tetto è il mio eterno ritorno, il luogo di contatto col passato, il mio tempo circolare, la vista è sempre quella, i rumori anche, quando scoppieranno i fuochi d'artificio avrò l'illusione dell'eternità dove tutto si condensa e nulla trascorre, saremo ancora sedute lì con le gambe incrociate e avremo le luci negli occhi.

Una ragazza mi ferma, è vestita da majorette, l'abito corto le sta stretto sui fianchi e ha le braccia grosse e lunghe, so chi è di vista, è la sorella minore di una ragazza che andava al liceo con Iris, ha il viso dal mento piccolo e pronunciato e occhi felini, mi osserva e sembra contrita, pronta ad alzare le ginocchia e le cosce, pronta a fare le piroette: Ho saputo, mi dispiace tanto, era una ragazza bellissima...

Mormora e le sue condoglianze sono un proiettile alla nuca, mi risveglio dai miei pensieri per tornare alla verità e la verità è che le persone mi guardano con pietà e mi fermano per le loro parole di rito, perché sì era una ragazza bellissima e le hanno messo gli stivali da cavallerizza e poi l'hanno bruciata.

Allora la spingo, quel suo corpo adolescente che è una vergogna, respira, si muove, come si permette di esistere, le urlo che non è morto nessuno e che non abbiamo bisogno del suo orribile cordoglio, sgomito e assalto, le sue amiche si mettono in mezzo, le persone si fermano e mi strattonano, io continuo a difenderci dal loro morbo, dalla loro falsità. Eccovi qui tutti bardati per la serata, tutti pronti a brindare, lustrati e dipinti.

Sento sotto le dita la stoffa liscia del suo vestito e vorrei tirarla e lacerarla: la parata con la banda, le bancarelle dei cocci, le noccioline caramellate, il palloncino a forma di principessa, i cartocci unti che grondano olio, il vapore che si alza verso le case, provo a divincolarmi ma qualcuno mi tiene stretta dalle spalle e dice che devo stare calma, ripete calma e mi regge.

Io riconosco la voce e grido: Cristia', fai qualcosa.

Lui mi tiene e la ragazza viene salvata dalle mie unghie e i miei artigli, la mia faccia da mostro, la gente forma capannello intorno a noi, lei è spaventata e piange e io dico ancora a Cristiano di fare qualcosa perché è impossibile che lui non sia capace di risolvere, che non arrivi quando è il momento giusto, che non abbia fiammiferi e benzina, che non sappia condurmi incolume attraverso il buio, che non metta a silenzio chi mi vuole accusare, che non mi protegga dai tradimenti, che non abbia in canna il colpo da sparare, c'è qualcosa o qualcuno che dobbiamo colpire per avere vendetta del torto subito.

Che vi guardate? Cristiano che ha tra le braccia il grumo di carne che sono, sudata e pallida e floscia, allontana la gente.

Penso che deve esserci un motivo, che forse sono i conservanti, forse i polifosfati, forse i gas serra, forse i pesticidi, forse la plastica bruciata, forse le radiazioni delle antenne, forse è Radio Vaticana, forse è l'arsenico nell'acqua, forse è l'eternit nei tetti delle case, forse le onde emesse dai cellulari e dai wi-fi, forse gli ormoni nella carne, forse il fumo attivo e il fumo passivo, forse il mangime sintetico dato ai polli e alle mucche, forse il catrame alle foci dei fiumi, forse lo smog delle automobili, forse i liquami, forse le medicine e i detriti, forse il silicone nelle creme per il corpo, forse gli additivi e le vernici, forse, e allora dobbiamo cercarli a uno a uno i colpevoli, quelli che l'hanno uccisa, dobbiamo.

Cristiano mi tiene la fronte e mi porta alla fontanella, continua a dire a chi si avvicina che non abbiamo bisogno di aiuto, mi versa l'acqua sulla faccia.

Non c'è niente che posso fare, mi dice lui e io ho il vestito bagnato e la borsa sotto l'acqua, il mio Motorola è scivolato a terra e naviga nella nostra pozzanghera.

Intanto si sentono partire i tre colpi, quelli che annunciano i fuochi d'artificio, e risuonano nella conca del paese, si possono ascoltare dalla campagna, dal borgo, dalla Collegiata, dal pescivendolo, dai baracchini del pesce fritto, forse fino alla curva del Pizzo, uno, due e tre: dopo comincia lo spettacolo.

* * *

Alla fine degli anni sessanta i tedeschi scoprirono l'antico borgo del paese.

La parte alta e arroccata vicino al torrione, torre e giardini che un tempo erano avamposto del Castello Odescalchi, un punto di guardia sul lago.

Lì le stradine di sampietrini salgono fino alla Collegiata, la chiesa dei matrimoni importanti, quella del parroco che ad alta voce sgrida le testimoni se hanno vestiti troppo scollati, quella che bisogna fare offerte corpose per potersi sposare tra le sue mura, ché se non paghi il parroco ti leva la musica e la sposa entra in silenzio, tra i *clic* dei fotografi e le risatine dei bambini.

Il borgo antico dove ci sono ancora poche botteghe, bar con le sedie di plastica abitate dagli anziani e da chi lavora al comune, il borgo a cui si accede da un enorme portone di legno che rimane quasi sempre aperto. Ci sono tre ristoranti, lo studio di una disegnatrice di gioielli di vetro, una tabaccheria, ci sono passati tatuatori e negozi di windsurf, hanno resistito gli scarpari e la fontana con le anguille a bocche spalancate.

Ai tedeschi piacquero quelle casette sgarrupate, con le camere da letto ai piani bassi e le cucine subito all'ingresso, le terrazze sul lago e le colonnine di pietra, l'odore antico delle mura.

Presero case e negozi, aprirono attività che chiusero presto, al paese non piace ciò che arriva, gli interessa conservare, mantenere, essere il liquido vischioso di una conserva, chiudere botti e barili.

I tedeschi cercarono lavoro in città, scendevano nudi alle spiaggette sotto al borgo e si sdraiavano al sole, mangiavano panini con le aringhe e si compravano cappelli di paglia; la gente del paese li odiava, li detestava come metastasi, erano malattie, andavano debellati.

I tedeschi pensavano che il lago fosse bellissimo, che attirasse il sole e i colori, che si fondesse col cielo e allora portarono dalla loro terra due cigni bianchi, per ingentilire il lago.

Due animali superbi, al primo sguardo domabili, dal piumaggio regale, innocui.

La gente del paese non sopportò l'affronto di vedere degli stranieri cambiare la fauna del lago, ogni cosa era lì per rimanere tale, per venir dipinta e appesa al muro.

I pescatori iniziarono a dire che i cigni erano tossici, portavano malattie, mangiavano tutti i pesci, uccidevano gli altri uccelli, i cigni erano sporchi e assassini.

Fu così che un giorno invece di pescare, due pescatori di quelli con le barchette a remi e le reti piccole presero i cigni e li strozzarono, li cucinarono, salì il fumo della loro carne dagli alberi che erano sotto al borgo, in quella linea di terra dove a nessuno era permesso camminare, perché la passeggiata percorribile si fermava molto prima.

I tedeschi piansero i loro bambini dalle ali ampie e il becco appuntito, ma non si persero d'animo: per portare novità ci vuole la testa dura, per convincere al cambiamento serve costanza, serve mania.

Arrivarono altri cigni e vennero di nuovo arrostiti, e poi altri e poi altri e poi i paesani li guardarono sguazzare e procreare, poi senza che se ne rendessero conto iniziarono a piacergli quegli animali grandi che sapevano far stare in riga gli anatroccoli e le papere, quegli animali imperiali.

Così i cigni sono rimasti e si sono spostati da una riva all'altra, ce n'è uno nero, avvistato sulla costa a Bracciano sotto al castello, l'unico che non si avvicina mai alla gente, perché ora quei cigni i bambini, trent'anni dopo, li cercano lungo la riva, vogliono dargli il pane secco e accarezzarne le piume.

Ma i cigni, come si sa, non sono uccelli da stagno, non sono fatti per seguire regole e si arrabbiano facilmente, quando ne vedi uno devi sapere a che distanza rimanere.

Una delle prime cose che ho imparato quando sono arrivata è stata questa: alle papere ti puoi avvicinare senza pensieri, ai cigni no. I cigni beccano sul dorso le nutrie e le rincorrono nell'acqua aprendo le ali, i cigni non fanno differenza tra bambine e donne adulte, se ti prendono in antipatia sono pronti a ferirti. Io sono stata un cigno, mi hanno portata da fuori, mi sono voluta accomodare a forza, e poi ho molestato, scalciato e fatto bagarre anche contro chi s'avvicinava con il suo tozzo di pane duro, la sua elemosina d'amore.

Li osservo adesso, sul lungolago, si stanno tuffando sott'acqua a cercare cibo, rimane a galla solo la punta della loro coda, la testa è sparita, quando la tirano su mi guardano come a dire che le alghe sul fondo non sono più buone come una volta, sarebbe anche ora di migrare.

* * *

La casa è dove le cose cadono a terra.

Abbiamo già rotto tre piatti e due bicchieri, un vetro della credenza; il cartone del latte ha creato una pozza pallida al centro della cucina.

Antonia ha portato gli scatoloni che le hanno dato al supermercato e li ha messi in fila lungo il corridoio, come al solito nulla viene infilato a casaccio, tutto viene impilato con sicurezza, posizionato al millimetro, ogni scatola viene chiusa dallo scotch e con un pennarello scriviamo sopra cosa contiene: gli spazzolini stanno con gli spazzolini, le tende con le tende, i libri sono finiti nel sacco nero che mia madre m'ha dato, senza che lei se ne accorgesse, tra gli scarti e i rifiuti.

Lei è il capitano della nostra nave, ci guida, segue la sua rotta, dà ordini e impartisce disciplina anche se all'orizzonte arriva una tempesta, quando qualcosa sfugge e si rompe lei dice che ormai è andata, gli oggetti rotti verranno abbandonati, salveremo ciò che è integro ed è indispensabile. Per la prima volta anche noi gettiamo via, non ricostruiamo, non decoriamo, non incolliamo, non riverniciamo.

I gemelli incartano il nostro televisore con la cura che si dovrebbe alle statuine di marmo, e mio padre li guarda apprensivo, teme una crepa, uno scivolamento, la fine del suo regno.

Io ho messo i miei vestiti in due grandi buste e ho accatastato in un angolo ciò che il mio corpo ora rigetta. Le gonne troppo strette, i jeans a vita bassa, i pantaloni bucati sul sedere, i reggiseni senza più una spallina, i miei detriti che avevo conservato, ossessionata dall'idea che prima o poi avrebbero avuto una seconda occasione, ora appaiono per quello che sono: stoffa consumata, calze messe e rimesse fino a diventare sfibrate, magliette con i segni sotto le ascelle che neanche le mani di Antonia sanno mandare via, il costume nero di quell'estate brillante che perde colore e macchia all'altezza del seno, le mutande ingiallite, gli orli mangiati dallo strofinio con l'asfalto, la maglietta di Superman che puzza di cenere.

Ho buttato anche la racchetta da tennis, dopo averla annusata e percorsa con le dita, suonata come una lira e baciata, ho detto addio racchetta e addio Orecchie, ho amato e odiato entrambe fino a oggi.

Dovrei avere una mia casa, i miei figli, il mio matrimonio, il mio lavoro e invece raccolgo i resti di una camera da bambini, stacco dalla parete il filo di corda rimasto lì appeso anche senza i lenzuoli a dividere la mia porzione di camera da quella di Mariano, prendo e porto via un paio di mutande di mio fratello e la sua palla da basket, il sopra di un suo pigiama con gli elefanti, i poster dei cantanti, la bandiera con Che Guevara, le lenzuola che sono rimaste ad aspettarlo per anni sotto al suo piumone, i quaderni del liceo, la sua grafia rugosa, calcata.

Stiamo lasciando aloni sui muri, muffa negli angoli, chiodi sporgenti che non reggono più nulla, buchi dove c'erano le mensole, mattonelle macchiate, fughe dove sono rimaste le tracce del sangue, polvere, capelli, epidermide, unghie tagliate.

Quello resta qui, mi intima mia madre e indica l'orso rosa. È da bambina, non ti serve più, e poi esce dalla stanza.

Non aspetta una mia risposta, da tempo ormai è così, lei dice e basta, il dialogo non è ammesso, la condivisione è stata dimenticata, quando le ho detto che Iris era morta ha risposto: Perdere un figlio è il più grande dolore, dopo si è alzata ed è andata a pulire i fagiolini e così è finita la nostra commemorazione, il nostro travaso di sofferenza.

Antonia si è fatta più compatta, più segaligna, ha perso vigore di carne ma ha acquisito strettezza di spirito, afferra tutto con durezza, non tollera i disordini, l'ammutinamento.

Sono mesi che la sento muoversi per casa anche la notte, fare telefonate concitate, urlare, buttare le mani in aria, colpire i tavoli, le superfici.

La signora Mirella Boretti vedova Mancini ha dato in affitto l'appartamento di Roma e le inquiline senza contratto non stanno pagando il condominio, hanno problemi con le bollette, l'amministratore e la portinaia hanno avvertito mia madre, le hanno chiesto i soldi mancanti, lei ha telefonato alla signora Mirella e non ha ricevuto risposta e così ha continuato ed è stata ignorata fino alla telefonata finale in cui la signora si dichiarava disposta a darle battaglia, se mia madre non avesse smesso di disturbare le avrebbe tolto anche la custodia di corso Trieste, perché lei poteva, lei aveva agganci, lei conosceva e Antonia invece era sola, con la sua famiglia marcia, senza contratto di lavoro, tutti a carico.

Mia madre quel giorno non mangiò e non dormì, la trovai, andando al bagno in mezzo alla notte, che sedeva al divano e guardava lo schermo spento, si rifletteva nel buio.

La mattina dopo ci riunì in cucina per dichiarare che aveva parlato col giardiniere dei Festa, tale Giacomo, uomo di fiducia, lui sarebbe venuto a prenderci tra una settimana, dovevamo fare in fretta e svuotare l'appartamento.

Quella pensa che mi arrendo, quella pensa che m'ha fregata, ma io occupo la casa, voglio vedere chi mi porta via, aveva concluso e il suo viso s'era iniziato a rimpicciolire.

Così ci ha diviso i compiti e il da farsi, ha segnato sul calendario i giorni – sette – prima della partenza.

La portinaia e l'amministratore romano erano stati avvisati: stavamo tornando. E così anche la signora Mirella, mia madre le aveva scritto un lungo messaggio in cui la grammatica era povera, ma le intimidazioni erano trasparenti, doveva far uscire le inquiline da casa sua in una settimana o lo avrebbe fatto lei con le mani sue.

I gemelli non hanno osato lamentarsi, ligi nella raccolta dei loro averi, alti e dalle mani larghe, quasi uomini coi peli sul mento e le voglie, stretti nei vestiti di due inverni prima, pronti a catalogare e a impacchettare, nel loro linguaggio di occhi e dita si dicono a mezza bocca che sopravvivranno.

La casa vuota non ho il tempo di osservarla nel suo corpo nudo, nelle crepe e nelle memorie, nella pellaccia, nell'incavo dei gomiti, nella piega dell'ombelico, sono trascinata fuori dalla furia di mia madre che come corrente spinge tutti i rami, le pietre, i serpenti verso la foce, non frena mai il corpo del fiume.

Sono una donna giovane e già vecchia, ho perso diritto sul mio potermi opporre ai movimenti famigliari, senza averlo mai avuto, come se avessi saltato la mia fermata e ora il viaggio dovesse continuare fino al capolinea, nessuno ha pensato di domandarmi opinione o farmi partecipare alle decisioni più importanti. Antonia è la stessa madre della mia infanzia, quella che regge da sola le mura nel crollo, che ci porta in spalla fuori dalla casa in fiamme.

Chiudo la porta della mia stanza e dietro restano il cartellone arancione dei miei diciotto anni, le foto di Iris, le foto di Agata, le mie foto, e il muso di Babol, consumato dagli anni e dall'inutilità, trofeo che ha lo stesso peso di una medaglia vinta alla corsa campestre, quell'attimo di vittoria e potere alla distanza è solo polvere.

Il lunedì si svuotano gli armadi, il martedì il bagno, il mercoledì i pensili in cucina, il giovedì tocca ai tappeti e ai tessili, il venerdì buttiamo i sacchi neri, il sabato puliamo i pavimenti e i sanitari, la domenica siamo pronti a partire.

Così il piazzale delle giostre e dei calcinculo, le vie, le strade, i negozi, il passaggio a livello restano alle nostre spalle e la distanza da chi siamo stati aumenta, mentre i furgoni con dentro tutto quello che abbiamo si mettono in viaggio verso una casa che forse non potremo più avere e salutano una casa che abbiamo appena dichiarato vuota.

Arrivati a Roma, Antonia fa parcheggiare in doppia fila i furgoni sotto al palazzo di corso Trieste e scende, ha le ossa tirate, i capelli rossi legati in una coda alta, il piumone allacciato fino a sotto il mento e la faccia liscia e velenosa, si fa aprire i cancelli per farci entrare, i cancelli rubati dai fascisti, mi ricordano che questo palazzo ha una storia.

Roberta è morta quattro anni fa, nel sonno, ha smesso di respirare, rivedo il suo angolo al sole dove oggi batte l'ombra, la fontana dei pesci svuotata dell'acqua e riempita di piante grasse, il cortile e le rose – gialle rosse e salmone – molti dei condomini sono cambiati, il palazzo si è riempito di B&B e case vacanze, studentesse che si dividono le stanze e famiglie con pochi bambini, non c'è stato pericolo che gli affitti venissero deprezzati, il mercato degli immobili a Roma macina sempre guadagni, ora che c'è meno lavoro, il lavoro è diventato affittare le case.

Antonia ha in mano una cassetta di attrezzi e la porta su per le scale fino al pianerottolo, tutto ci è estraneo, tutto sembra averci aspettato.

Sul campanello non c'è più il nostro cognome, ma una targhetta bianca e lo zerbino è rosso e infeltrito, mia madre lo sposta bruscamente col piede, la serratura è stata cambiata e la porta sprangata.

La casa è nostra, grida per le scale ai vicini che si sono affacciati, ai curiosi, ai timorosi. Staremo qui finché non entreremo.

Io sono inetta e non so aiutare, mi vergogno per la nostra mancanza, per questa ennesima lotta che ci riporta allo scantinato della prima casa, a quando non era scritto da nessuna parte che noi meritassimo riparo.

La signora Mirella ha fatto inchiodare due assi di legno alle pareti, come si fa con i palazzi inagibili, con le cascine diroccate e le cantine piene di siringhe e di preservativi, i gemelli tirano fuori gli attrezzi, iniziano ad armeggiare guidati da Antonia e i loro polsi fini da adolescenti reggono come possono i martelli e le pinze.

Mia madre neanche mi chiede di fare qualcosa, lascia che io sia spettatrice dei loro tentativi: le assi non si spostano, i chiodi non cedono e loro sembrano accanirsi contro il destino e le orbite dei pianeti.

Ad Antonia tremano le mani, ma non si arresta, dice che la prenderà a spallate fino a farla cadere, che tornerà con la dinamite se servirà, è tutta la vita che è stata lasciata indietro e adesso no, ci vorranno i santi per fermarla. Si accanisce sui chiodi e sul muro, colpisce l'intonaco e la calce, cerca di scoprire i cardini e dà botte sonore agli stipiti e alle assi.

Io sto pensando ai pesci che chissà se sono stati liberati e buttati nelle fogne, forse ora nuotano sotto ai tombini, alla ricerca del mare ancora lontanissimo, forse sono mutati, hanno tre occhi e cinque pinne, sono stati contaminati dai nostri ammorbidenti e le pasticche anticalcare delle lavastoviglie, gli igienizzanti del bagno, lo shampoo alla camomilla, al muschio bianco, al burro di Karité.

Poi si sentono salire delle persone per le scale, qualcuno urla: Ma'!

Mia madre si ferma, ha le nocche rosse, la fronte bagnata, ha la faccia smarrita quando vede suo figlio arrivare.

Levate, ma'. Facciamo noi.

Mariano ci raggiunge sul pianerottolo, ha portato tre amici che sono alti e larghi e scuri come lui, hanno le spranghe, i piedi di porco, le sciarpe tirate sopra al viso, noi ci apriamo e li lasciamo passare. Al primo colpo che Mariano dà alla porta, mia madre sussulta in silenzio, strizzata contro l'ascensore.

Saltano i chiodi e le assi, salta anche il cemento e Mariano usa il piede di porco per spanare i cardini, con le mani e con le gambe fa pressione e trazione, i suoi amici intanto forzano la porta, la colpiscono con quello che hanno, finché mio fratello non sente che sta cedendo e allora la prende a spallate, una due tre cinque volte, il suo corpo batte, fino al punto in cui la porta non cede e si apre uno squarcio, si intravede la casa.

Mio fratello ha il suo naso finto sporco di polvere bianca, intonaco del muro su dita e vestiti, da una mano esce sangue e si è stracciato la manica del giubbotto, ma non si dà pace, ancora e ancora prende a calci la serratura fino a crearsi un passaggio e varca la soglia, va dall'altra parte, tuffandosi nel nostro passato.

Entrano i suoi amici, entra mia madre, entrano i gemelli e vengono inghiottiti da quella bocca sdentata, per ultima entro io: la signora Mirella ha fatto prendere a martellate il fondo della vasca nel bagno, la cucina in muratura, ha aperto con le forbici il rivestimento dei divani, ha portato via oggetti che non erano suoi e che mia madre le aveva lasciato per uno scambio equo, ha fatto tagliare i fili della corrente, staccato da sopra le finestre i bastoni per le tende, la nostra casa sembra un cantiere, il luogo di un delitto.

Mariano si aggira e valuta i danni, è già entrato nella seconda fase, quella della terapia, pensa a come curare la casa dalle sue ferite, dai graffi, dalla violenza, dice che penseranno alla porta e alla vasca e poi a come si può risolvere in cucina e ricucire il divano, intanto porteremo su i mobili e le nostre cose, poi faranno le ronde fuori al palazzo, davanti alla porta, nessuno potrà più entrare. Mia madre annuisce, lo guarda con gli occhi della riconoscenza, non c'è nessuno che avrebbe potuto salvarci se non mio fratello, perché è come lei, io mi sono solo illusa che la somiglianza con mia madre – capelli, lentiggini, naso – fosse segno della nostra prossimità: è davanti a me, ancora, la nostra assoluta incoerenza.

Mariano intima: non stare là con questa faccia, aiuta mamma, e lo dice a me come se fossi l'operaio del suo cantiere, il ragazzo delle consegne in ritardo, la moglie che non rimane mai incinta.

Poi si lancia per le scale e ci urla che va a prendere suo padre.

Io osservo il disastro come se fosse neve e semplicemente si fosse posata su di noi, l'aria è fredda, il panorama è accecante, mio fratello è montagna e io cavalletta, per un attimo vorrei mi abbracciasse, ma lui non lo fa e io non gli chiedo di farlo.

Mariano riemerge dalla porta sfondata, ha Massimo in brac-cio, lo ha portato di peso dal pianerottolo, ha dovuto lasciare la sua sedia fuori, gli sistema le gambe, una per una, le gambe piccole, le gambe rotte, e dice: Tranquillo, papà.

Perché mio padre sta piangendo, mio padre ha visto la casa spezzata.

Mariano tiene la mano insanguinata e ferma sulla sua spalla e dice che non è finita.

Io sono immobile e incrocio lo sguardo della bambina che sono stata, mi guarda dallo specchio incrinato del bagno e mi sussurra: Non c'è casa per chi non ha cuore.

* * *

Il lago è secco, lo hanno detto alla televisione. Durante l'estate, Roma ha succhiato acqua da lì per la propria rete idrica, allora si sono allungate le spiagge, sono emersi i sassi, sono affiorati i piloni, gli scogli sembrano isole e per poter affondare bisogna camminare e camminare e allontanarsi dalla spiaggia, dalle urla, dalla possibilità di essere salvati.

La gente di paese pensa che il lago sparirà, prenderanno acqua un po' ogni estate fino a farlo diventare una pozza, lo stagno che ha malodore e assomiglia ad acquitrino, solo allora vedremo davvero cosa c'è al centro, se tornerà al mondo la cittadina sommersa con le sue mura, i suoi cortili, le finestre.

La casa di corso Trieste è stata pittata e aggiustata, come bambola rotta le hanno accomodato gambe e braccia, le hanno pettinato i capelli arruffati e infilato il vestitino e il grembiule, la casa è agibile, noi dormiamo nei nostri letti, il televisore è tornato contro il muro, gli scatoloni sono stati svuotati con solerzia, i divani rattoppati con pezze colorate, sono riapparsi gli ammennicoli, le invenzioni di mia madre, le ante col découpage, i cactus nei vasetti dello yogurt.

Mariano fa avanti e indietro dal divano alla porta, sempre in allerta, sempre di guardia, passa le serate seduto al tavolo con mia madre, pianificano, manipolano, sanno esattamente cosa fare.

Deve iniziare a lavorare, li ho sentiti dire e parlavano di me.

Servivano soldi che non avevamo per curare la casa e così un giorno mia madre m'ha consegnato l'aspirapolvere e un secchio con dentro degli stracci, un detersivo, dei guanti e m'ha detto vai dalla signora al quinto piano, bisogna fare le pulizie.

E io sono andata nella casa con le poltroncine etniche, le librerie a muro, le fotografie incorniciate, i Capodimonte, i candelabri d'avorio, i dischi in vinile, le scalette per spolverare, la collezione delle pietre raccolte lungo i sentieri, le riviste vecchie lasciate in bagno, i letti in ferro battuto, i cestini in vimini, il quadro di una donna con un solo seno scoperto, i lampadari che sembrano sculture, i fiori secchi per profumare gli ambienti, le scatole delle scarpe allineate, i portadocumenti carichi di vecchie bollette, i bicchieri in vetro di Murano, le tazzine comprate a un museo in Canada, il basilico sul terrazzo e la statuetta di un ranocchio seduto su un tronco.

Mia madre m'ha detto di pulire come se fosse casa mia e io allora ho pulito arrabbiata e mi sono accanita con le macchie sul piatto della doccia, larghe e gialle e dolorose, con la polvere negli interstizi e i capelli caduti a terra vicino ai comodini.

Ora sono sola nella nostra casa, Mariano ha portato mio padre a girare per il quartiere, gli ha fatto indossare un maglioncino per non raffreddarsi e gli ha calcato sulla fronte un berretto con la visiera, mio padre era agitato ma anche lieto, lieto che il figlio fosse con lui, che si stesse occupando di ogni cosa, dalle passeggiate all'allaccio della luce, dalle porte sfondate al tubo del gas, questo fanno i figli, ordinano il mondo e il futuro.

Sento lontanissima la voce dei miei tuffi, dei miei salti nell'acqua: la bicicletta è rimasta ad Anguillara, come il mio orso Babol, come Cristiano e come l'urna con dentro la pelle di Iris e la sua milza e le rotule e le iridi, e adesso sento che al centro del petto s'è aperto un cratere, dove una volta era stato un vulcano, chi può dirlo, nei secoli pioverà e alla fine qualcuno chiamerà lago quello che prima era solo un buco, il fantasma di qualcosa che s'è spento.

Se avessi la macchina ora mi metterei in movimento e attraverserei la città per lasciarla, per uscirne e tornare al vociare del mercato del lunedì, ai pattini rossi e remati con lentezza, alle pizze gamberetti e salmone, agli ombrelloni piantati nella sabbia con le pale e con i piedi, ai giochi gonfiabili impiccati e appesi fuori dal giornalaio che fanno preoccupare le bambine, ma sono ferma qua, e qua è dove sono arrivata.

Mi alzo e mi muovo, scricchiolo, sono arrugginita, rimasta esposta troppo a lungo ai venti e alle piogge, sono guidata dai miei pensieri che creano romanzi, che stravolgono realtà.

Mi ricordo appena arrivata lì, quando tutto mi sembrava grande e grandioso, quando le stanze ampie erano case per me, quando gli scantinati e la loro poca luce erano i luoghi della mia infanzia. Ricordo le corse dei gemelli con le gambe corte e paffute, i pannolini che strusciano e il loro modo di attaccarsi alle cosce di Antonia. Ricordo me, Mariano e Antonia che nel cortile con le mutande di fuori e la vergogna siamo compatti, a mo' di testuggine lottiamo contro le piccole ingiustizie, contro chi non ci vuole. Ricordo la me che voleva le rose quando spuntavano dai giardini degli altri per tagliuzzarle e torturarle, per farne melma e riprodurre essenze costose. Ricordo mia madre che mi dice cosa è cattivo e cosa non lo è, e ci crede mentre lo dice, che sia possibile dividere il mondo a metà.

Vado in bagno, la vasca è stata sostituita, è bianca come i denti migliori e lucida, apro i rubinetti al massimo, sento già odore di muschio e coregoni e cigni.

Poi passo a quelli del lavandino, quelli del bidet, l'acqua esce e sgorga, è impossibile non sentirla passare, chiudo i tappi e inizia ad accumularsi, sale, pochi centimetri alla volta.

Quando il lago sarà svuotato, smaschereremo le leggende, le menzogne, i racconti, potremo scoprire reperti, mettere nelle teche le antichità, potremo vedere i pesci dibattersi all'aria, capire che colore ha la terra se non la vedi, potremo recuperare le canne da pesca perdute, le barche affondate, i giubbotti di salvataggio sgonfiati, i cadaveri affogati, le eliche degli elicotteri caduti, smetteremo di rifletterci, di pensarci da sponda a sponda, di pescare e tirare su le reti, di nascondere presepi e fucili sott'acqua.

È il momento della cucina che è stata tirata su da mio fratello con la calce e le piastrelle – l'ho sentito giorno e notte armeggiare con la spatola dentro a un secchio – apro anche quel rubinetto e chiudo lo scarico, lascio spalancate le porte di tutte le stanze, passa aria, passa acqua, passo anche io.

Mi siedo al centro del salotto e mi domando quanto tempo ci vorrà, se basteranno due, tre, sette ore, se potrò a un certo punto sentire l'acqua arrivare alle caviglie, almeno sotto alla punta delle dita, l'acqua del lago rubata, l'acqua del lago amara e perfetta, l'acqua che creerà una e più pozze moleste, che sgorgherà e inumidirà, che farà chiazze sui soffitti, che si infilerà nelle crepe e poi colerà e bagnerà divani e comodini, bottiglie dell'olio, libri e cataloghi, riviste, sacchi dell'immondizia, sovraccoperte, tende, l'acqua darà noia ai passanti, arriverà alle fondamenta, sarà il supplizio, l'acqua invaderà la strada e il quartiere, le automobili affonderanno e bisognerà costruirsi zattere e ripari, lasciare incustoditi gli averi e le proprietà, chi non saprà rimanere a galla verrà portato via.

Chiudo gli occhi e inizio a contare.

IL LAGO È UNA PAROLA MAGICA

Stai arrivando dalla strada principale e attraversi i campi d'erba gialla, passi accanto a qualche concessionario d'auto usate, superi la pompa di benzina e intravedi sulla sinistra un robivecchi, vende dondoli in ferro battuto e qualche comodino coi pomelli d'ottone.

Vai oltre le sterpaglie, i sassi e ti fermi in mezzo alla strada perché senti il segnale: si sta chiudendo il passaggio a livello, ti metti in fila dietro ad altre auto dai finestrini aperti, alcuni spengono i motori. I treni in campagna si alternano, non c'è il doppio binario come in città, devono darsi la precedenza e il passaggio a livello può restare chiuso anche per dieci minuti, ma non c'è modo di aggirarlo, ovunque andrai, dalle vie laterali, ne troverai un altro sbarrato.

La ferrovia è l'unica via di fuga per chi non ha la macchina, l'aorta che pompa sangue, l'orizzonte, soglia di avventure, su un treno sei arrivata, su un treno hai continuato a partire.

Quando la sbarra si alza tu passi rallentando e scavalchi i binari, se giri il viso a destra vedi le pensiline della stazione, hai preso quel treno per anni, conosci ogni vagone, ogni scritta con le bombolette, i tag con gli UniPosca, ti ricordi la gente stretta, ti ricordi quando una donna incinta è svenuta per la troppa calca, o quando hanno violentato una ragazza a La Storta, quando tenevi le porte aperte perché i tuoi amici salissero, quando non avevi l'abbonamento e correvi alla fine del treno, ti nascondevi nei bagni, quando hai incontrato un ragazzo più grande di te che aveva il fiato alcolico e dentro una busta portava cetrioli in un barattolo di vetro e il pane per i cigni.

La strada principale continua e arrivano i negozi, il fruttivendolo che vende anche lumache, l'enorme mobilificio che propone cucine costose e lampade affilate, poi ci sono i supermercati e le pescherie, quella è chiamata la zona della stazione, la parte urbana del paese, là ci sono villette, palestre negli scantinati e un bar che la sera cucina nachos e tortillas, lungo la strada le attività commerciali, verso l'interno le case con al massimo due piani e gli scivoli in giardino.

Non vuoi fermarti, superi la farmacia e lo studio del tuo medico di famiglia, rallenti alle strisce pedonali e fai passare una donna con un bambino, lui ti guarda come fossi un vampiro.

Un attimo e sei a Residenza Claudia, la chiamano così per via della fonte, quella dell'acqua minerale.

A sinistra si apre un piazzale e ci sono le case popolari, palazzine anonime a più piani, al secondo c'era casa vostra, anche se vostra non si può davvero dire, la finestra della tua camera, l'albero da cui Orso ha staccato un ramo, la ringhiera a cui attaccavi la bicicletta, lo spiazzo delle giostre sotto Pasqua, il baracchino degli spari, i colpi che partono, le lattine che cadono, tu e Mariano che salite le scale, uno tiene la testa e uno le zampe di un enorme orso rosa.

Ogni negozio ti ricorda un pomeriggio, ognuno di loro negli anni è cambiato, da dentista a ortopedico, da calzature a fiori freschi, da surgelati a oggetti per la casa, da tutto a un euro a ceramiche, da toeletta cani a telefonia, ai più longevi bisogna restare fedeli.

L'incrocio lo hai attraversato negli anni in tutte le direzioni, lì c'è l'unico e glorioso semaforo di tutto il paese, aspettare quel verde ha fatto parte della tua adolescenza, andando a destra puoi prendere la strada per la piscina dell'albergo e tornare lì, in costume e accappatoio, stare ferma davanti agli spogliatoi, la tua spazzola, la tua confezione di shampoo all'eucalipto, rivedere Carlotta che dice: Eccomi.

Da quella parte facendo un giro dentro a Residenza Claudia si arriva anche alla piazzetta e alla casa abbandonata, che ora hanno ristrutturato, ci vive una famiglia: hanno tre bambini, un cane, due canarini; proseguendo puoi approdare davanti alla villetta di Andrea, il cancello è ancora affumicato, agli angoli della strada sono rimasti i segni dell'incendio, lui presto si sposerà, hanno già stampato le partecipazioni, la futura moglie fa la dentista ed è molto bionda.

Ma tu non vuoi girare e aspetti il verde. Se sei fortunata puoi metterci poco a superare l'incrocio e allora sulla destra vedi una grande cascina, così diversa dal resto delle abitazioni da parere aliena, una antica casa di campagna lungo la strada di quella che vorrebbe diventare una città, il ricordo di un mondo finito.

Adesso per te iniziano i pensieri cattivi: vedi proprio là la stradina che da quella principale sale verso l'interno, a metà di quella strada in salita c'è stata e forse sempre starà la casa di Iris, quella via l'hai fatta a piedi, in bicicletta, in macchina, con lo stereo acceso, con i finestrini chiusi, la notte, litigando, dicendo ingiustizie, amando, davanti al cancello per te c'è ancora l'impronta del sacchetto pieno di limoni.

E quindi non ti addentrare, resta sulla strada maestra e continua, perché la strada principale arriva sempre e comunque al lago, ed è lì che tu hai bisogno di andare.

Allora infischiatene del cimitero alla tua destra, non pensare alle tombe, non pensare alla foto che hanno scelto per Carlotta, un ritaglio, in quella originale c'eri anche tu e non riuscivi a sorridere; pensa che sei sempre più vicina, si vedono i primi palazzi del centro storico, si vede l'insegna della pasticceria in cui la notte vi fermavate a prendere cornetti e toast.

Sei quasi arrivata alla Croce: l'incrocio più famoso, dove chi viene dalla campagna a volte sosta col cavallo solo per far vedere che può lasciarlo a un palo e scendere a bere un caffè. È capitato anche a Cristiano di farlo, di prendere il cavallo di chissà chi solo per il gusto di usarlo in paese. Cristiano che ha ristrutturato la sua fattoria e ora ha parecchie capre e mucche e vitelli e fa un formaggio buono, stagionato, che usano nei ristoranti.

Se dalla Croce vai a sinistra trovi due strade di santi, San Francesco e Santo Stefano, la prima è la strada che porta alle scuole medie ed elementari, dove l'estate si va al cinema all'aperto e dove molta della gente va a messa; l'altra porta alle villette dei ricchi, le più grandi, quelle costruite in alto e che guardano al lago e al centro storico, ville nuove, con larghi giardini, alberi lunghi, cancelli automatici, tu non hai mai avuto un tuo cancello e li invidi, quelli che possiedono un telecomando e a cui basta fare *clic* per entrare.

Se giri a destra dalla Croce vai verso Trevignano e ti ritrovi praticamente al lago, puoi costeggiarlo, continuare dove le case si diradano, tra le canne di bambù e le insenature, è una zona tranquilla che ti fa solo pensare al motorino di Cristiano e alle luci che si spengono, arriva il buio e sopravvive chi sa a memoria le curve e gli stop, chi schiva i fossi, chi frena in tempo.

Decidendo di andare dritto però sei arrivata.

Puoi entrare al borgo, camminare tra i vicoli, salire alla Collegiata, chiedere a qualcuno se vuole sposarti, indossare un vestito bianco senza spalline, oppure puoi fare la discesa e raggiungere il lago.

Scegli tu, noi intanto ti lasciamo qui, accostiamo e ti diciamo di scendere, fartela a piedi.

Adesso sembri avere fretta: corri davanti alla gioielleria dove tu e Iris volevate farvi bucare insieme le orecchie, supera la pizzeria con gli interni anni ottanta e il cameriere dal cattivo odore, non pensare alle vasche fatte con le moto, con le macchine, a piedi, gli occhi addosso a tutti, e tutti gli occhi addosso a te; corri di più fino al molo e levati i vestiti, via la maglietta a righe, via i jeans neri, via le scarpe da tennis mangiate sulla punta, scavalca la ringhiera, lanciati, sali su uno dei piloni: fai attenzione, è scivoloso.

Ora guarda alle tue spalle, c'è qualcuno che ti aspetta, porgile una mano e mantieni una promessa.

Dille di non sporgersi troppo, prima deve cercare il suo equilibrio, essere padrona del proprio peso, quella sotto di voi è l'acqua di gennaio, di aprile, di agosto, l'acqua di quando guardavi la superficie e cercavi il riflesso di Cristo, è la prova che hai macinato questi chilometri solo per un tuffo, chiudi gli occhi e dille di fare lo stesso, poi grida: Il lago è una parola magica.

È solo dopo aver urlato che tu e Iris avete il coraggio di saltare.

NOTA DELL'AUTRICE

Questo romanzo nasce per raccontare tre donne attraverso tre *personagge* a loro ispirate. La prima è Antonella che mi ha raccontato la storia della sua famiglia, delle difficoltà per l'assegnazione di una casa in custodia, dello scambio di case e di come è riuscita alla fine, dopo anni di lotte, a ottenere di essere messa in regola e recuperare la casa perduta. Mi sono presa delle licenze sulla sua storia, come quella di Anguillara Sabazia, non penso il comune di Roma abbia lì delle case popolari.

La seconda donna è Ilaria, che è stata per dieci anni la mia migliore amica, che era sarcastica e cocciuta, sapeva cucinare la crema pasticcera, sapeva andare a cavallo nei boschi, amava i conigli e *Anna Karenina*, e che è morta nel 2015.

La terza donna sono io che non ho picchiato un ragazzo con una racchetta, che non ho quasi ammazzato Elena nel lago, che non ho mai vinto un orso rosa alle giostre, che non ho mai saputo sparare e invece ho paura persino di stare da sola la notte. Questa non è una biografia, né una autobiografia, né una autofiction, questa è una storia che ha ingoiato frammenti di tante vite per provare a farne una narrazione, il racconto degli anni in cui sono cresciuta, dei dolori che ho solo circumnavigato e di quelli che ho attraversato.

Voglio ringraziare Anguillara Sabazia che fa da sfondo a questa messa in scena e chi vi abita, il lago di Bracciano, la città scomparsa di Sabazia, il tramonto a Vicarello, il Museo storico dell'Aeronautica militare, i circoli velici di Vigna di Valle, la passeggiata di Trevignano, il bar del Gabbiano, la discoteca all'aperto del Pepe Nero, la spiaggia libera del Pioppo, la curva del Pizzo, la navetta che serve il tragitto lungolago-stazione, i treni regionali della tratta Viterbo-Roma Tiburtina, il mercato del lunedì e i negozi chiusi al giovedì, Pedro Cano e il borgo antico, la chiesa della Collegiata e San Biagio, Angela Zucconi e la biblioteca a lei dedicata, le feste estive del Movida a Bracciano, il castello Orsini-Odescalchi, le anguille che non ho mai visto e i cigni che ho visto sempre, la discesa sterrata per raggiungere Martignano, il maneggio dei Due Laghi e tutti i luoghi lacustri che ho amato. Voglio ringraziare la Sagra del pesce e i fuochi d'artificio, il pesce fritto e i tetti da cui guardare, i saggi di danza fatti sui palchi sbilenchi, tutti i cantanti che si sono esibiti e in pochi hanno ascoltato. Voglio ringraziare chi m'ha tradita, chi m'ha derisa, chi m'ha detestata e chi m'ha capita, abbracciata. Voglio ringraziare le mie amiche, che sono vive e che custodiscono con me questa memoria.

Voglio ringraziare chi ha lavorato dietro le quinte con me a questo libro, chi è stato comparsa senza volerlo, chi è stato derubato per delle citazioni implicite o esplicite, chi leggendo si arrabbierà. Voglio ringraziare Laura Fidaleo, perché è sua la parola magica da cui sono partita.

Infine voglio dirvi qualche verità.

Nel 2012 Federica Mangiapelo è stata vittima di femminicidio, morta affogata dal fidanzato nell'acqua del lago di Bracciano, durante la notte di Halloween, aveva sedici anni.

Nel 2017 papa Francesco ha spento la maggior parte delle

antenne di Radio Vaticana accusate di aver procurato l'aumento di tumori maligni e di casi di leucemia nei bambini e nelle bambine della popolazione delle zone circostanti.

Sempre nel 2017 a Cracovia la Commissione UNESCO ha deliberato l'iscrizione a Patrimonio dell'Umanità della Faggeta di Oriolo Romano, che però resta terra di bracconaggio.

Dal 2019 alla società ACEA di Roma è stato proibito di succhiare acqua al lago di Bracciano. Ancora oggi gli acquedotti di Anguillara Sabazia vengono periodicamente dichiarati pericolosi perché contenenti quantità di arsenico superiori alle soglie consentite. Nel corso degli anni dal lago sono emersi reperti archeologici di valore e prove tangibili di ville e case sommerse.

E comunque io quel presepe subacqueo, sotto al molo, non l'ho mai visto, ma ci credo, che sia lì. Ci credo da quando sono bambina e non ho mai smesso.

INDICE

Finito di stampare nel mese di gennaio 2022 presso
L.E.G.O. S.p.A.
Stabilimento di Lavis (TN)

Printed in Italy